Collection **marabout service**

D0652762

Du même auteur :

La Naissance d'une famille
ou comment se tissent les liens (Stock / Laurence Pernoud)

Trois bébés dans leur famille, Laura, Daniel et Louis.
Les différences du développement (Stock / Laurence Pernoud)

T. Berry BRAZELTON

"A ce soir..."
Concilier travail
et vie de famille

marabout

Traduit de l'américain
par Béatrice Vierne.
Cet ouvrage a été publié
sous le titre original :
Working and caring
(A Merloyd Lauwrence Book)
(Addison-Wesley Publishing Company, Inc.)

Remerciements

J'aimerais remercier tous les parents de ma clientèle qui travaillent mais qui ont néanmoins trouvé le temps de participer au présent ouvrage en réunissant des données, puis en critiquant et en développant mes idées. Ils m'ont permis de me rendre compte qu'il n'est pas plus difficile de travailler à l'extérieur que d'être un parent à la maison, mais que quiconque fait les deux à la fois est obligé de doubler ses heures de présence, ses responsabilités, ses soucis et ses joies. Toutes ces familles ont enrichi ma vie à tous points de vue.

Des familles privées de culture

Il n'y a pas bien longtemps, une jeune mère que je n'avais encore jamais vue est arrivée dans mon cabinet avec son petit garçon de cinq mois. À peine entrée, elle m'a lancé : « Docteur, est-ce que je dois sevrer mon bébé ? »

In petto, je me suis dit : En voilà une drôle de façon de saluer un nouveau pédiatre ! « Pourquoi me posez-vous cette question ? — Il faut que je reprenne mon travail », m'a-t-elle répondu, comme s'il s'agissait d'une menace. J'ai voulu savoir quand et elle m'a dit : « Dans les mois qui viennent. » Soulagé, j'ai déclaré d'un ton enjoué : « Dans ce cas, certainement pas ! Habituez-le d'abord à prendre un biberon en milieu de journée et projetez de le nourrir au sein avant de partir travailler ainsi qu'à votre retour. Vous verrez comme ce sera formidable de rentrer chez vous en fin de journée et de l'allaiter aussitôt. Vous aurez l'impression d'être de nouveau soudés l'un à l'autre. »

À ces mots, elle s'est assise dans mon fauteuil, cramponnée à son bébé, et s'est mise à pleurer. J'étais très ennuyé, persuadé d'avoir dit justement les mots qu'il ne fallait pas à une femme qui m'était pratiquement inconnue. En essuyant ses larmes, elle m'a expliqué ce qu'elle ressentait : « J'espérais tant que vous me donneriez cette réponse, mais je n'ai pas pu supporter de me l'entendre dire par quelqu'un d'autre. Je suis avocate et, brusquement, je n'ai plus du tout envie de retourner travailler. J'étais conseillère d'une organisation pour la défense des droits de la femme, dont j'épousais totalement les convictions. J'ai attendu aussi longtemps que j'ai osé pour avoir cet enfant, alors que nous en avions envie tous les deux, mon mari et moi. J'adore mon travail et l'idée de l'interrompre, fût-ce pour un mois, me hérissait. Et puis, tout à coup, après la naissance de mon fils, je suis tombée complètement amoureuse. Je n'arrivais plus à manger, ni à boire, ni à penser à quoi que ce soit d'autre que lui. Le travail, à présent, je m'en moque. Je me rends compte que je suis une déracinée sur le plan culturel. Je n'arrive plus à croire au féminisme comme avant. Et en tant que mère qui doit retourner au travail, je n'ai pas de bon modèle à imiter. »

Aujourd'hui, l'appel au secours de cette femme, son besoin d'être comprise et son besoin de comprendre elle-même ses propres sentiments passionnés concernant son nouveau rôle de mère nourricière, ainsi que l'ambivalence de ses sentiments concernant la reprise de son travail, sont des plus banals. On m'en parle quotidiennement dans mon cabinet. Les femmes ont l'impression qu'elles doivent se consacrer à l'un ou à l'autre, mais qu'elles ne peuvent pas faire convenablement les deux ensemble. Impossible d'être à la fois une bonne mère et une femme qui réussit dans son métier. À notre époque, le mythe qu'il faut être une « surfemme » pour accomplir conjointement ces deux tâches est monnaie courante : « supermaman » à la maison et « supercrack » au travail. Ce « dédoublement » est ressenti comme très pénible par la plupart des femmes et elles se fixent des objectifs impossibles dans chacun de ces domaines, comme pour masquer le conflit qui fait rage au-dedans d'elles. Ce fut en entendant cette jeune femme réclamer ainsi une « nouvelle culture » que j'eus l'idée d'écrire le présent ouvrage, car j'avais devant moi une femme qui avait pleinement réussi dans son double rôle de mère et d'avocate. Et pourtant, elle avait le sentiment d'avoir tout raté. Il m'a semblé que j'avais le devoir de me pencher sur les questions qu'elle posait.

La plupart des jeunes pères n'ont pas éprouvé cette impression d'être déchirés. Ils seront nombreux, cependant, à devoir y faire face, à mesure qu'ils joueront un rôle de plus en plus nourricier auprès des enfants. Mon rôle à moi, c'est de défendre les bébés et, sachant comme je le sais que ceux-ci s'épanouissent le mieux dans un milieu familial nourricier, je suis désireux de sonder les sentiments des femmes et des hommes qui s'efforcent, les uns et les autres, de se dédoubler.

Aujourd'hui un jeune couple avec des enfants dont les deux parents travaillent cumule à lui seul cinq carrières : deux emplois de parents nourriciers, deux emplois rémunérés et les rapports de couple. Comment, dans ces conditions, maintenir en vie aussi bien le sens du plaisir que celui du partage ? C'est justement le sujet de ce livre. Il traite aussi de l'art de trouver, dans des conditions souvent houleuses, un équilibre entre les besoins primordiaux des enfants et les exigences toujours pressantes de la plupart des métiers.

Chacune des trois familles dont les existences constituent la trame du présent ouvrage met en lumière un aspect de cette lutte inévitable. J'ai choisi un mari et une femme exerçant des professions libérales, une mère célibataire et un couple de modestes employés pour bien montrer que les grandes questions — quand reprendre le travail, comment se répartir les soins et comment faire face aux obstacles que dresse sur la route familiale le développement d'un enfant normal lorsque la paternité ou la maternité ne sont pas l'unique tâche que l'on ait à assumer — se posent à tous les parents qui travaillent, quelle que soit leur situation.

Il s'agit d'un combat passionné et c'est heureux, car c'est justement cette passion qui nous insuffle l'énergie nécessaire pour tenir le coup. Chacun sait que les familles qui travaillent vivent sous pression et que les deux parents doivent apprendre à partager les tâches ménagères quotidiennes et les soins à donner aux enfants. Ce qui surprend davantage les couples, en revanche, c'est de s'apercevoir que ce partage même crée des problèmes de territoire et de rivalité. Quiconque s'occupe d'un petit bébé éprouvera envers tout les autres un sentiment de rivalité par rapport à cet enfant. Deux parents concernés partageant les soins à donner à leur nourrisson vont inévitablement devenir jaloux de la façon dont l'autre aime et élève cet enfant. Si cette rivalité leur donne de l'énergie pour leur tâche, si elle les incite à se perfectionner en tirant les leçons qui s'imposent des deux méthodes en présence, elle fournira un environnement positif pour les enfants de ce couple.

Comme je viens de le dire, lorsqu'on s'efforce de remplir convenablement deux rôles, on a l'impression d'être déchiré. Eric Erikson m'a rappelé, un jour, que pour une mère le plus difficile, lorsqu'il s'agissait d'avoir un deuxième enfant, c'était le sentiment d'être incapable de se partager en deux, de ne pas avoir assez à donner à deux enfants. Les mères qui s'efforcent de faire un métier et d'avoir en même temps des enfants éprouvent le même sentiment : Vais-je avoir assez de tout pour tout le monde ? se demandent-elles. Cependant, de même qu'une mère s'aperçoit qu'elle peut aimer deux enfants à la fois, la préoccupation sincère de ne négliger ni son enfant ni son travail fait naître chez la femme une énergie et des capacités nouvelles. Ce bouleversement, qui existe chez tous les parents qui tentent ainsi de se scinder en deux, vient nous rappeler de façon frappante toutes les ressources de motivation et de volonté que nous portons en nous pour accomplir cette double tâche.

Une de mes amies réussit parfaitement à s'occuper de son bébé de sept mois, tout en dirigeant un passionnant programme de puériculture. Elle m'a confié qu'elle était perpétuellement en rupture d'équilibre. Quant elle se trouve avec son bébé, elle se surprend à penser à son travail et vice versa. Plus les parents attachent d'importance à chacun de leur rôle, plus le dédoublement est difficile. Lorsque s'ajoute à tout cela la pression sociale qui vous oblige à devenir un expert du développement de l'enfant en plus d'un parent plein d'amour, il faut vraiment une sorte de « supermaman » ou de « superpapa » pour faire face. Les parents qui exigent d'eux-mêmes un tel effort n'ont guère de chances d'y prendre le moindre plaisir. Or, comme je sais qu'un enfant a davantage besoin d'un parent doué de souplesse et d'humour que d'un professionnel, j'encourage vivement les parents, tout au long de ce livre, à ne pas hésiter à profiter au maximum des joies de la maternité ou de la paternité.

Trouver un juste équilibre entre la vie professionnelle et familiale est une question qui se pose à la plupart des parents d'aujourd'hui. On prévoit qu'en 1990, 75 pour cent des enfants viendront de foyers où les deux parents travailleront à l'extérieur. Il y a eu un tel revirement, au cours des quarante dernières années, qu'aujourd'hui la plupart des mères au foyer se demandent si elles ne devraient pas prendre un emploi. Le sentiment s'est répandu qu'une femme qui ne travaille pas se prive d'une partie importante de l'existence et que s'occuper d'enfants n'apporte pas de satisfactions. Tout cela fait peser sur les femmes des pressions inexprimées et pousse chaque jeune mère qui a pris un congé de maternité à se demander quand elle doit reprendre son travail. Si elle reste chez elle, elle a l'impression qu'elle devrait songer plutôt à faire quelque chose « qui lui apporte plus que de s'occuper simplement d'un bébé ». À chaque frustration, à chaque nouvel élan d'indépendance de son enfant, elle risque de se demander si le besoin qu'il a de sa présence est aussi grand que son besoin à elle de retourner au travail.

En même temps, il existe dans notre société un préjugé tenace et inexprimé contre les mères qui se séparent de leurs bébés pour aller travailler sans y être littéralement obligées. Toute femme qui confie son enfant à quelqu'un d'autre se demande constamment si elle fait bien. Dans son esprit est encore enracinée l'image de la « mère idéale » qu'elle devrait être — celle qui reste chez elle pour s'occuper de ses enfants. Une question intérieure la taraude à tout instant : Ai-je vraiment le droit d'avoir en même temps un métier et un enfant ? Il faut dire et redire à ces mères qu'à un certain âge les bébés reçoivent ce dont ils ont besoin des autres personnes qui s'occupent d'eux et que leurs mères, par conséquent, doivent pouvoir se résoudre à la séparation sans se sentir trop chagrinées par cette perte.

Si elles ne sont pas ainsi constamment rassurées, les mères sont à la merci d'une société qui ne tient pas compte de l'importance des besoins de l'individu ni de ceux de la famille. Au chapitre 4, je préciserai l'état actuel de nos connaissances sur cette séparation et le meilleur moment pour envisager le retour au travail.

Dans les années quarante et cinquante, on ne voulait même pas entendre parler des talents et des aspirations personnelles de femmes au demeurant fort capables. Aujourd'hui, nous sommes en danger de négliger un autre besoin profond de la femme — un puissant sentiment que sa responsabilité première est de s'occuper de ses enfants et de son époux. Peut-être est-il injuste de s'attendre qu'une femme soit au centre de la vie familiale, mais il en a toujours été ainsi et les femmes elles-mêmes le ressentent de façon instinctive. Si l'on attend d'une femme qu'elle connaisse la même réussite à l'intérieur et à l'extérieur de chez elle, on accumule les responsabilités sur ses épaules. De nos jours, les femmes sont terriblement exposées. Des pressions contraires les plongent dans une pénible situation : quel que soit leur choix, elles auront toujours tort.

Une femme peut-elle vraiment décider d'assumer et de remplir avec compétence deux rôles à la fois ? J'en suis persuadé et il me semble que le moment est venu pour nous de faire face à cette vérité sur le plan national. Il est important d'envisager dès maintenant comment y parvenir de façon que la nouvelle génération de bébés et de parents n'en souffre pas.

Lorsqu'on se charge de la responsabilité et de l'éducation d'un enfant, on apprend au passage toutes sortes de choses sur soi-même en tant qu'individu adulte. Les mères qui travaillent doivent apprendre à aborder l'existence sous deux angles fort différents. Dans un discours prononcé à la Harvard Business School, Abraham Zaleznik a expliqué que ces deux angles, qui ne sont jamais vraiment compatibles, varient selon les femmes. Au travail, une femme aura besoin d'être réaliste, d'adopter une certaine distance sur le plan émotionnel et de se montrer volontaire et directe dans sa manière d'aborder ses tâches professionnelles et les gens qui l'entourent. Elle doit être efficace. Or une mère efficace risquerait d'être justement la pire espèce de mère pour ses enfants. Car, chez elle, une femme doit être souple et chaleureuse ; prête à tenter des expériences et à tirer la leçon de ses échecs, ouverte aux changements. Elle doit toujours prévoir que les choses peuvent mal tourner et être en mesure de compenser. Être capable de passer rapidement et sans trop de flottement d'une « personnalité » à l'autre est peut-être le secret de la réussite dans ces deux rôles fort différents.

En préparant ce livre, j'ai d'abord envisagé le problème sous l'angle de la « mère qui travaille ». Les mères de mes petits patients m'ont très vite ouvert les yeux en me déclarant : « Si vous imputez aux femmes tous les problèmes qui surgissent, vous refusez délibérément de soulever une grande partie de la question. Ce n'est pas simplement le problème des femmes, mais aussi celui des hommes. Ils s'attendent à avoir un métier, mais la plupart d'entre eux n'envisagent pas de se charger des tâches ménagères. Et, pourtant, il le faut. Le problème d'un couple qui travaille, c'est que personne n'est là tout le temps pour s'occuper des enfants. Pourquoi ne pas envisager la chose sous l'angle des " parents qui travaillent ", de façon que les pères, eux aussi, comprennent que leur rôle est en train de changer ? Les hommes doivent jouer un rôle plus actif en tant que " nourriciers " et non seulement en tant que soutien de famille. À l'heure actuelle, une bonne moitié du problème tient au fait que les hommes n'ont pas été bien préparés à leur nouveau rôle. Les femmes ont besoin d'apprendre à remplir convenablement deux tâches différentes, mais les hommes aussi. »

Il y a un nombre croissant d'études sur les effets de la présence du père sur le développement du nourrisson. Parmi les plus provocatrices, certaines démontrent que les enfants dont les pères se sont activement occupés lorsqu'ils étaient bébés arrivent à l'école avec de meilleurs Q.I. et une meilleure chance de réussite ultérieure. Ce qui est encore bien plus passionnant, cependant, c'est que ces enfants ont de meilleurs rapports avec les autres enfants, un plus grand sens de l'humour et semblent avoir une plus forte image d'eux-mêmes. La présence active du père offre de nombreuses occasions de consolider non seulement la famille tout entière, mais l'enfant lui-même. Ce qui ne devrait nullement nous surprendre.

Les recherches effectuées dans notre laboratoire au Children's Hospital de Boston (avec mes collègues Suzanne Dixon, Michael Yogman, Edward Tronick et Heidi Als) ont prouvé que le père d'un petit bébé, lorsqu'il joue avec lui, manifeste un comportement très différent de celui de la mère, mais pourtant très prévisible. Un père se comporte de façon plus « physique ». Très souvent, il parlera et réagira de façon amusante et stimulante, ce qui produira chez le bébé une réaction plus vive. Alors qu'une mère aura tendance à apaiser son enfant et à jouer doucement avec lui, un père semble fonctionner différemment. Très vite (dès le premier mois) on peut se rendre compte que le bébé attend de sa part ces réactions amusantes. À l'âge d'un mois, un nourrisson hausse les épaules et les sourcils avec une expression de joie impatiente en entendant au loin la voix de son père. Déjà l'importance que revêt pour l'enfant cette réaction différente et plus enjouée se reflète dans son attitude à la fois joyeuse et impatiente, qui forme un évident contraste avec l'impatience plus urgente et plus « avide » qu'il manifeste envers sa mère. Un bébé d'un mois dont le père s'occupe activement fait déjà l'apprentissage de deux espèces de personnalités différentes.

La présence du père aura des effets non seulement directs mais indirects sur le développement d'une jeune famille. En utilisant l'échelle de développement du nourrisson de Brazelton, Judy Beal, infirmière diplômée, a montré que les pères deviennent nettement plus sensibles aux manifestations de leurs bébés si un médecin ou une infirmière leur fait remarquer le comportement de leur enfant dès le deuxième ou troisième jour. Le Dr Ross Park a aussi prouvé l'étonnante faculté de réaction du nouveau-né, qui permet au père d'avoir davantage confiance dans ses capacités de parent nourricier. Cette découverte de la richesse du répertoire de son bébé, au niveau du comportement, influera sur le propre comportement du père, dont la participation accrue agira à son tour indirectement sur la mère qui sentira son mari plus concerné envers elle. Elle se sentira moins abattue, moins isolée et plus confiante dans sa propre sensibilité envers le comportement de son enfant. Grâce à ces échanges avec leur bébé et à tous les enseignements qu'ils en tirent, les parents apprendront à mieux s'épauler l'un l'autre.

Pourquoi la société a-t-elle été si longue à inclure activement les pères dans l'adaptation de la famille à une nouvelle naissance ? L'importance que l'on attache depuis peu à la présence du père lors de l'accouchement et des cours préparatoires qui le précèdent aide à donner aux pères l'envie de se montrer beaucoup plus présents auprès de leur bébé et de leur femme dès le retour de la maternité. Ce que j'espère, c'est que ces pères plus présents et plus motivés éprouveront envers leur enfant et leur femme un sens de leur responsabilité qui contribuera à souder la structure familiale que notre société contemporaine menace de plus en plus.

L'actuelle génération traverse une période de transition tant pour les hommes que pour les femmes. Le rôle de soutien de famille traditionnellement dévolu aux hommes est menacé à mesure que les femmes font la preuve de leur compétence sur le plan professionnel. Elles dirigent, prennent des décisions et accomplissent leurs tâches aussi bien que les hommes. Lorsque ces derniers constatent que les femmes sont capables d'assumer deux rôles avec succès, cela met à nu chez eux une peur inconsciente : peut-être le sexe dit faible est-il en fait le sexe le plus fort. La théorie de Freud sur le désir de pénis m'a toujours paru être l'inversion d'une émotion masculine beaucoup plus évidente : l'envie de posséder cette faculté qu'ont les femmes de concevoir et de mettre au monde un autre être vivant. Cette faculté ne peut qu'impressionner les hommes et les rendre jaloux au niveau de l'inconscient. À présent que les femmes font de surcroît la preuve de leur compétence professionnelle, les hommes risquent de se sentir doublement menacés.

Freud a également fait remarquer que, pour tous les êtres humains, les besoins fondamentaux de l'existence sont l'amour et le travail. Si, comme je tente de le suggérer dans le présent ouvrage, les femmes sont en mesure tout à la fois de travailler et d'élever leurs enfants de façon pleinement réussie, nous autres hommes nous trouverons devant une alternative : ou bien nous nous identifions à leurs efforts, ou bien nous sombrons dans une territorialité et une jalousie inefficaces. Mon propre choix n'est pas bien difficile à deviner. L'occasion qui s'offre aux hommes d'apprendre à mieux se connaître et de mûrir en s'attachant à développer leurs facultés nourricières crève les yeux, mais ce n'est pas forcément une tâche aisée, d'autant que les hommes ne sont guère encouragés à s'y intéresser avant de devenir père. Il existe encore un très fort préjugé culturel contre un homme qui s'occupe activement de ses bébés ou qui accorde la première place aux préoccupations d'ordre familial. Un père qui a demandé et obtenu un congé pour prendre en charge son bébé de six mois lorsque sa femme a dû reprendre son travail m'a assuré que — sur le moment — ses associés ont approuvé sa décision. Plusieurs d'entre eux l'ont même félicité, en déclarant qu'ils regrettaient de ne pas avoir eu le courage d'en faire autant quand leurs enfants étaient tout petits. Ces mêmes collègues, cependant, ont repris toutes ses affaires à leur compte, l'ont exclu de toutes les discussions et, à son retour, l'ont traité en véritable novice. Et cette façon de le rabaisser était chez eux si inconsciente qu'ils ont fort mal pris la chose quand il a tenté de leur faire remarquer leur comportement à son égard. Il n'y a pas eu moyen d'aborder le sujet avec eux et il s'est senti subtilement, mais fermement, mis à la porte du club par l'atmosphère qui a, depuis, régné au bureau. Il m'a dit qu'il comprenait à présent quelles épreuves devaient surmonter les femmes quand elles se battaient pour obtenir le droit de s'absenter momentanément de leur travail afin d'élever leur famille.

L'apprentissage que doivent effectuer tous les nouveaux parents est particulièrement difficile pour les hommes. Le mythe qui veut que les femmes sachent d'instinct ce qu'il faut faire en cas de crise autour d'un berceau est très profondément enraciné. Les ouvrages spécialisés insistent pour qu'un parent réagisse de façon « naturelle ». Or, la plupart des nouveaux parents qui n'ont jamais eu affaire à de petits bébés ni eu l'occasion d'observer d'autres parents avec leurs enfants, n'ont pas la moindre idée de ce qu'est la réaction « naturelle ». Face à un tel conseil, les hommes ont donc l'impression de ne pas être à la hauteur, parce qu'ils sont persuadés que seules les femmes savent vraiment ce qu'il faut faire. Du coup, ils n'ont que trop tendance à éviter le genre d'apprentissage et d'expérimentation nécessaires pour pouvoir réagir « instinctivement ». Il semble plus facile de démissionner en faveur de la mère. Parfois, cependant, il n'y a pas de mère. Dans ce cas, l'expérience d'un père seul et responsable de son nourrisson, quoique inquiétante pour le principal intéressé, est un pas inestimable vers une paternité pleine de confiance.

Un père qui se laisse exclure et renonce à la possibilité de se sentir compétent et de compter pour son enfant en concevra de l'irritation et sapera souvent le rôle de sa femme. En revanche, un père qui participe activement aux soins à donner, qui tire les leçons qui s'imposent de ses échecs et de ses réussites, se développera au même rythme que son bébé. Peu d'expériences de la vie adulte sont aussi impressionnantes et mûrissantes que les soins à donner à un enfant qui grandit.

Au niveau national, nous devons soutenir symboliquement l'importance de la participation du père. J'aimerais que la loi prévoie un congé de paternité payé au moment de la naissance d'un enfant. J'aimerais que l'industrie respecte le rôle que peut jouer un père au chevet de son enfant malade en lui permettant de s'absenter pour remplacer sa femme. Au chapitre 4, je suggère quelques mesures à prendre en priorité, sur le plan national, pour encourager la participation du père.

Les hommes ont besoin de plus en plus de soutien et de préparation pour réussir dans leur rôle nourricier. Il faut encourager les jeunes garçons à s'intéresser aux bébés et à se sentir responsables d'eux. Il faut familiariser les adolescents avec l'environnement d'un très jeune enfant et leur permettre de suivre des cours sur le développement d'un nouveau-né. Nous avons besoin d'envisager comme objectif culturel pour tous les adultes ayant atteint la véritable maturité — hommes et femmes confondus — l'accomplissement d'une double mission, dans l'univers professionnel d'une part et, de l'autre, ce qui est encore plus important, chez eux en tant que soutien de leur conjoint et de leurs enfants. J'espère que les jeunes pères se sentiront encouragés par le présent ouvrage, lorsqu'ils assumeront leur nouveau rôle au sein d'une famille qui travaille.

Les difficultés que crée ce double rôle, surtout en cas d'urgence, avec par exemple la naissance d'un nouvel enfant ou une maladie dans la famille, indiquent peut-être qu'il serait temps de réévaluer l'équilibre familial. Le mécontentement professionnel peut être accentué par des problèmes d'ordre familial. Les tensions au foyer risquent d'en créer d'autres au travail. Les études réalisées sur les mères qui travaillent montrent que les femmes qui ont une vie professionnelle heureuse auront davantage tendance à percevoir le besoin de valeurs plus élevées dans leur famille et à tenter de les y introduire, ce qui est tout à fait bénéfique pour leurs enfants. Dans la troisième partie de ce livre, je m'efforce de donner aux parents qui travaillent quelques aperçus des étapes normales du développement d'un enfant, qui sont susceptibles de soumettre les parents à des tensions supplémentaires. Celles-ci risquent d'être d'autant plus fortes si les deux parents travaillent. J'espère qu'en sachant par avance à quel moment ces périodes doivent survenir, les parents qui travaillent seront en mesure de transformer une tension normale en expérience.

Et le parent célibataire ? me dira-t-on. Aux États-Unis, 58 pour cent des enfants passeront une partie de leur enfance dans un foyer qui n'a qu'un seul parent. Comment un parent unique qui travaille peut-il entourer son enfant de tous les soins dont il a besoin ? Comme j'ai essayé de le montrer dans l'histoire de Tina et de sa maman célibataire, Alice, il n'est vraiment pas facile d'élever des enfants tout seul. Aussi bien le parent que l'enfant éprouvent périodiquement le besoin de cet exutoire normalement fourni, dans les familles classiques, par la présence du second parent. J'espère que leur histoire aidera à donner aux parents célibataires qui travaillent le courage nécessaire pour parcourir leur chemin solitaire. J'admire ceux qui affrontent courageusement et avec succès tous les obstacles qu'il comporte.

J'aborde, dans le présent ouvrage, une autre question cruciale : le choix d'une crèche ou de toute autre personne ou institution à qui confier un bébé pendant que ses parents travaillent. Chacune des familles dont j'ai fait le portrait a adopté une solution différente et, au chapitre 8, je présente quelques grands principes directeurs pour trouver et jauger les crèches ou les personnes qui viendront chez vous s'occuper de votre enfant.

En dernier lieu, j'avais l'intention de me servir de ce livre pour bien faire saisir, compte tenu de toute la passion et la tendresse qui entrent en jeu, le conflit que doivent affronter deux parents qui travaillent afin de mener de front leurs cinq carrières, conflit auquel les parents célibataires doivent faire face tout seuls. J'espère que, dans ces échantillons de vie quotidienne au sein de familles qui travaillent, on remettra à leur juste place les crises normales de l'enfance : ce sont des occasions offertes aux parents pour comprendre plus à fond et réorganiser leur vie familiale et leurs objectifs personnels. Une éducation réfléchie est indispensable non seulement pour l'avenir de nos enfants, mais aussi pour le bonheur de leurs parents.

PREMIÈRE PARTIE

Le paradis perdu

1

Les Snow

Carla Snow est une avocate d'environ trente-cinq ans, qui a fort bien réussi. Après dix années d'études et d'apprentissage, elle est entrée dans un grand cabinet d'avocats où, depuis trois ans, elle a connu un avancement presque vertigineux. Les plus anciens des associés — tous des hommes — l'ont d'abord traitée en « jolie petite chose », mais ils ont vite acquis un profond respect pour son esprit clair et tranchant. Les plus jeunes, qui lui avaient fait deux doigts de cour et de bien d'autres façons l'avaient traitée en inférieure, ont été surpris de constater qu' « une jolie femme peut réussir dans un métier d'homme ». Ils se sont finalement mis à la traiter en homme ; ce « compliment » a remplacé les remarques hostiles qui venaient auparavant lui rappeler qu'elle n'avait été engagée que pour satisfaire à la loi américaine sur l'égalité des sexes et des races devant le travail. Carla adore son métier. Récemment, elle a commencé à se sentir assez sûre d'elle pour oser demander un congé de maternité. Elle est consciente du danger qu'il peut y avoir à quitter ainsi son emploi, mais ses appréhensions ne sont plus assez fortes pour faire taire son désir croissant d'avoir un enfant.

Jim et elle sont mariés depuis cinq ans et ont toujours eu l'intention de fonder une famille, mais à mesure que sa carrière démarrait en flèche et prospérait, Carla a trouvé mille bonnes raisons de différer à plusieurs reprises sa première grossesse. Jim, qui est comptable, fait une carrière tout à fait moyenne et il est très fier du succès de sa femme ; il a donc parfaitement compris son besoin de retarder le plus longtemps possible la fondation de leur famille, d'autant que leur style de vie est lui aussi monté en flèche et qu'ils n'ont pas trop de leurs deux salaires. Avec chaque année qui passe, la venue d'un bébé leur apparaît comme un obstacle de plus en plus difficile à franchir.

Carla est obsédée par son âge. Elle vieillit. Est-elle trop âgée pour avoir un enfant? Saura-t-elle être une *bonne* mère? En voyant approcher sa trente-cinquième année, elle a brusquement senti que la maternité risquait de lui échapper. A-t-elle fait preuve d'égoïsme en gardant toutes ces années « pour elle », afin de consolider sa carrière? D'un autre côté, elle sait parfaitement qu'elle est devenue beaucoup plus sûre d'elle et elle espère bien que cela l'aidera à être une meilleure mère.

Les femmes qui travaillent se trouvent aujourd'hui confrontées à un cruel dilemme. À mesure qu'elles s'investissent dans leur travail, les satisfactions qu'elles en retirent deviennent de plus en plus vives. En se voyant acceptées sur le marché du travail « non pas en tant que femmes, mais en tant qu'égales », elles éprouvent un sentiment de réussite d'autant plus puissant. Ce qui ne les empêche pas d'avoir l'impression qu'il s'agit quand même d'une situation précaire et éphémère. Carole Gilligan a fait remarquer, dans In Another Voice, *que les femmes se sentent encore, au niveau le plus profond, mal à l'aise dans les rôles compétitifs. Le féminisme n'a pas su faire disparaître ce sentiment. Auquel s'ajoute l'idée que, si l'on s'absente de son travail pendant un certain temps, la faible prise que l'on avait acquise sur la réussite s'envolera à jamais. Si l'on a déjà connu un quelconque succès professionnel, les instincts de compétition des collègues, hommes et femmes, risquent de rendre la réinsertion d'autant plus difficile. Une femme qui a réussi aussi bien sa vie familiale que sa vie professionnelle est souvent jalousée par ses pairs.*

Bon nombre de ces inquiétudes sont fondées, mais elles sont également issues de l'espèce de remise en question à laquelle se livrent les femmes d'aujourd'hui — celles du moins qui ont le choix entre travailler ou non. Quoi qu'elles décident, beaucoup de femmes ont le sentiment que tout ce qui cloche est leur faute. Pourtant, lorsqu'une femme se sent pleinement épanouie, c'est le bien-être de toute la famille qui en bénéficie. Les recherches indiquent clairement qu'une femme dont la vie professionnelle est brillante et heureuse aura davantage de chances de réussir sa vie familiale et son rôle de mère. Il se peut que cette faculté soit perçue comme une menace par les hommes qui bien souvent ont encore l'impression qu'il leur est impossible de s'occuper activement de leurs enfants, tout en réussissant dans leur profession.

Il peut être angoissant de quitter un travail où l'on a fait ses preuves pour un nouveau rôle dont on ne sait rien. La tendance actuelle est de différer la fondation d'une famille jusqu'à la trentaine, ce qui donne à la décision d'avoir des enfants beaucoup plus de poids. Autre avantage, les conflits qui peuvent exister au niveau du rôle auront probablement été réglés — pour le meilleur ou pour le pire. Les décisions sont plus claires, moins encombrées de problèmes personnels non résolus. À cet âge-là, on est plus mûr, plus conscient des responsabilités inhérentes et beaucoup plus concerné. Par contre, le désir de faire les choses « parfaitement » rend la nature essentiellement empirique du rôle de parent plus difficile à accepter. Les parents d'un certain âge auront l'impression de « renoncer » à beaucoup de choses pour endosser ce rôle, si bien qu'ils s'attendront à en tirer des satisfactions proportionnées, ce qui peut faire peser sur l'enfant un fardeau parfois pénible.

L'âge de trente-cinq ans semble être devenu le tournant fatidique, fixé dans l'esprit des gens par une statistique : on a constaté, en effet, que les femmes de plus de trente-cinq ans courent davantage de risques de mettre au monde des bébés présentant certaines anomalies congénitales : mongolisme, malformations spinales et autres graves dérèglements chromosomiques. Il est, toutefois, possible de les dépister en début de grossesse, grâce à l'amniocentèse et à d'autres tests, et d'interrompre la grossesse. On peut désormais éviter aux femmes de tout âge de mettre au monde des bébés gravement handicapés. Aujourd'hui, les femmes de plus de trente-cinq ans, en bonne santé, ont de très bonnes chances d'avoir une grossesse normale.

LE TEMPS DES DOUTES

Dès que Carla et Jim ont décidé de tenter l'aventure familiale, les doutes commencent à se profiler à l'horizon. Ont-ils raison de se lancer ainsi ? Auront-ils à leur âge un bébé normal ? Carla met plusieurs mois à concevoir. Cela les étonne, car ils étaient convaincus que, dès qu'ils auraient décidé d'avoir un enfant, Carla se retrouverait immédiatement enceinte. Lorsque plusieurs mois ont passé et qu'aucune grossesse ne s'est déclarée, ils se disent que l'un d'eux doit être stérile. Aussitôt, toutes leurs angoisses les assaillent de plus belle. Ils ont attendu trop longtemps. Ils ont fait preuve d'un trop grand égoïsme en se préoccupant avant tout d'assurer leurs carrières. Ils ne sont même plus bons à faire un enfant. Leur désir de concevoir tourne à l'obsession. Ils ont absolument besoin de se prouver que rien de ce qu'ils redoutent n'est vrai.

Et puis, Carla attend enfin ce bébé tant désiré — ou, du moins, elle a du retard dans ses règles et elle commence à avoir mal au cœur le matin. Lorsque les tests viennent confirmer son état, Jim et elle sont à la fois soulagés et grisés. Ils ont l'impression de renaître : ils sont intacts et capables de fonder une famille ! La ronde des cocktails perd de son attrait pour eux. Ils n'ont plus qu'une envie : parler d'eux-mêmes et de toutes les façons dont ils vont devoir s'adapter à leur nouvelle existence. Brusquement, leur métier leur apparaît comme très secondaire.

À chaque fois qu'elle pense à sa grossesse, Carla jubile. Même quand elle a des nausées, elle exulte à l'idée que c'est à cause de ce bébé qui pousse au-dedans d'elle. Jim commence à la traiter avec ménagement. Il l'aide à s'asseoir, lui ouvre les portes et la surveille comme le lait sur le feu. Si elle a envie de manger quelque chose de spécial, il doit d'abord décider si c'est « bon pour le bébé ». Elle se découvre d'irrépressibles envies de nourriture salée et Jim demande à leurs amis si le sel, « ça va pour le bébé ». Au début, c'est amusant de le voir aussi prévenant et attentionné, mais cela devient vite quasi maladif. Carla se sent de plus en plus agacée par cette constante primauté accordée au bébé. Ses besoins à elle sont accessoires. Est-ce une indication de ce qui l'attend ? Elle se sent abandonnée, comme quand elle était petite et qu'elle se réveillait la nuit alors que son père était parti faire un long voyage d'affaires. Enfant, elle s'était inventé un ami imaginaire pour le remplacer. Cela fait déjà longtemps qu'elle s'est rendu compte que Jim avait pris la place de ce personnage fictif, si bien qu'à présent elle n'a aucune envie de le céder à qui que ce soit — fût-ce à leur enfant.

À mesure que l'euphorie initiale s'estompe, Carla commence

à regarder en face — un tout petit peu — la réalité de son nouveau rôle. Elle observe les bébés dans leur landau, elle s'imagine comment ce doit être de s'occuper d'eux. Elle s'intéresse plus attentivement à ses amies qui sont déjà mères : pour voir comment elles s'occupent de leurs bébés, ce qu'implique pour elles la nécessité de faire preuve de sentiments maternels et d'abnégation. La nuit, dans son lit, ses doutes reviennent la tenailler. Saura-t-elle être une vraie mère ? Ne risque-t-elle pas de devenir aigrie, irritable et déprimée, comme sa propre mère ? Jim va-t-il la délaisser pour se tourner vers le bébé ? Elle vient tout juste de s'adapter à son rôle d'épouse ; cela ne fait pas bien longtemps qu'elle a commencé à oser enfin compter sur Jim. Et voilà qu'elle met leurs rapports mutuels en danger avec cette grossesse.

Dans la journée, Carla se sent aussi enjouée qu'à l'accoutumée. C'est assez enivrant d'être enceinte et, la plupart du temps, elle se sent en pleine forme. Son travail, cependant, commence à s'en ressentir. Comment les choses se passeront-elles quand elle aura le bébé ? Elle en rêve durant les heures de bureau. Il lui faut deux fois plus longtemps pour rédiger une lettre. Ses collègues s'interrogent jusqu'à ce qu'elle leur confie enfin qu'elle est enceinte. Personne n'a l'air étonné. En fait, tout le monde est enchanté ! N'ont-ils donc pas, comme elle, le sentiment qu'elle déserte son poste ? N'ont-ils donc pas remarqué que déjà elle n'est plus qu'à moitié là, que bientôt elle ne sera plus bonne à rien ?

Sa mère exprime à haute et intelligible voix ce que d'autres ont pu penser par-devers eux : « Eh bien, ma chérie, à présent tu vas pouvoir cesser de faire tes preuves dans le monde judiciaire et devenir enfin une vraie femme. Tu n'auras qu'à laisser tomber ton métier et devenir une mère au foyer, comme nous toutes. » Ces propos exaspèrent à tel point Carla qu'elle comprend bien qu'ils ont dû la toucher au vif. Cette éventualité l'effraie-t-elle ou l'attire-t-elle au contraire irrésistiblement — ou les deux ? Si elle a envie de faire les deux à la fois, se montre-t-elle trop ambitieuse et égocentrique ? Depuis toujours, elle a bien senti que sa mère éprouvait des émotions très ambivalentes concernant son métier et surtout sa réussite professionnelle.

Les jeunes femmes d'aujourd'hui — et beaucoup de femmes moins jeunes — ont désormais d'innombrables possibilités de s'épanouir en se lançant dans de passionnantes nouvelles carrières. Il est donc inévitable que les femmes plus âgées qui ont dû renoncer à de semblables espoirs en conçoivent une certaine ambivalence dans leurs sentiments. Carla va peut-être devoir apprendre seule à devenir une mère qui travaille, car il est possible qu'elle ne puisse pas partager avec sa mère les sentiments de culpabilité ou de colère qu'elle risque parfois d'éprouver. Peut-être a-t-elle du mal à accomplir le « travail de la grossesse » : à fantasmer, à s'imaginer dans son rôle de mère ?

Dans mon livre, La Naissance d'une famille, *je décris certains des rêves et des fantasmes universels de ce « travail de grossesse ». Les femmes qui désirent être une bonne mère pour cet enfant qu'elles attendent doivent traverser cette remise en question. C'est une période de grands bouleversements, mais très saine, qui galvanise l'énergie dont une femme a besoin pour faire face à cette « crise » naturelle qu'est la mise au monde d'un enfant. Les femmes se demandent alors si elles sauront jamais être à la hauteur de leur tâche, si elles sont vraiment capables de renoncer à une vie à laquelle elles sont adaptées — parfois de façon encore très récente — pour endosser une telle responsabilité. Très souvent, elles reviennent sur leur propre expérience d'enfant. Même si beaucoup de femmes préfèrent la rejeter en tant que modèle, elle est importante pour les préparer à leur rôle de mère. Si une future maman qui travaille est la fille d'une « mère au foyer », elle se comparera forcément au personnage si « féminin » dont elle a gardé le souvenir.*

Une future mère qui travaille passe beaucoup de temps à justifier à ses propres yeux ce besoin d'exercer un métier. Elle se demande si elle a vraiment envie d'être enceinte et rêve de rejeter ce fœtus. Si elle n'attendait pas cet enfant, la vie redeviendrait si simple. Étant donné que ces fantasmes de rejet lui sont intolérables, ils prennent parfois la forme de crainte d'avoir abîmé le bébé. Elle rêvera peut-être alors d'un enfant anormal, en se demandant comment elle pourra jamais faire face à une pareille épreuve ou la concilier avec sa vie professionnelle.

J'ai pu observer, d'après ma propre clientèle, qu'une femme qui sait qu'elle devra reprendre le travail très tôt après sa maternité n'ose pas se laisser aller à des rêves trop passionnés concernant son nouveau rôle ni s'attarder trop longtemps sur ce risque d'avoir un enfant qui ne soit pas tout à fait normal. On dirait qu'elle se protège déjà contre un attachement trop violent, contre tout le travail émotif qui prépare les femmes aussi bien au bonheur indicible qu'à l'affreuse déception susceptibles d'accompagner la venue de leur bébé. Cela détourne partiellement l'énergie nécessaire au travail de l'attachement durant la grossesse. Une femme a besoin de rêver aux deux rôles qu'elle devra remplir et à la façon de les assumer parallèlement. Il faut pouvoir évoquer toutes les possibilités dans ses rêves et ses fantasmes. C'est une partie essentielle du « travail de grossesse », de la « préparation » d'une jeune maman.

Jim, lui, semble comme grisé. Lorsqu'ils se retrouvent en tête à tête, il ne peut parler de rien d'autre. Il n'est donc question que de « ce qu'on fera ». Carla s'aperçoit qu'elle est jalouse de lui. Il paraît si sûr de son rôle, alors qu'elle l'est si peu du sien. Il a déjà téléphoné à ses parents et à son frère pour faire le glorieux avec « son bébé ». Lorsque le jeune couple parle métier, Carla évoque toujours le sien au passé. L'avenir de son mari semble tout tracé, le sien trop brumeux pour faire le moindre projet. Elle n'ose pas admettre, pas même en son for intérieur, ce sentiment d'insuffisance. Elle a l'impression que ce serait une espèce de capitulation. Elle ne se sent pas capable de remplir ses deux rôles à la fois et, sans rien dire, elle se demande avec angoisse auquel il faudra renoncer.

LE FUTUR PÈRE

Jim a toujours mieux su cacher ses préoccupations profondes. Il a toujours été optimiste, capable de dissimuler des angoisses et des conflits intérieurs derrière une façade de parfaite assurance. Il sent bien que Carla se fait du souci et se rend compte qu'elle prend la nouvelle situation beaucoup plus au sérieux que lui. En même temps, cependant, il se demande comment elle peut se montrer aussi réservée alors qu'ils traversent des moments aussi passionnants. Ne sachant pas quoi faire d'autre, il redouble de bonne humeur. Une fois, quand même, il tente de persuader sa femme de lui confier ce qui la préoccupe, mais elle ne tient pas le coup et s'effondre en larmes. Résultat : il cesse d'aborder avec elle les questions trop personnelles et ne lui parle que de leur futur bébé. Il lui semble que c'est le moyen idéal pour éviter les sujets plus graves.

Jim est le type même de ces hommes qui n'affronteront sans doute pas la réalité de leur nouveau rôle de façon ouverte et consciente. Protéger Carla est pour lui une bonne façon de se soustraire à ses propres émotions. S'il se passe le luxe de rêver à son nouveau rôle, il risque de prendre conscience de son désir de s'occuper de son enfant et de le « paterner ». Il lui faudra aussi faire face à ses sentiments envers son propre père et décider jusqu'à quel point il a envie de s'identifier à lui et de revivre les expériences de son enfance. Peut-être n'aura-t-il aucune envie de reproduire ce genre de rapports, mais, tout comme Carla, il faudra bien qu'il y revienne, lui aussi, car c'est son expérience passée la plus importante pour se préparer à affronter son nouveau rôle.

En outre, les craintes que peut éprouver un père d'avoir un enfant anormal sont très comparables à celles de sa femme, même si elles ne sont pas aussi intensément personnelles. Jusqu'à un passé très récent, la plupart des hommes ont réprimé ces émotions. Pourtant les pères ont besoin de se préparer à partager beaucoup plus le rôle nourricier avec leur femme ; ils doivent s'aventurer eux aussi vers le « travail » de l'attachement. Il faut qu'ils laissent leurs craintes, leurs sentiments ambivalents, leurs rêves remonter à la surface, afin de libérer toute l'énergie dont ils auront besoin pour s'attacher au bébé. La tâche n'est pas facile pour un homme, car les idées toutes faites concernant les deux sexes, quoique subtiles, font encore partie intégrante de notre vie.

Rares sont ceux d'entre nous dont le père s'est activement occupé lorsqu'ils étaient tout petits. Le jeune père devra donc explorer lui-même un nouveau territoire. Par le passé, les hommes ne s'adaptaient à leur nouvelle vie de famille que par procuration, par le truchement de leur épouse. Cela évitait la possessivité et la rivalité autour du bébé qu'apporte un attachement plus actif. Aujourd'hui, nous demandons aux jeunes pères de jouer un rôle plus présent, plus exigeant au sein de leur nouvelle famille.

De nos jours, il est essentiel que les hommes se préparent à avoir une famille. Les cours de préparation à l'accouchement auxquels participent les pères sont dans ce domaine d'un secours inestimable. Des futurs pères viennent me voir avant la naissance de leur enfant, cherchant avidement la permission de se considérer comme d'authentiques participants. De toute évidence, il est grand temps de nous débarrasser du cliché de l'homme que toutes ces histoires de femme ne concernent pas. J'encourage les maris à accompagner leurs épouses aux visites chez l'obstétricien et à prendre part à toutes les décisions concernant l'accouchement et la nouvelle famille. Un homme doit songer très tôt à s'adapter à son nouveau rôle. La rivalité qui se fait jour entre Carla et Jim indique bien à quel point ce dernier sera concerné par cette naissance.

Chaque fois qu'il téléphone aux siens, Jim se montre exubérant. À présent, il se sent enfin l'égal de ses frères. Le voici nanti d'une femme *et* d'un enfant. Il se voit déjà père d'une petite fille qui l'adorera et qu'il imagine sous les traits d'une Carla miniature, mâtinée de bébé de concours. Et, si c'est un garçon, ils pourront faire du sport tous les deux ; ils auront tous les jours des tas de choses à faire ensemble. Ce bébé sera vraiment à lui : stupéfiante perspective !

Un jour, l'idée vient à Jim qu'il est en train de devenir beaucoup trop possessif et qu'il exaspère Carla. Une fois où elle lui a demandé un verre de vin, il s'est aussitôt rebiffé et a répondu, sans réfléchir : « Je te le déconseille formellement. Ça pourrait faire du mal au petit. » Et, encore, il s'est retenu juste à temps de dire « ... à mon petit ». À peine a-t-il proféré ces mots qu'il se rend compte de ce qu'ils ont de désobligeant pour Carla et il s'efforce vaillamment de faire amende honorable. Elle lui a soudain semblé si vulnérable. C'est la première fois qu'il se rend compte que cette grossesse pourrait très bien les séparer plutôt que les unir. Carla devient si lunatique, si réservée. Et lui, il est trop euphorique, trop possessif et leurs rapports de couple s'en trouvent menacés.

Jim se met donc à travailler plus dur au bureau. Il commence à réévaluer son avenir à la lumière de ce nouveau rôle de soutien de famille. Il sait à présent qu'il doit se faire une bonne place au soleil — et vite. Tant de choses en dépendent. Il comprend, à présent, pourquoi beaucoup de ses collègues restent plus tard le soir, travaillent plus dur et flattent le patron dans le sens du poil, toutes ces choses qu'il a tant déplorées naguère. Il a toujours juré ses grands dieux qu'on ne le prendrait pas à devenir un de ces « drogués du travail », sous les traits duquel il se rappelle son propre père, mais aujourd'hui il saisit pleinement à quoi cela correspond. Il s'explique de son nouvel horaire plus chargé auprès de Carla : « Pendant quelque temps, après la naissance du petit, tu vas t'arrêter de travailler, alors, moi, il faut que je travaille deux fois plus dur maintenant. » Elle lui assure assez fraîchement que le bébé ne la gênera pas dans son travail et qu'il n'a pas à s'en faire sur ce plan.

Jim, pourtant, a de plus en plus de mal à accepter ce désir qu'elle manifeste de reprendre son travail après la naissance. Il attache beaucoup d'importance à se l'imaginer chez eux, en train de s'occuper de sa maison « à lui », de son bébé « à lui ». C'est un tour étonnant que vient de prendre sa façon de penser. En revient-il à quelque vieux fantasme démodé, ou bien à sa propre enfance ? Peut-être a-t-il besoin de s'imaginer sous les traits du mâle tout-puissant que sa femme nu-pieds et soumise attend à la maison. Ou bien peut-être s'identifie-t-il si complètement à « son » enfant qu'il voudrait pour lui une mère idéale. Peut-être encore la rivalité qui les oppose au sujet de leur bébé le pousse-t-elle à confiner Carla à ce rôle unique.

Un mari a beaucoup de mal à accepter le nouveau rôle de sa femme. Il projette sur elle le conflit qui fait rage en lui. En réalité, Jim ne voudrait rien tant que de rester chez lui avec leur enfant.

L'AMNIOCENTÈSE

Avec l'amniocentèse intervient une nouvelle décision : si l'examen permet de constater que l'enfant n'est pas normal, Carla et Jim auront-ils le courage d'interrompre la grossesse ? Il leur semble plus facile d'adopter envers cette éventualité la politique de l'autruche... et de prier. Ils ne peuvent, cependant, prendre la responsabilité d'écarter cette précaution et le médecin les incite vivement à s'y conformer : « C'est un examen très simple. Il n'y a que très peu de risques. » Ça ne paraît pourtant

pas simple du tout à Carla. C'est déjà assez désagréable d'être envahie par une machine, mais le fait de voir de ses yeux cette petite masse qui gigote lui fait paraître encore plus impossible l'idée d'avoir peut-être à s'en débarrasser. C'est pourtant une drôle de petite chose, à peine un être humain, mais c'est quand même leur bébé et sa vue lui rend la réalité plus palpable. Lorsqu'on leur demande : « Voulez-vous connaître le sexe ? », ils déclarent qu'ils préfèrent ne rien savoir.

De nos jours, de nombreux couples veulent savoir d'avance le sexe de leur enfant, mais beaucoup aussi préfèrent l'ignorer. Il peut être déterminé par l'amniocentèse et même par les ultrasons, avec la technique de l'échographie. Carla et Jim, pour leur part, veulent que ce soit une surprise, « comme pour Noël ». C'est une décision tout à fait personnelle. Chaque couple a son idée là-dessus. Le Dr Elizabeth Keller a découvert que le fait de connaître d'avance le sexe de l'enfant n'accélérait pas le processus d'attache-ment des parents après son arrivée. La plupart des parents ont le sentiment qu'ils sauront très vite s'adapter à l'un ou l'autre sexe, pourvu que le bébé soit en bonne santé.

L'amniocentèse, cependant, est devenue un examen quasi routinier dans le cas des femmes de plus de trente-cinq ans, afin de dépister de possibles anomalies chez le fœtus. Celui-ci est localisé au moyen d'ultrasons, de façon à pouvoir opérer sans danger une ponction dans la poche de liquide amniotique et prélever quelques cellules à analyser. Un nombre relativement réduit d'anomalies peut être discerné dans chaque cellule fœtale. Celles que l'on parvient à identifier sont fort graves et justifient pleinement la décision d'interrompre la grossesse. Elles signifient que le fœtus deviendra un bébé sérieusement handicapé. Le gros inconvénient de ce processus, c'est qu'il est affreusement pénible pour les parents de voir bouger le fœtus et de devoir ensuite envisager la perspective d'une I.V.G. Des examens plus récents, par exemple le prélèvement de villosité choriale, qui consiste à examiner un morceau du placenta, peuvent être effectués plus tôt et facilitent quelque peu, le cas échéant, la décision d'interrompre la gros-sesse. Chaque futur parent imagine un jour ou l'autre que son bébé pourrait être anormal. C'est une angoisse tout à fait naturelle en cours de grossesse. Non seulement elle libère une source d'énergie, mais, si le fœtus est effectivement anormal, les fan-

tasmes de ce genre aident les parents à se préparer au travail de
réhabilitation qui devra suivre.

L'examen prend deux interminables semaines. Le résultat
arrive enfin : tout est parfaitement normal et les Snow osent se
remettre à penser à cet enfant comme étant le leur. Ils
commencent à présent à attendre de le sentir bouger, ce qui doit
survenir vers le cinquième mois.

LES RÉACTIONS DES AUTRES

La grossesse reste une expérience à la fois passionnante et
angoissante. Ces émotions, cependant, ne sont pas particulières
à Carla et Jim qui s'aperçoivent qu'ils sont sur le point d'entrer
dans la vaste communauté des parents. Des gens qu'ils connaissent à peine revêtent soudain une importance nouvelle à leurs
yeux, uniquement parce qu'ils ont des enfants. En revanche, leur
habituelle bande d'amis qui n'ont pas encore sauté le pas
commencent à les fuir comme s'ils étaient contagieux.

Au bureau, les réactions varient. Le patron de Carla se met à
lui retirer les dossiers à long terme, en déclarant : « Vous ne
resterez pas assez longtemps pour vous occuper de ça. » Ou
encore : « Ce ne serait pas correct envers les nouveaux clients de
les laisser s'habituer à vous, alors que vous êtes sur le point de
vous éclipser. » Parmi les associés, certains des plus âgés laissent
entendre que leurs mises en garde d'antan contre l'idée d'engager dans leur cabinet une de ces imprévisibles créatures du sexe
opposé n'étaient que trop justifiées. Quant aux jeunes hommes
de la génération de Carla, ils semblent éprouver une satisfaction
triomphale à l'idée d'être encore là quand elle n'y sera plus. Une
collègue plus jeune paraît à la fois intriguée et impressionnée par
le « courage » de Carla. Aucune de ces réactions n'atteint Carla
aussi vivement qu'elle l'aurait cru, car elle vit pour le moment
sur une sorte de nuage rose. Elle commence à se sentir
supérieure au reste du monde, comme la poule aux œufs d'or.

IL BOUGE !

À partir du cinquième mois, Carla commence à sentir dans son ventre une espèce de mouvement clairement défini. Au début, elle pense qu'il s'agit d'un simple petit accès de flatulences. Un jour où elle est très occupée avec un de ses clients, son esprit se met à vagabonder. Elle n'arrive pas à situer exactement cette étrange sensation dans son ventre. C'est un peu comme quand on tient dans sa paume le poitrail d'un petit oiseau. Elle s'interrompt au beau milieu d'une déclaration empreinte de sagesse pour poser la main assez bas sur son ventre, puis elle sourit, tendrement, le regard soudain tout rêveur. Ça y est, il a bougé ; pour la première fois elle vient d'éprouver ce phénomène dont elle a tant entendu parler. Son client paraît perplexe. Elle se rend soudain compte de ce qu'elle vient de faire, rougit et bafouille : « Oh ! Je suis navrée, mais je viens juste de sentir bouger mon bébé. Je suis enceinte, vous savez. » Le coriace homme d'affaires qu'elle a en face d'elle se contente de marmonner : « Désolé. » Elle a l'impression qu'elle vient de perdre le contact qu'elle avait avec lui et se demande si elle ne devrait pas confier sa clientèle à un de ses collègues. Finalement, elle préfère tenter d'expliquer : « Vous comprenez, c'est la première fois que je... » Elle se rend compte, soudain, qu'elle est en train de gaspiller de précieuses minutes à parler d'elle et se sent très gênée. La réserve de son interlocuteur semble fondre, cependant, et bientôt ils sont en train de parler de sa famille à lui. Il s'ensuit un entretien personnel fort animé, à l'issue duquel elle s'aperçoit que leurs rapports jusque-là assez neutres se sont intensifiés. C'est avec un regain d'intérêt qu'elle reprend son rôle de conseillère. Après le départ du client, elle demande à sa secrétaire d'appeler le bureau de Jim pour faire savoir qu'il y a un message urgent de la part de sa femme. Il s'extrait un court instant d'une réunion de travail et elle lui annonce la nouvelle. Il pousse des clameurs d'allégresse et lui demande de rentrer du bureau le plus tôt possible afin qu'il puisse lui aussi « le sentir bouger ». En fait, il s'en faut d'un bon mois pour que les mouvements deviennent perceptibles à quelqu'un de l'extérieur.

En attendant, ils prennent une forme plus définie et plus prévisible, survenant à certaines heures de la journée. Quand Carla est occupée, le bébé reste tranquille, mais quand elle s'assoit, le soir, il se met à remuer. Au bout d'un mois, Jim est en mesure de partager cette sensation avec elle. Il leur semble que la grossesse s'accélère.

À mesure que le bébé bouge de plus en plus, il devient plus réel pour l'un comme pour l'autre. L'extraordinaire sensation de le sentir remuer commence à dominer tous les états d'âme contradictoires qui animaient Carla. Elle ose croire à présent qu'elle porte un *vrai* bébé et qu'elle est une *vraie* mère. Elle passe alors quelques mois merveilleux. Elle se sent de nouveau en excellente forme, débordant d'énergie. Jim et elle sont redevenus parfaitement unis. Tous les bouleversements qu'ils ont vécus séparément semblent désormais les souder plus étroitement l'un à l'autre.

Leurs rapports sexuels commencent à être problématiques, cependant. Jim paraît hésitant dans son désir. Il donne l'impression d'avoir envie de se trouver dans le ventre de sa femme avec le bébé, mais en même temps de ne pas oser la pénétrer de peur d'endommager l'enfant. Et Carla aussi se sent déchirée. Par moments, elle voudrait sentir qu'elle est encore désirable et puis, à d'autres, elle n'a qu'une envie : qu'on la laisse seule avec « son » bébé. Elle aussi redoute, de façon tout à fait absurde, que les rapports sexuels ne délogent ou n'endommagent le fœtus. Son médecin traitant a beau essayer de la raisonner et de lui assurer que ces craintes ne riment à rien, elles n'en subsistent pas moins, si bien qu'elle se montre froide et distante lorsque Jim a envie d'elle.

RÊVES ET FANTASMES

C'est une période où ils éprouvent un besoin urgent de mener à bien tous leurs projets. Ils avaient envisagé de prendre un appartement plus grand, projet qu'ils ont abandonné au cours des premiers mois de la grossesse. À présent, une quête éperdue succède à l'inactivité. Ayant enfin trouvé ce qu'ils veulent, ils s'aperçoivent que c'est trop cher et se sentent anormalement déçus et frustrés. Rien n'est trop beau pour leur enfant. Tous deux comprennent qu'ils vont être obligés de transiger plus qu'ils ne l'ont jamais fait, s'ils doivent parvenir à vivre à trois avec un seul salaire. Bien que la chose soit peu probable, ils ne peuvent s'empêcher de penser que l'emploi de Carla est potentiellement menacé. Carla n'ose même pas aller voir son patron ; inconsciemment, elle redoute d'être mise à la porte.

Lorsqu'elle rêve qu'elle tient son enfant, cependant, elle ne s'imagine plus que dans un seul rôle : celui de mère. Elle rêve de pouvoir renoncer à son travail pour un an ou plus, de façon à rester à la maison. Jim et elle savent bien que c'est tout à fait impossible, si bien qu'elle n'en parle jamais alors même qu'ils y pensent beaucoup, l'un et l'autre. Peut-être ont-ils tous deux le sentiment que le seul fait d'exprimer ce souhait les rapprocherait trop dangereusement de sa réalisation.

Ce fantasme de la « supermaman » est une sorte de préparation au rôle de mère. Il s'agit d'une réaction naturelle à laquelle on peut s'abandonner sans arrière-pensée. Carla et Jim peuvent très bien souhaiter qu'elle soit une « mère au foyer », tout en sachant pertinemment qu'elle doit travailler. S'ils affrontent le problème et en discutent entre eux, ils pourront se mettre d'accord sur le rôle que chacun d'eux devra jouer, sur la durée du congé de maternité que peut se permettre Carla et ainsi de suite.

S'apercevant qu'elle écarte délibérément tout ce qui peut évoquer la reprise de son travail après la naissance, Carla commence à essayer de s'interdire un attachement « excessif » envers son enfant. Elle fait souvent le même rêve : elle laisse son bébé tout seul à la maison pour retourner au travail. Durant la journée, elle tente de se persuader que cette reprise ne lui posera aucun problème, mais pourtant elle en souffre déjà et craint de perdre le contrôle de ses fantasmes « maternels ». Bien avant la naissance du bébé, elle se prépare déjà à la séparation.

À mesure que sa grossesse approche de son terme, Carla parvient de moins en moins à se concentrer sur son travail. Les affaires dont elle s'occupe lui paraissent tout à coup sans intérêt. Elle se surprend sans cesse à rêvasser à son bébé, à tout ce qu'elle devra faire en tant que mère et elle se tracasse considérablement quant à la qualité du travail qu'elle fournit actuellement.

Cette dernière partie de la grossesse est un moment critique, puisque c'est celui où la femme se prépare sur le plan émotionnel à devenir mère. Plus Carla saura réfléchir d'avance à tous ses problèmes et faire la part des choses, mieux elle sera préparée à assumer un nouveau rôle très lourd. Elle a besoin de temps libre, afin de s'habituer à devenir avant l'heure une épouse et une mère.

« TROIS MOIS AVEC LA MOITIÉ DE VOTRE SALAIRE »

Au départ, Carla avait projeté de travailler jusqu'au tout dernier moment, mais elle s'aperçoit que, à mesure que la date fatidique se rapproche, sa productivité baisse très nettement. Elle a envie d'être chez elle, en train de préparer un nid douillet pour son futur bébé. Les week-ends ne lui suffisent pas pour peindre la chambre du petit, acheter la layette et trier celle qu'on lui a donnée, contempler ses photos d'enfance et celles de Jim et rêvasser, tout simplement. Elle se sent extraordinairement soulagée, quoique un peu menacée, lorsque son patron lui suggère de s'absenter durant les dernières semaines. Il lui dit, pour rire : « Nous avons tous beaucoup de mal — collègues et clients — à nous concentrer sur autre chose que votre énorme ventre. » Elle sait qu'il comprend à quel point elle se sent déchirée.

« Combien de temps puis-je m'absenter sans perdre ma clientèle ? » demande-t-elle. Ni elle ni son patron n'ont voulu réfléchir au fait qu'elle aurait peut-être envie de rester quelque temps chez elle après l'arrivée de l'enfant.

« Pourquoi ne prenez-vous pas trois mois, avec la moitié de votre salaire ? Nous pourrons nous passer de vous jusque-là », assure le patron de son air le plus généreux.

Carla est tout à la fois soulagée et sidérée. Soulagée que toute l'affaire ait enfin éclaté au grand jour. Sidérée que l'idée de trois mois avec un demi-salaire lui paraisse si nettement délimitée. Elle va pouvoir être une mère à plein temps, mais avec demi-solde seulement, pendant trois mois entiers. Tout un mélange d'émotions la submerge brusquement : le soulagement, la joie anticipée, la contrariété d'être mise momentanément sur la touche, l'idée de vivre privée de la moitié de son salaire. C'est toutefois la liberté d'être ainsi en mesure de se consacrer entièrement à son nouveau rôle qui l'emporte sur tout le reste.

En fait, ces trois mois avec la moitié de son salaire sont presque une brimade. Carla s'apercevra que ça ne lui donne pas vraiment assez de temps chez elle avec son enfant. Et cette « moitié de salaire » montre bien le rôle secondaire auquel on entend reléguer les femmes « qui sont assez niaises pour tomber enceintes ». Nous avons besoin d'une loi accordant aux femmes un congé de maternité digne de ce nom durant lequel elles percevront la totalité de ce qu'elles gagnent. En tant que nation, nous ne pouvons nous permettre de dévaluer à ce point la maternité. Tant qu'on laissera à chaque entreprise le soin de trancher, il est évident que ses propres besoins passeront avant ceux des mères et de leurs enfants. C'est une période où les femmes doivent recevoir un soutien non seulement symbolique, mais réel.

LA PRÉPARATION

Carla se met fiévreusement en devoir de « remplir ses journées ». Elle nettoie à fond la chambre du petit, à plusieurs reprises. Elle lave sa layette ; elle trie toutes les petites affaires qu'on lui a données. Elle lit tous les ouvrages sur les bébés et la maternité qui lui tombent sous la main. Tous les soirs, Jim rentre le plus tôt possible, désireux de partager sa surexcitation et sa joyeuse attente. Lui non plus, au bureau, n'a pas vraiment la tête à ce qu'il fait. Il rêve au petit garçon qu'il pourra jeter en l'air, à la petite fille qu'il pourra faire admirer.

Nous autres, Américains, sommes encore entièrement sous l'empire de clichés d'ordre sexuel. Nous avons beau projeter très sincèrement de traiter les deux sexes exactement de la même

manière, nous nourrissons, d'habitude, des espérances très diffé-
rentes en ce qui concerne nos garçons et nos filles et nous ne nous
comportons pas du tout de la même manière envers les uns et les
autres. Rares sont les pères qui rêvent de lancer en l'air une petite
fille ou, d'ailleurs, de faire un câlin très doux avec un petit garçon.
Si vous avez l'intention de donner la même éducation à vos filles et
à vos garçons, dites-vous bien que ce ne sera pas facile. C'est un
changement qui prendra beaucoup de temps.

Les pères aussi auraient besoin d'un congé de paternité. Nous
devrions nous pencher très sérieusement sur ce que font déjà de
nombreux pays (la Suède, l'U.R.S.S. et le Danemark, pour n'en
citer que quelques-uns). Je présente, au chapitre 4, quelques
suggestions concernant une politique nationale.

LE DERNIER MOIS

Jusque-là, la grossesse de Carla a été parfaitement normale.
Ce qui ne les empêche pas, Jim et elle, tout à la fois de redouter
et d'attendre avec impatience la prochaine étape. Tout au long
du dernier mois, ils suivent des cours de préparation à l'accouchement. Ces cours sont passionnants et merveilleusement
pertinents, si bien qu'ils s'y précipitent sans se faire prier. Tous
les autres couples éprouvent le même mélange d'impatience
euphorique et d'appréhension. Cela aide Jim et Carla de
partager ainsi leurs sentiments concernant l'accouchement et la
naissance, les expériences préalables, les soins à donner au bébé
et leurs deux carrières. Ils se sentent environnés de bonne
volonté. Les autres jeunes couples se sentent aussi désarmés
qu'eux et cela paradoxalement les rassure. Ils écoutent les autres
parler de leur adaptation et de leurs difficultés et commencent à
se rendre compte que tout le travail qu'ils ont accompli ensemble
en valait largement la peine. Lorsque Carla ressent enfin les
premières douleurs, ils savent que tout ira bien.

UN VÉRITABLE BÉBÉ

Le moment de l'accouchement venu, Carla et Jim sont prêts tous les deux. Jim aide Carla à supporter la douleur jusqu'au bout et la jeune femme a l'impression d'être la mère originelle, tant cet accouchement lui paraît facile. Une petite fille vigoureuse et alerte les regarde l'un après l'autre dans les yeux, comme pour dire : « Bon, eh bien, me voilà. Allons-y donc. »

Leur nouveau-né est si parfait, si assuré que Jim et Carla ont l'impression de l'avoir toujours connu. Son petit corps est bien solide entre les mains ; elle bouge avec grâce, elle pleure pour avoir du lait ; elle fixe leurs visages et écoute leurs voix comme si elle savait exactement ce qu'ils sont en train de lui dire. Ils décident de l'appeler Amy, parce qu'elle leur rappelle énormément Amelia, la sœur de Carla. Avec Amy, le passage au rang de parents est on ne peut plus facile. Non seulement Carla et Jim sont fous d'elle, mais ils lui sont en outre reconnaissants. Tous les signaux qu'elle émet leur semblent clairs. Toutes ses réactions raisonnables.

LES PREMIÈRES SEMAINES

Pour la première semaine à la maison, la mère de Carla est venue aider sa fille et son gendre. Elle a sacrifié une partie de ses vacances pour venir auprès d'eux, ce dont ils lui savent gré, bien qu'ils n'aient pas vraiment besoin d'elle. Amy est tellement facile à vivre.

Les jeunes mamans m'expliquent qu'un des gros problèmes, lorsqu'elles recherchent l'aide de leur propre mère à un moment comme celui-ci, est qu'aujourd'hui la plupart des grand-mères travaillent aussi. Pour pouvoir venir les aider à s'habituer à leur nouveau-né, elles doivent donc délaisser quelque temps leur travail. Peu de grands-parents, de nos jours, sont suffisamment proches, géographiquement parlant, ou disponibles pour s'occuper d'un bébé lorsque sa mère doit reprendre le travail. À l'heure actuelle, la famille, au sens large, est bien souvent indisponible pour amortir les chocs que vont subir les jeunes parents. Carla et Jim ont plus de chance que la majorité des gens. Un grand-parent concerné et prêt à apporter son soutien permet à une nouvelle famille de prendre le meilleur départ qui soit. Même si la jeune génération n'est pas d'accord avec ce que disent ou font ses aînés, leur présence fournit une sorte de banc d'essai pour ses idées, et leurs suggestions, matière à réflexion. Il est beaucoup plus difficile de se trouver à court d'idées et de devoir improviser tout seul.

Les trois premières semaines sont beaucoup plus faciles qu'ils ne l'auraient cru. Carla assure qu'elle a l'impression d'être une vraie mère. Jim déclare que c'est ce dont il a rêvé toute sa vie. Lorsqu'il est à la maison, Amy est constamment dans ses bras. Chaque fois qu'il doit partir au travail, il a toutes les peines du monde à la quitter et revient plusieurs fois lui dire « un dernier au revoir ». Dès qu'elle pleurniche, ils bondissent auprès d'elle pour voir ce qui ne va pas.

Les parents me demandent toujours s'il est ou non possible de gâter un nouveau-né. Lorsque nous approfondissons ce qu'ils entendent par là, il s'avère qu'en prenant le nouveau-né dans les bras, ils ont peur de l' « habituer à être dans les bras », si bien que, quand on le repose, « il se met à pleurer ». Je crois, pour ma part, que tous les bébés ont besoin d'être pris dans les bras et que leurs parents, eux, ont besoin de les tenir contre eux. Le lien étroit qui les unit alors constitue les solides fondations sur lesquelles s'édifiera un sentiment de confiance mutuelle. Il ne me semble pas qu'on risque de gâter un nouveau-né en le tenant dans ses bras et en le câlinant. En revanche, si un parent se sent pris au piège ou incapable de se séparer de son enfant, celui-ci devinera très vite les sentiments ambivalents qui animent l'adulte. Il se laissera alors gagner par la tension et se mettra à pleurer, tandis que le parent, de son côté, se sentant coupable et déchiré, se précipitera pour l'apaiser. Cela fera monter la tension entre eux, si bien que le nourrisson deviendra inquiet et pleurnichard. Et c'est de là qu'on en viendra à le gâter, ce qui n'est pas le cas si l'on se contente de l'expérience mutuellement enrichissante du contact physique, en *tenant le bébé dans ses bras. Il est dans votre intérêt comme dans le sien d'analyser vos sentiments et d'y faire face sans vous leurrer. À un certain stade, mieux vaut pour l'enfant ne pas être en contact avec un parent qu'animent des sentiments ambivalents, voire une certaine colère, que d'être tenu ou porté dans les bras.*

L'ALLAITEMENT

Carla veut absolument allaiter sa fille et elle en a déjà parlé au Dr Jones, le pédiatre d'Amy. Ce dernier lui a assuré que cela valait la peine de tenter l'expérience au départ et de voir comment les choses se passent. Il est à peu près sûr qu'elle pourra maintenir sa montée de lait au-delà des trois mois de congé qui lui ont été impartis. Elle pourra alors se rabattre sur un biberon pour la petite dans le courant de la journée. Et si Carla parvient à se servir d'un tire-lait, elle pourra même laisser son propre lait au réfrigérateur pour qu'on le donne à Amy en son absence. De toute façon, lui assure le Dr Jones, il est toujours préférable de commencer par le sein. Il sera toujours temps de sevrer Amy d'ici une semaine, si besoin est.

L'étroit rapport qu'établit un allaitement réussi est pour une mère la plus grande des gratifications. Et, pour une mère qui travaille au-dehors et doit s'absenter une bonne partie de la journée, la possibilité de renforcer ce lien en allaitant son enfant à la fin de la journée est un véritable bonheur. Je pense que l'allaitement est particulièrement important pour une mère qui travaille, en ce qu'il lui permet de maintenir l'attachement mutuel qui les unit, son bébé et elle-même. Certaines entreprises — et je regrette bien qu'elles ne soient pas plus nombreuses — ont des crèches ou des personnes de confiance tout près de leurs locaux, en sorte que les mères peuvent aller allaiter leurs enfants à divers intervalles au cours de la journée. Les sociétés qui ont essayé cette méthode se sont aperçues qu'elles augmentaient considérablement la productivité de la mère. La reconnaissance qu'éprouve une jeune maman envers une entreprise qui la « chouchoute »

ainsi ne saurait se comparer à celle engendrée par tout autre
« avantage » que pourrait lui offrir l'entreprise en question.

On a averti Carla et Jim du fait qu'Amy pourrait refuser de
boire au biberon à moins qu'ils ne l'habituent très tôt à la tétine.
Et en effet, lorsqu'ils essaient de lui faire prendre un biberon à
l'âge de dix jours, elle ferme obstinément les lèvres et détourne
la tête en direction du sein de sa mère. Consternée, Carla se dit :
« Mon Dieu, elle ne veut personne d'autre que moi. Si je n'étais
pas obligée de reprendre si vite mon travail, je pourrais la
nourrir sans l'aide de personne. » Amy, cependant, consent à
ingurgiter le contenu du biberon lorsque c'est Jim qui le lui
donne, mais uniquement si Carla a quitté la pièce. Si elle entend
sa mère ou devine sa présence, elle le refuse.

Peut-être Carla commence-t-elle déjà à anticiper sur la sépara-
tion qui l'attend si prochainement. Chaque étape vers l'abandon
d'Amy sera particulièrement difficile tant que son attachement est
encore si puissant. Je me demande comment une mère qui sait
qu'elle devra quitter son enfant dès les premières semaines peut se
résoudre à s'attacher à lui de tout son cœur. Il est vraiment par
trop pénible de savourer ce lien délicieux, pour le rompre aussitôt.

UN BÉBÉ GROGNON

Cette lune de miel prend fin lorsque Amy a dix-huit jours.
Jusque-là, elle a été parfaite. Elle n'a rien fait que manger et
dormir, selon un horaire de plus en plus prévisible. Le lait de
Carla est abondant et sa fille sait déjà téter très efficacement.
Entre les tétées, elle dort la majeure partie du temps et, si
d'aventure elle se réveille, elle reste très sage, regardant autour
d'elle patiemment pendant qu'on la change. Carla a même
téléphoné à sa mère pour lui dire : « Si j'avais su que c'était aussi
facile et merveilleux, ça fait longtemps que j'aurais commencé à
avoir des bébés ! »

Et puis, un soir, Amy se met à grincher. Ses parents se
précipitent auprès d'elle pour voir ce qui ne va pas. Ils la

changent, la font téter, lui font faire son renvoi, la bercent. Rien n'y fait. Chaque nouvelle tentative semble la calmer un moment, mais, à mesure qu'ils les multiplient, la petite est de plus en plus énervée. Carla se met à pleurer et Jim fait les cent pas comme un ours en cage. Ils finissent par appeler leurs mères respectives avant de se décider à emmener leur fille à l'hôpital. Chacune des grand-mères suggère des remèdes qu'ils ont déjà essayés ; chacune se demande ce que Carla a pu manger pour lui « gâter son lait ». La jeune femme est dans un tel état de panique qu'elle a l'impression de ne pas avoir une goutte de lait dans les seins. Quand elle essaie de faire téter Amy, au sein ou au biberon, celle-ci suce une ou deux fois ce qu'on lui offre et puis elle détourne la tête d'un air profondément désespéré.

Carla se sent totalement rejetée et impuissante. Ils appellent le Dr Jones, certains qu'il va les expédier d'urgence à l'hôpital. Le pédiatre écoute patiemment, puis déclare d'une voix tranquille : « J'ai bien peur qu'elle ne soit en train de commencer une période de pleurs tout à fait normale. L'expérience va probablement se renouveler tous les jours, à présent, jusqu'à ses trois mois. Elle ne souffre d'absolument rien, mais rien de ce que vous pourrez faire ne la calmera tout à fait. Cela fait normalement partie de la journée d'un petit bébé et sa crise de larmes ne lui fera aucun mal. Mais ça va être dur pour vous. Essayez de faire tout ce que vous pouvez. Faites-la téter, changez-la, réconfortez-la, prenez-la dans vos bras. Assurez-vous qu'elle n'a mal nulle part. Si rien ne marche, ne vous inquiétez pas trop. Dites-vous que les bébés de cet âge pleurent presque toujours en fin de journée — ils lâchent un peu de lest, voyez-vous. Il vaut mieux pour elle ne pas trop la stimuler, alors remettez-la dans son lit, laissez-la pleurer quinze ou vingt minutes, reprenez-la, reposez-la et ainsi de suite jusqu'à ce qu'elle ait finalement épanché suffisamment d'énergie. Vous vous apercevrez qu'après la crise elle sera beaucoup mieux organisée. Après, elle dormira mieux, tétera mieux. Après une journée trop stimulante, les tout-petits ont tendance à " voler en éclats ", en quelque sorte. »

Voilà qui est très rassurant. Le Dr Jones semble si péremptoire que Carla et Jim commencent aussitôt à se détendre. Amy cesse de grincer et s'endort. La crise est dénouée et le jeune couple a l'impression d'avoir traversé sa première expérience traumatisante de parents. Pourront-ils en supporter une autre ?

Il y a des moments où Carla a envie de s'enfuir en courant de chez elle. Jim, lui, voudrait bien pouvoir retourner au bureau. Ni l'un ni l'autre n'ose s'avouer à lui-même à quel point les pleurs d'Amy l'ont bouleversé.

Le Dr Constance Keefer, une des pédiatres de mon équipe, a effectué une étude sur des jeunes femmes exerçant des professions libérales et sur le point de devenir mères pour la première fois. Toutes avaient de très belles situations et devaient reprendre le collier au plus vite après la naissance. Toutes se sentaient déchirées par leur désir de rester chez elles avec ce premier enfant. Aucune de leurs prévisions concernant la date de leur retour au travail ne s'est vérifiée par la suite. Dans la réalité, cette reprise a été nettement influencée par le type de bébé qu'elles avaient eu. S'il était difficile, inconsolable et imprévisible, la mère retournait au travail plus tôt que prévu. Si, au contraire, l'enfant était facile, prévisible et satisfaisant, la mère trouvait toujours des prétextes pour ne pas reprendre à la date fixée.

Je me fais beaucoup de souci pour les mères qui sont obligées de retourner travailler avant d'avoir appris à maîtriser ces périodes grincheuses chez leur bébé. Si elles s'absentent à ce moment précis, en laissant leur enfant à une autre personne, elles continueront probablement à se sentir totalement dépassées et impuissantes lorsqu'elles devront affronter la prochaine crise de larmes. Il est dans la nature des petits bébés de « s'écrouler » ainsi. Si les parents peuvent apprendre à s'en accommoder, ils garderont le sentiment de dominer la situation. Il est tout aussi essentiel d'apprendre à faire face aux comportements négatifs que de savoir apprécier les sourires et tout autre comportement positif. Une jeune mère ne devrait jamais quitter son bébé avant d'avoir maîtrisé tous les aspects de sa conduite. Par conséquent les quatre premiers mois devraient être absolument sacrés. De très nombreux bébés passent par trois mois de pleurs, ou de coliques, en fin de journée. Une mère encore inexpérimentée a besoin de se rendre compte que ce n'est pas sa faute et que son enfant et elle peuvent très bien survivre à ces trois mois difficiles et même apprendre à s'aimer ensuite — au quatrième mois.

Comme le fait remarquer le Dr Jones, ces périodes grincheuses sont très courantes chez les bébés de cet âge. De trois à douze semaines, on peut généralement s'attendre que le nouveau-né

pleure en fin de journée. Ces périodes entament certes le capital de
confiance en eux des parents, mais elles contribuent aussi à
intensifier leurs rapports avec leur nourrisson. Lorsque les parents
acceptent enfin l'idée qu'il n'y a pas une seule façon « magique »
de procéder dans tous les cas, lorsqu'ils constatent que leur bébé
survit à des crises aussi cauchemardesques, ils commencent à
croire à sa force intérieure. Une fois qu'ils ont essuyé dix semaines
de crises de larmes et que leur enfant continue à s'épanouir
physiquement, ils sont beaucoup moins inquiets. Et quand ces
crises cessent enfin, ils ont l'impression d'être vraiment sur la
bonne trajectoire. Les jeunes parents ont donc besoin de franchir
cette période d'adaptation intense et de savourer le sentiment
d'avoir « vécu » ça ensemble.

LA RIVALITÉ

Carla commence à se ronger les sangs à l'idée de devoir quitter
sa fille. Elle se rend soudain compte que son congé de maternité
va prendre fin alors qu'Amy aura tout juste dix semaines.
Chaque journée lui devient d'autant plus précieuse. Tous les
jours, Amy fait quelque nouveau progrès. Carla voit bien à quel
point Jim souffre de quitter la petite chaque matin. Dès qu'il est
au bureau, il appelle pour dire qu'il est bien arrivé, ce qu'il n'a
jamais fait auparavant. Carla devine qu'il veut simplement
l'entendre parler d'Amy, si bien qu'elle lui assure : « Tu nous
manques déjà, à Amy et à moi. — Comment sais-tu que je lui
manque à elle ? — Elle regarde tout autour d'elle comme si elle
attendait autre chose que juste mon visage et ma voix. » Jim a un
petit rire satisfait. Il rappelle à l'heure du déjeuner et une
troisième fois vers 17 heures. Carla se rend compte du plaisir
qu'il prend à avoir sa « petite famille » au bout du fil. Cela lui
permet de la surveiller à distance.

Il doit être par moments totalement satisfaisant de rester chez
soi avec son nouveau-né, mais une jeune femme aussi active que
Carla doit aussi en souffrir quelquefois. Peut-être envie-t-elle à
Jim sa liberté d'aller et de venir, alors que lui envie sa femme de

pouvoir rester ainsi chez eux à s'occuper d'Amy. Beaucoup de jeunes femmes déclarent se sentir « prises au piège » lorsqu'elles se retrouvent seules chez elles avec un petit bébé. Il faut en effet songer à tout ce que le rôle de mère au foyer peut avoir de solitaire. Les jeunes mamans isolées ont besoin de se sentir soutenues par d'autres femmes qui elles aussi sont sur le point de devoir quitter leur enfant pour reprendre leur travail. Laisser son enfant, ou ne pas le laisser, risque souvent d'être une décision très pénible.

Tous les jours, en rentrant chez lui, Jim passe devant Carla comme un bolide pour se précipiter tout droit dans la chambre de sa fille. Carla éprouve une nouvelle flambée de son ancien ressentiment. Jim la néglige. Aussitôt, elle s'empresse de lancer : « Non, Jim, ne la réveille pas. Je viens de la faire téter et de la coucher. » Ou bien : « Rappelle-toi que c'est toujours vers cette heure-ci qu'elle commence à rouspéter. Peut-être que tu la stimules trop. » À peine lui a-t-elle dit cela qu'elle se sent parfaitement idiote. Voilà qu'elle couve Amy et cherche à éviter les empiétements sur son territoire. Pourtant, elle désire profondément que Jim partage avec elle aussi bien les joies que les corvées, mais elle ne peut s'empêcher d'avoir l'impression qu'il cherche à s'immiscer dans les rapports étroits qui l'unissent à sa fille. Sans compter que le temps passe bien vite. Elle va bientôt devoir confier Amy à quelqu'un d'autre.

Cette rivalité que tous les parents éprouvent auprès d'un nouveau-né est une véritable surprise pour Carla et Jim. S'ils n'y prennent pas garde, de tels sentiments pourraient les dresser l'un contre l'autre ; mais s'ils sont assez clairvoyants pour comprendre qu'ils sont dus à leur tendresse grandissante pour leur fille, ces sentiments les rapprocheront au contraire.

LA RÉMISSION

Lorsque, à huit semaines, Amy commence à sourire à sa mère de façon prévisible chaque fois que celle-ci lui parle, Carla doit se rendre à l'évidence : il lui est absolument impossible de confier sa fille à quelqu'un d'autre pour le moment. Un mois de plus lui paraît encore trop court. On y est déjà presque. Est-ce qu'une autre femme saura quoi faire si Amy se met à pleurer ? Est-ce qu'elle saura la tenir comme il faut pour que la petite se sente « en confiance » ? Est-ce qu'elle saura se montrer patiente si Amy refuse son biberon ? Carla se surprend à pleurer durant la journée chaque fois qu'elle pense à cette séparation. Elle essaie d'en parler à Jim le soir. Au début, il compatit. Il lui dit qu'il sait bien à quel point ce sera dur pour elle. Puis, il s'efforce de lui remonter le moral. Enfin, il la met en garde : après s'être donné tant de mal pour arriver là où elle est dans sa profession, elle risque de perdre sa situation. Carla fait la sourde oreille à tout et il s'impatiente. Il est furieux de voir qu'elle ne sera peut-être pas prête à quitter sa fille à la date convenue.

Le conflit qui déchire Carla ravive les propres difficultés de Jim lorsqu'il s'agit de se séparer de sa fille. En cherchant à rationaliser les problèmes que pose à Carla cette séparation, c'est lui-même qu'il tente de convaincre, mais il n'est pas encore prêt à l'admettre. Leurs sentiments de rivalité et de possessivité sont encore à vif.

Carla prend sa décision seule et téléphone à son cabinet. Elle explique à son patron qu'il lui est impossible de revenir dans quatre semaines, une fois que les trois mois qui lui ont été impartis seront écoulés. Il y a un silence interminable. Elle redoute qu'il ne lui dise de ne pas se donner la peine de revenir du tout, mais elle s'est sentie suffisamment résolue pour courir ce risque et il l'a deviné. Il finit par dire : « Carla, nous avons besoin de vous revoir. Votre bon sens et votre sagacité manquent à tout le monde ici. Quand serez-vous prête ? » Elle lui demande si elle ne pourrait pas reprendre à mi-temps pour commencer, en ne laissant sa fille que quatre heures par jour. Il y consent en maugréant et Carla propose de revenir quand Amy aura quatre mois. Encore un précieux mois de gagné !

À mon avis, ce quatrième mois sera véritablement de l'or en barre pour Carla et Amy. Nous n'en savons pas encore assez long, cependant, sur l'âge auquel il devient possible de se séparer de son enfant. Il faut découvrir quels sont les processus du développement que pourrait menacer l'intervention d'une tierce personne dans les soins à donner au bébé. À quel âge un nouveau-né maîtrise-t-il trois rapports importants? Dans les cultures où subsiste la famille au sens large, les petits bébés passent souvent de main en main, mais le genre de soins qu'on leur donne est si semblable qu'ils ne risquent absolument pas d'en être perturbés. Dans les études à long terme pour lesquelles on a suivi des enfants confiés tout petits à des personnes autres que leur mère, durant la journée, beaucoup de chercheurs ont constaté qu'il n'existe pas par la suite de différences notables dans le développement intellectuel ou émotionnel. Il n'existe, cependant, pas assez d'études soigneusement documentées pour rassurer les parents obligés de s'en remettre à des tierces personnes.

Ce qu'il faut se rappeler avant tout, c'est qu'on ne doit confier un petit bébé qu'à quelqu'un qui a le temps et l'énergie nécessaires pour s'en occuper vraiment, pour lui sourire quand il sourit ou gazouille, pour lui faire comprendre qu'il vient de faire quelque chose de très important et de très passionnant. Si personne ne réagit à ses tentatives, le bébé prendra de moins en moins de plaisir et d'intérêt à progresser et son développement s'en ressentira. Les enfants cruellement négligés sur le plan affectif cessent parfois de grandir et de prendre du poids et sont incapables de profiter des calories qui leur sont pourtant fournies. Heureusement que ce type de négligence est rare, car il est catastrophique.

Il faut donc chercher en premier lieu une personne chaleureuse et concernée. Puis s'assurer qu'elle n'est pas surchargée de responsabilités. Dans une crèche, par exemple, il ne devrait pas y avoir plus de trois nourrissons par adulte. Dans les établissements d'une certaine importance, il y a suffisamment d'adultes pour permettre une grande souplesse dans les échanges. Dans ce cas, un rapport de quatre bébés pour un adulte est tolérable, mais les adultes en question doivent connaître leur métier à fond. Il s'agit en effet de mois critiques pour le développement d'un enfant. Pas étonnant que Carla se tracasse autant à l'idée de retourner au travail!

2

Les Thompson

Lorsque Alice Thompson vient me consulter, je commets l'erreur de lui demander le nom de son conjoint. « Je ne suis pas mariée », réplique-t-elle. Je lui demande alors si le père de son enfant a l'intention d'être auprès d'elle durant l'accouchement, ce qui me vaut un « non ! » assez sec. Sentant qu'elle cherche à maintenir une certaine distance entre nous, je poursuis à dessein : « Va-t-il vous aider à élever l'enfant ? » À ces mots, elle explose : « Écoutez, je suis venue vous voir parce qu'une de mes amies m'a dit que vous l'aviez aidée à assumer son rôle de mère célibataire. J'ai fait un choix voulu et mûrement réfléchi. Je veux un enfant, mais pas de mari. Alors, ne croyez surtout pas que je suis une pauvre fille enceinte, lâchement abandonnée par son suborneur. C'est tout le contraire. C'est moi qui l'ai plaqué une fois que j'ai obtenu ce que je voulais. »

Je lui fais remarquer sans acrimonie qu'elle me paraît être sur la défensive et que c'est inutile avec moi. J'ai déjà affronté la même situation avec d'autres femmes et elles ont tout mon respect pour leur esprit de décision. Je me dois, toutefois, d'être parfaitement franc avec elle et de lui faire remarquer qu'il n'est pas toujours facile d'être parent célibataire. La réalité est rarement aussi idyllique que le rêve. « Si une compréhension et une confiance totales ne règnent pas entre nous, il me sera impossible de vous apporter l'aide dont vous avez besoin. — Je n'ai pas besoin d'aide, me rétorque-t-elle. — Peut-être vous méprenez-vous sur ce que j'entends par aide, continué-je. Vous aurez besoin du soutien et des conseils d'une tierce personne. C'est très dur d'élever seule un enfant. — Vous voulez me faire peur? C'est une chose à laquelle j'ai très, très longtemps réfléchi. J'ai passé la trentaine à présent et je me sens prête à fonder une famille. » Et elle a en effet l'air très décidée. Elle avance, en me parlant, un menton belliqueux et ses yeux reflètent l'intensité de ses sentiments. Il se dégage d'elle une volonté admirable et je voudrais pouvoir établir un véritable échange entre nous.

« Je ne souhaite participer que dans la mesure où vous le désirez vous-même, mais pour y parvenir j'ai besoin de comprendre au mieux votre situation. » Elle finit alors par se radoucir, se renverse légèrement dans son fauteuil et commence à me parler d'elle-même. Elle est sculpteur. Depuis quelque temps, elle vit de son art et des leçons qu'elle donne. Elle a enfin réussi à maîtriser sa technique comme elle le désirait et elle a même fait école. À présent, elle souhaite réaliser une autre de ses grandes ambitions. Ses parents n'habitent qu'à une heure de chez elle et elle leur a annoncé sa décision. Ils ne sont pas d'accord avec elle, mais sont prêts à l'aider quand il le faudra. Elle a eu une liaison sérieuse, plusieurs années auparavant, mais depuis elle n'a eu envie d'épouser aucun des hommes qu'elle a côtoyés et elle sait que l'on peut très bien élever seul un enfant. Or, ce bébé, elle le veut. Elle est disposée à faire tout ce qu'il faudra pour réussir sa maternité. Elle sait qu'elle sera une bonne mère. Tout en m'expliquant cela, elle se penche de nouveau vers moi. Je ressens profondément sa sincérité et son besoin d'entourer son bébé de tout l'amour nécessaire. J'éprouve déjà pour elle une vive sympathie et je sais instinctivement que tout ira bien entre nous.

Le nombre de foyers avec un seul parent est actuellement en hausse rapide. La majeure partie résulte du taux de divorces élevé et des grossesses de jeunes femmes de moins de vingt ans qui ne sont pas encore mariées, mais beaucoup sont le fruit d'une volonté mûrement réfléchie. De plus en plus souvent, à présent, je vois arriver dans mon cabinet des femmes célibataires qui m'expliquent qu'elles n'ont jamais eu l'intention de se marier. Elles veulent un enfant, mais refusent de se charger du surcroît de responsabilités qu'engendre la présence d'un conjoint.

Un nombre non négligeable de maris et de femmes quittent le foyer conjugal lorsque l'arrivée d'un enfant vient faire peser sur leur mariage un nouveau fardeau. L'équilibre précaire atteint par de tels couples est rompu par la présence de ce bébé, autour duquel s'élèvent des sentiments de jalousie et d'incapacité si violents que le parent le moins concerné préfère partir.

Dans des situations de ce genre, le parent qui reste avec l'enfant a d'autant plus besoin de soutien et de compréhension pour faire face aux difficultés prévisibles qu'il rencontrera en élevant seul un petit bébé. À cela s'ajoute le fait qu'un parent célibataire est, d'habitude, obligé de travailler au-dehors; il doit donc faire face à tous les problèmes que j'ai soulevés au chapitre précédent et qui se posent à lui encore plus intensément qu'à un couple.

J'explique alors à Alice comment j'envisage mon propre rôle, en partie pour la rassurer et en partie pour sceller notre pacte. « À présent, je comprends mieux et je crois pouvoir vous aider si vous voulez bien me le permettre. J'ai pu constater que les parents célibataires ont besoin d'au moins deux sortes de soutien. Je dois d'une part leur servir de simple guide, c'est-à-dire leur indiquer d'où ils viennent et vers quel objectif ils se dirigent. Ça, c'est à peu près universel pour tous les parents de ma clientèle. Vous avez tous besoin de savoir plus ou moins quelles sont les étapes du développement de votre bébé et ce qui vous attend dans un proche avenir. L'autre espèce de soutien est plus délicat pour les parents célibataires. Vous aurez besoin de mon aide dans le domaine disciplinaire, car vous devrez prendre seule toutes les décisions de cet ordre. Et vous aurez aussi besoin de mes conseils et de mes exhortations lorsqu'il s'agira de laisser l'enfant s'épanouir librement. Car c'est ça le plus dur pour un parent seul chef de famille. Lorsqu'il sera temps de considérer l'indépendance nécessaire à votre bébé, votre propre besoin de le couver, votre peur de l'inconnu vont très certainement vous empêcher d'y voir clair. Il sera bon que je sois là pour vous indiquer la voie. Ce ne sera pas facile et j'en suis parfaitement conscient. Pourtant, il est absolument primordial de donner sa liberté à l'enfant lorsqu'il ou elle est prêt à en jouir. Vous ne voulez sûrement pas d'un bambin sans cesse cramponné à vos jupes, je le sais bien, ou qui n'ait pas la moindre confiance en lui. »

Elle acquiesce d'un air grave, comme si elle en était déjà parfaitement consciente. Puis elle murmure : « J'ai presque l'impression de ne pas avoir envie d'accoucher de cet enfant ; je me sens si épanouie, en ce moment, avec ce petit être au-dedans de moi. » Et elle rougit. Cet aveu me permet de comprendre que nous sommes à présent sur la même longueur d'onde.

UN SOUTIEN

Je lui demande qui sera auprès d'elle durant l'accouchement. Ses parents sont-ils concernés ? Viendront-ils assister à ce grand événement ? Elle me dit que, en dépit de leur proximité, elle n'a pas songé à demander à sa mère d'être à ses côtés. En lui posant la question, je m'aperçois qu'Alice lui accorde déjà davantage de réflexion. Je lui cite une étude faite pour le *New England Journal of Medicine* par les Drs John Kennell et Marshall Klaus, dans laquelle ils ont démontré que la présence d'une *doula*, c'est-à-dire d'une personne amie, au moment de l'accouchement, en modifie sensiblement le résultat : statistiquement parlant, la quantité de médicaments et d'anesthétiques nécessaires, la durée du travail et le taux de césariennes sont tous plus bas. Et l'attitude de la mère envers elle-même et envers son bébé semble également affectée. Le soutien actif d'une présence chaleureuse durant l'accouchement donne à la mère davantage de confiance en elle ; il s'agit évidemment d'un facteur critique, puisqu'elle devra par la suite insuffler à son enfant cette même confiance en ses propres moyens.

Alice me déclare : « Je crois que je vais demander à maman. Si je sais qu'elle viendra, j'essaierai peut-être de suivre un stage de préparation à l'accouchement. Je n'ai pas osé y aller. Il n'y a que des couples et je me sentirais mal à l'aise. »

Alice a parfaitement raison sur ce point. Les organisateurs de ces stages veillent à réclamer la participation du père. Les résultats ont été si encourageants que la plupart des femmes viennent accompagnées de leur époux. Il n'existe pas encore de stage préparatoire pour les futures mères célibataires.

Je me demande — et je pose d'ailleurs la question à Alice — si elle ne trouve pas que cela reflète un sentiment sous-jacent qu'il y a quelque chose d'un peu terrifiant et une impression de ratage dans le fait d'être seule pour accoucher et élever l'enfant. Elle m'affirme bravement qu'elle essaie de chasser cette idée de son esprit, mais qu'elle est probablement vraie. Après cela, il nous est possible de parler plus librement de la façon dont elle pourra à l'avenir s'accommoder de ce sentiment et de ses effets prolongés. Comment réglera-t-elle le problème que leur posera, à elle et à son enfant, cette sensation d'être une famille « incomplète » ?

Je suis convaincu qu'il est important de traiter convenablement dès le départ les questions des enfants qui veulent savoir pourquoi eux-mêmes ou leur famille sont différents des autres. Il ne s'agit pas d'intervenir avant que l'enfant ne soit en mesure de comprendre, mais d'être capable de lui répondre lorsqu'il commence de lui-même à poser des questions. Si la mère fait face à sa situation, elle sera prête à lui dire : « Chez nous, c'est comme ça. Toutes les familles sont différentes et vivent d'une façon spéciale. À la maison, il n'y a pas de papa. Mais, par contre, il y a une grand-maman et un grand-papa et peut-être qu'un jour nous aurons aussi un papa. En attendant, nous nous aimons beaucoup, toi et moi, et c'est ça l'important. » En se préparant d'avance à affronter l'épreuve, Alice trouvera la force et la conviction dont elle a besoin pour pouvoir donner ces explications à son enfant, sans éprouver la nécessité de s'en excuser ni d'être sur la défensive. Les enfants ont besoin de cette conviction empreinte de force et de fermeté pour les soutenir dans leurs démêlés avec leurs camarades et leur propre image d'eux-mêmes.

Alice téléphone à sa mère qui en est très touchée et qui promet aussitôt de venir pour l'accouchement ; il lui est en revanche impossible d'assister aux cours préparatoires. Alice s'arme donc de courage et y assiste toute seule, puis — le moment venu — se prépare à accoucher. Sa mère, comme promis, reste avec elle tout du long et tout se passe très bien, sans l'aide d'autre chose qu'une simple anesthésie locale. Alice met au monde une belle petite fille de près de quatre kilos. Quand je me rends auprès d'elle, la jeune mère et son bébé sont tous deux éveillés et se dévisagent, muets de saisissement. La grand-mère s'est assise discrètement dans un coin de la pièce et regarde sa fille avec admiration. J'ai toutes les peines du monde à enlever le nouveau-né des bras d'Alice, si bien que je finis par l'examiner sur le ventre même de cette dernière. Physiquement, la petite est en parfaite santé, ce dont je fais part à sa mère avec la plus totale assurance. Alice pousse un gros soupir : « J'avais tellement peur qu'elle ait une marque quelconque ou qu'elle ait été abîmée par mon propre emportement. Jamais je n'aurais dû oser placer une petite créature aussi parfaite dans un milieu familial qui l'est aussi peu. » Elle lève vers moi un regard suppliant, comme pour me demander de la rassurer.

Je la regarde droit dans les yeux. « Alice, lui dis-je, vous vous êtes décidée en toute bonne foi à avoir cet enfant. Bien sûr, à présent vous voilà tenaillée par le doute, mais pour l'amour de votre fille, vous devez absolument y faire face, afin d'avoir toute la force dont elle aura besoin. » Puis, me tournant vers la mère d'Alice, j'ajoute : « Votre soutien et celui de votre mari sont une importante source de force pour nous tous. J'espère que vous continuerez à l'apporter. — Nous désirons ce bébé autant qu'Alice, me répond-elle avec ferveur, et nous veillerons à ce qu'elle sente qu'elle peut toujours compter sur nous. » Je sais qu'à l'avenir cette présence sera un point très important en faveur de ma cliente et de sa fille, Tina.

Les craintes d'Alice et son sentiment d'insuffisance sont évidemment particulièrement vifs à un moment aussi critique. Ils le redeviendront à chaque fois que surgira une crise réelle dans l'existence de Tina. Alice a beau avoir répondu en profondeur à toutes les questions qu'elle s'est posées concernant le bien-fondé de sa décision, ses doutes concernant la sagesse d'un pareil défi aux conventions reviendront la tenailler chaque fois qu'une nouvelle crise se dressera sur sa route. Inévitablement, elle se demandera : Ai-je mal agi envers ma fille en lui infligeant ce contexte d'une famille « incomplète » ? Suis-je assez bonne mère ? Aucun parent célibataire ne saurait se soustraire à ces questions. C'est parce qu'ils aiment leur enfant qu'ils se les posent. Pour les affronter, le soutien des grands-parents est primordial.

En examinant Tina, je provoque certaines des réactions si passionnantes du nouveau-né : faculté de se tourner vers ma voix ; de regarder mon visage et de le suivre des yeux ; de se calmer en portant son poing à sa bouche, même quand elle est perturbée ; de choisir la voix de sa mère de préférence à la mienne lorsqu'elles lui parviennent de deux côtés à la fois. Tandis que nous la regardons, sa mère et sa grand-mère s'exclament toutes les deux : « Vous avez vu, elle a déjà sa personnalité ! »

Il est très important qu'Alice se rende compte dès le départ de la personnalité et de la force qui animent sa fille. C'est à moi qu'il appartient de ne pas lui laisser perdre ce facteur de vue. Il n'est que trop facile pour un adulte béat d'écraser ou de « gâter » un petit bébé. Tina aura sans doute besoin de toute la force de caractère dont elle dispose pour acquérir son indépendance.

Durant les jours qui suivent, Alice a sa montée de lait et Tina s'adapte fort bien à l'allaitement. J'insiste pour qu'Alice passe une journée supplémentaire à la maternité afin d'être bien sûre qu'elle n'aura pas de mauvaise surprise avec son lait et aussi de glaner toutes les informations et tout le soutien que pourront lui donner les infirmières avant qu'elle rentre chez elle.

Il est très important pour une mère, surtout s'il s'agit de son premier enfant, de se sentir sûre d'elle et bien soutenue. Une jeune maman qui se retrouve seule chez elle avec son bébé éprouve toujours une certaine anxiété, quelles que soient les circonstances. Si la mère d'Alice peut rester auprès d'elle sans se montrer critique envers sa fille, elle lui apportera une aide précieuse, mais je ne suis pas sûr d'avoir envie de la mettre à l'épreuve. Une maternité n'est pas forcément l'environnement le plus positif, mais Alice sait que le personnel hospitalier la soutiendra et saura l'aider à bien allaiter son bébé. Une journée de plus a des chances de se révéler un excellent investissement.

Une fois chez elle, les choses ne vont pas toutes seules pour Alice. Non pas en ce qui concerne Tina, petite fille vive et active, qui réagit bien. C'est Alice elle-même qui se sent déprimée et rongée par le doute. Elle éprouve le besoin de me téléphoner presque tous les jours.

Je m'attends à ce comportement de la part de la majeure partie
des nouvelles mamans, surtout si elles sont célibataires. L'inévita-
ble dépression de l'accouchée leur paraît forcément plus forte et
plus insurmontable. Les doutes sont plus difficiles à apaiser. Le
besoin d'un conjoint n'est jamais si grand qu'en cas de crise. La
chose reste vraie, même si ce dernier « craque » lui aussi. Le vieux
dicton anglo-saxon : « Le chagrin aime la compagnie » est
beaucoup plus vrai qu'il n'en a l'air.

J'encourage Alice à m'appeler tous les matins jusqu'à ce
qu'elle se sente plus sûre d'elle. Je l'incite aussi à laisser sa mère
rester auprès d'elle pour l'aider. « Mais on se tape sur les nerfs,
maman et moi. Elle n'approuve aucune de mes décisions et je
sens qu'elle critique le moindre de mes faits et gestes. » Je
m'efforce de lui faire remarquer que ces sentiments sont somme
toute très naturels, pendant qu'elle est encore en train de
tâtonner quant à la meilleure façon de s'occuper de Tina. Je suis
sûr que la présence de sa mère est un soutien et je ne me prive
pas de le lui dire. Il est très important d'avoir quelqu'un dans le
giron de qui s'épancher et à qui confier ses sentiments et ses
pensées.

Au bout de dix jours, Alice a pris confiance en elle et sa mère
s'apprête à rentrer chez elle. La jeune femme a cessé de se
remettre constamment en cause et semble mieux armée pour se
débrouiller seule. À présent, elle ne m'appelle plus que deux fois
par semaine. Je lui suggère d'adhérer à un groupe de parents
qu'ont formé les infirmières de la maternité. Tous les jeunes
parents qui le composent en sont à peu près au même stade
qu'elle. Ils ont tous besoin les uns des autres et pourront profiter
mutuellement de leurs expériences respectives, dans un contexte
favorable. Alice hésite car elle est la seule célibataire du lot. Je la
pousse vivement à sauter le pas et c'est une réussite. Alice va se
faire plusieurs excellents amis. Chacun s'extasie devant les bébés
des autres et tout le monde passe des heures au téléphone.

Ce sont les stages de préparation à l'accouchement qui ont
montré la voie à de nombreux parents. Il n'existe pas de meilleur
soutien ni de meilleure source d'informations qu'un groupe de
personnes du même niveau essayant toutes d'atteindre le même
but. Alice va amplement profiter de cette expérience. Le groupe

l'aide à résister à sa terrible solitude et la confronte à toutes sortes d'idées nouvelles concernant l'éducation des enfants. Malgré toutes les joies que peut apporter un nouveau-né — et Dieu sait s'il y en a ! —, ce sont des moments où l'absence de compagnie adulte ne peut manquer de provoquer un certain vide.

Dans notre culture occidentale, même quand il s'agit d'une famille de deux parents, la solitude est frappante pour quiconque a eu l'occasion d'apprendre à connaître chez d'autres peuples l'effet que peut avoir une famille au sens large. Toutes les femmes de cette famille se réunissent autour de la jeune mère afin de la dorloter et de la guider. Une jeune accouchée appartenant à notre culture se sentirait totalement écrasée, comme Alice l'est déjà par la seule présence de sa mère. Pourtant ces rapports latéraux d'égale à égale apportent une aide précieuse durant la petite enfance. Je recommande vivement les groupes de jeunes parents à toutes les nouvelles mères qui manquent de confiance en elles. Et aussi aux pères ! Les hommes ont d'ailleurs plus de mal à constituer un groupe et à s'y tenir, surtout quand ils ont besoin les uns des autres. Ils n'osent pas facilement se lier de façon intime avec les autres nouveaux papas.

CRISES DE LARMES PRÉVISIBLES

Tina est le type même du bébé actif, aux réactions intenses, qui va forcément avoir des crises de larmes en fin de journée. Je sais qu'Alice aura beaucoup de mal à y faire face, alors je commence le plus tôt possible à l'y préparer. Je la préviens que la majorité des bébés très éveillés et intéressants semblent s'effondrer le soir venu. J'espère ainsi atténuer l'angoisse qu'elle éprouvera inévitablement au sujet de Tina et de la façon dont elle s'occupe d'elle.

Il peut être très utile pour les parents de comprendre à l'avance un phénomène aussi pénible que les crises de larmes d'un petit bébé. Ils sont d'autant moins anxieux et supportent mieux d'entendre leur enfant pleurer. Une fois que les crises ont commencé, les parents ne sont plus vraiment capables d'assimiler les explications du pédiatre. Ce n'est, cependant, que lorsque Tina commence à pleurer tous les soirs qu'Alice saisit pleinement la signification de mes propos.

Tina termine à présent chaque journée par une crise de larmes et tous les matins, Alice me téléphone pour s'assurer que ça ne tire pas à conséquence. N'y a-t-il vraiment rien à faire pour y mettre fin ? Ses amies ont recours qui à une alimentation spéciale, qui à de l'eau sucrée, qui à des médicaments. Tout cela semble donner des résultats. Pourquoi donc est-ce que je refuse de l'aider à trouver un remède ? Je lui répète que je suis convaincu que ces crises font partie intégrante de la journée de Tina et qu'à mon avis aucun des « supports » artificiels qu'elle me décrit n'y changera quoi que ce soit. L'inquiétude d'Alice et son excès de sollicitude risquent plutôt de renforcer les crises. Elle me rappelle une semaine plus tard pour me dire que c'est moi qui avais raison. Aucune des panacées de ses amies n'a vraiment réussi et elle me sait gré de l'avoir pressée de le comprendre et d'en prendre son parti.

Alice évolue très bien dans son rôle de mère. Elle fait face à ses angoisses avec beaucoup de maturité, en s'appuyant sur moi, sur ses amis et sur sa propre intelligence. Elle est capable de recevoir les informations, de les tester et de les rejeter quand elles ne fonctionnent pas.

Une fois que Tina a passé le cap des six semaines, elle commence à dormir plus longtemps la nuit. Comme prévu, elle pleure encore une heure et demie tous les soirs, mais à présent Alice a mis au point une routine bien établie. Elle lui propose d'abord tous les soulagements qu'elle est en mesure de lui apporter, puis elle la berce jusqu'à ce que les pleurs reprennent. À ce moment-là, elle la repose et la laisse pleurer pendant environ quinze à vingt minutes. Elle m'explique qu'elle connaît à présent le schéma des crises : il y a d'abord une première courte crise de larmes, après laquelle Tina est disposée à être prise les bras pour jouer. Ensuite, après une charmante demi-heure de sourires et de gazouillis, elle s'effondre et Alice la repose dans son berceau. Après deux ou trois autres cycles de pleurs et de jeux, Alice berce sa fille que ce mouvement ne tarde pas à apaiser. En voyant ses paupières s'alourdir et son regard se figer, Alice sait que la petite est prête à téter brièvement. Au bout de quelques instants au sein, Tina est presque endormie. Alice la recouche alors sur le ventre et la borde en lui chantonnant doucement une berceuse. Le bébé s'endort profondément pour ne se réveiller que six heures plus tard.

Tina est encore très jeune pour dormir aussi longtemps d'une seule traite. C'est un excellent signe, qui montre que l'allaitement est réussi, que le système nerveux de la petite fille évolue de façon satisfaisante et que sa mère a su parfaitement s'adapter à son schéma d'agitation et de sommeil.

PARTAGER UN BÉBÉ

Tina commence à sourire et à vocaliser et Alice déborde de joie. Elle reste assise pendant des heures à contempler sa fille, endormie ou éveillée. Elle a toutes les peines du monde à la quitter pour la nuit et songe souvent à la prendre avec elle dans son lit. Tout au fond d'elle-même, cependant, l'intensité de tels liens l'effraie. Tina sait à présent sourire, pouffer et même éclater de rire en la voyant et Alice se sent comblée. Lorsque l'idée lui vient d'appeler sa mère pour le lui annoncer, sa propre réaction l'étonne : elle n'a pas vraiment envie de partager le comportement de Tina. Peut-être sa mère voudra-t-elle venir constater ces progrès *de visu* et sa présence risquerait de diminuer l'importance qu'Alice attache à l'attitude de son bébé. Elle se rend compte qu'elle n'a pas envie de voir Tina sourire à quelqu'un d'autre. Elle préfère croire que ces réactions lui sont exclusivement réservées. Un jour où elle promène Tina dans un jardin public, une dame de sa connaissance s'approche pour admirer la petite. Tina s'épanouit et sourit à l'inconnue. Alice éprouve aussitôt une brusque poussée de jalousie. Tout en éloignant au plus vite Tina de cette « intruse », elle se dit que son comportement vis-à-vis de sa fille est presque pathologique. À présent, elle refuse absolument de sortir le soir. Elle n'invite plus personne à dîner. Elle est en train de se transformer en véritable recluse, pour mieux s'abandonner à sa « passion amoureuse » pour Tina.

Alice est stupéfaite par l'intensité de ses réactions et même un peu effrayée. Pour la première fois de sa vie de femme adulte, la voilà amoureuse à la folie. Chaque matin, son cœur bat plus fort à la pensée de la journée qui l'attend en compagnie de Tina. Toucher ses petites joues si douces, la câliner, lui donner le sein sont des expériences si merveilleuses qu'elle se sent régulièrement tenaillée par l'incertitude. Quel sera donc le prix à payer pour tout ce bonheur ? Jamais elle n'a connu de plaisir pour lequel il n'y ait rien à donner en échange. Celui-ci lui coûtera certainement fort cher.

Tous les jeunes parents éprouvent cette sensation, mais la plupart ne se laissent pas emporter à ce point. Cette réaction excessive reflète peut-être toute la solitude et l'isolement dont Alice a souffert durant sa grossesse et en assumant seule cette écrasante responsabilité. Il n'est pas facile d'être un parent célibataire, mais les plaisirs sont souvent aussi extraordinaires que ceux que connaît Alice. Cependant, elle se facilitera les choses à long terme, si elle parvient à se résoudre à partager Tina davantage. Sinon, la séparation inévitable, à mesure que le bébé acquerra son indépendance, risque de devenir de plus en plus douloureuse. Dans un certain sens, Alice a tout à fait raison de se sentir mal à l'aise. Ce genre de rapports exacerbés ne sera pas facile à modifier. Pour Tina, toutefois, la fin dernière est d'établir une existence indépendante. C'est là l'un des aspects les plus difficiles des relations entre un parent célibataire et son enfant.

L'idée de quitter sa fille pour reprendre le travail devient pour Alice une véritable hantise. Elle comprend à présent que, malgré tout le souci qu'elle s'est fait à l'idée d'élever seule son enfant, elle n'a pas pris sa décision en toute connaissance de cause. Elle a toujours voulu un bébé et l'accomplissement de ce vœu s'est révélé encore plus satisfaisant qu'elle ne l'aurait imaginé. C'est un peu comme si elle avait escaladé en solitaire une haute montagne. L'arrivée au sommet l'a comblée d'une joie bien plus vive que ce qu'elle attendait.

Très vite, Alice apprend à faire sourire Tina sur commande. Les vocalises viennent un peu moins facilement, mais, à deux mois, les petits rires étranglés et les gazouillis font leur apparition. Elle se décide enfin à téléphoner à ses parents pour qu'ils viennent admirer leur petite-fille. Au début, ni l'un ni l'autre n'arrive à la faire sourire ou roucouler. Tina contemple ces inconnus, les sourcils froncés, comme pour dire : « Qui êtes-vous ? » Au bout de quelque temps, cependant, elle commence à leur accorder ses faveurs. Les grands-parents succombent aussitôt à son charme. Ils offrent de garder Tina ou, en tout cas, d'être disponibles à chaque fois que leur fille en aura besoin. Le bébé les a totalement séduits.

Alice devrait bien accepter cette offre, mais elle n'en fera sans doute rien. Il est encore plus difficile pour un parent célibataire que pour un couple de laisser son enfant à quelqu'un d'autre. La peur d'un incident quelconque est toujours présente et croît proportionnellement à l'attachement envers le bébé. Alice serait pourtant bien avisée de prendre l'habitude de se séparer de temps en temps de sa fille pour aller s'amuser. Il est particulièrement difficile lorsqu'on doit élever seul un enfant de se rappeler que les distractions équilibrent une vie. Le gros problème d'Alice, c'est qu'elle connaît si peu de gens dans la même situation qu'elle-même. Avec les couples de parents, elle a souvent l'impression d'être complètement déplacée. Très peu de femmes célibataires, et encore moins d'hommes, ont charge de famille. C'est là où se trouve leur enfant qui leur apparaît donc souvent comme le lieu le plus désirable.

Lorsque Alice et Tina viennent me voir pour la visite de huit semaines, je suis aussitôt conscient de l'intensité de leurs rapports. Je questionne Alice au sujet de sa fille, mais elle se refuse aux confidences. Ses réponses restent très réservées. Je le lui fais remarquer et elle serre Tina contre elle. Tandis que je demande à ma cliente si la petite commence à sourire et à vocaliser, je distingue à peine le visage de cette dernière. « Uniquement quand c'est moi. — Je peux la prendre un instant pour voir si elle veut bien me sourire aussi ? » Alice se raidit et s'écarte brusquement, ce qui me fait comprendre qu'elle n'arrive pas à partager Tina. Je sens monter sa tension protectrice, à mesure que je tente de sonder ses rapports avec autrui.

L'une des tâches les plus difficiles du parent célibataire est de partager son bébé et de le « laisser libre ».

Je place Tina sur ma table d'auscultation et me penche sur elle. Alice se faufile entre nous et je dois la contourner pour examiner le bébé. Quand je prends Tina dans mes bras pour la peser, Alice tend instinctivement les mains, comme pour la rattraper au cas où je la lâcherais. Je ressens vivement l'intensité des liens qui l'unissent à sa fille et je décide que nous devons nous en préoccuper ensemble.

J'aurais pu très facilement m'irriter du comportement d'Alice. Cette espèce de symbiose surprotectrice paraît presque maladive. Elle ne présage en tout cas rien de bon pour l'avenir de Tina. Comment Alice parviendra-t-elle jamais à lui accorder son indépendance? Comment apprendra-t-elle à partager son enfant? Jusqu'à présent, elle ne s'est pas séparée d'elle un seul instant. Tina va-t-elle devenir une petite fille gâtée? Toutes ces questions me traversent l'esprit, mais je comprends en même temps que le bébé comble chez sa mère un besoin colossal. C'est probablement la première personne dont Alice a l'impression d'être entièrement maîtresse. Il faut que je l'aide à se rendre compte que ces rapports extrêmement profonds, tout en étant d'un côté idéaux pour Tina, risquent de limiter son développement. Je sais aussi que, si je n'arrive pas à bien me faire comprendre, Alice éprouvera peut-être le besoin de me fuir. Je dois à tout prix traiter ses sentiments avec le plus grand respect. Cette sollicitude dont elle accable sa fille est fondée sur l'amour et non sur l'ambivalence.

Je la questionne de façon un peu plus détaillée sur son passé. Elle semble surprise. « Quel rapport avec la santé de Tina? Je n'aime pas qu'on se mêle de mes affaires. » Je lui assure que je n'en ai nulle intention, mais que je dois jouer un rôle très actif pour pouvoir vraiment l'aider à faire tout ce qu'elle peut pour sa fille, ce qui est, je le sais, sa principale ambition. Elle me confie brusquement : « C'est drôle, vous savez. Depuis la naissance de Tina, je n'ai pas vraiment envie de qui que ce soit dans notre vie, pas même vous. Je me rends bien compte, cependant, que je ne pense pas assez à l'avenir de la petite. » Je lui assure que je comprends parfaitement cette réaction et que je sais bien que

mon examen de son enfant peut lui apparaître comme une
véritable intrusion. Sur la table, Tina me sourit et je confie à sa
mère combien ces sourires et ces gazouillis me paraissent exquis.
Je lui assure aussi que je veux absolument préserver l'attachement qui les unit toutes les deux, car il est capital pour le
développement du bébé. Seulement, je sais par expérience
combien elles souffriront — l'une et l'autre — à l'avenir si Tina
ne parvient pas à acquérir son indépendance ; de ce fait je vais
prendre sur moi de plaider la cause du développement de Tina.
Un parent célibataire a besoin d'une personne de l'extérieur,
plus objective que lui, pour lui signaler les problèmes de
développement de l'enfant à mesure qu'ils surviennent. Pour
que Tina puisse acquérir le sens de sa propre identité, il faut
qu'Alice apprenne à la partager avec les autres. Le grand mérite
d'Alice est de comprendre aussitôt ce que j'essaie de lui dire.
« Je savais bien que l'épée de Damoclès était suspendue au-
dessus de ma tête. C'était trop beau pour être vrai, ce sentiment
que Tina m'appartenait corps et âme. »

Nous passons quelques instants à sonder le propre passé
d'Alice, avec sa mère, son père, ses frères, ainsi que ses rapports
avec le père de Tina. Nous évoquons son enfance solitaire, une
période durant laquelle personne ne s'est jamais vraiment
occupé d'elle, durant laquelle elle a eu l'impression que tous ses
rapports avec autrui étaient à sens unique. Cela me permet de
comprendre que Tina est venu combler un besoin qu'Alice n'a
jamais pu se résoudre à affronter. Tandis que nous bavardons
ainsi, la jeune femme commence à se détendre. « Figurez-vous
que je ne me rendais pas compte à quel point tout cela risquait
d'affecter mes rapports avec Tina et ma façon de la traiter. Je
comprends à présent pourquoi vous avez besoin de me connaître
beaucoup mieux, afin de pouvoir nous aider toutes les deux. » Je
ne cache pas à Alice l'admiration que j'éprouve en la voyant se
prendre ainsi en charge et je lui assure que je suis en mesure de
l'aider.

Elle semble désormais résignée. « Bon, me dit-elle, que dois-
je faire ? » Je lui demande ce qui lui fait croire qu'elle doit faire
quelque chose de spécial. « Je sais bien que vous voulez que je
commence à partager Tina. » Je lui explique que j'espère qu'elle
est suffisamment sûre des liens qui les unissent et de sa valeur de
mère pour être en mesure de le faire. « Pourquoi ne pas essayer

de connaître d'autres parents, une autre mère célibataire peut-
être ; elle connaîtrait les mêmes sentiments et les mêmes
problèmes que vous. » Elle m'adresse un regard incrédule et je
lui fais remarquer que cette réaction reflète sans doute son désir
d'être différente de toutes les autres mères (ou sa crainte de
l'être). Je lui donne les noms de deux autres mères célibataires
de ma clientèle et lui suggère de se mettre en rapport avec elles.
Arrivée là, elle semble presque ivre de soulagement et, cela
aussi, je le lui fais remarquer. Elle n'a aucun besoin de rester si
isolée. Tina et elle ne s'en porteront que mieux si elles
parviennent à partager et à être partagées.

Quand le moment est venu de vacciner Tina contre la
diphtérie, la coqueluche et le tétanos, Alice est prête à la tenir
pendant que je lui fais sa piqûre. Plutôt que de la protéger de
mes agissements, elle est désormais en mesure de la rassurer en
lui expliquant que je ne vais pas lui faire de mal. Tina est sensible
au ton apaisant de sa mère et lorsque j'enfonce l'aiguille, c'est
Alice qui fait la grimace. En repartant, cette dernière est plus
heureuse, plus ouverte et je sais que chez elle le processus le plus
difficile pour une nouvelle maman — comprendre que l'enfant
doit pouvoir trouver sa propre identité — est déjà entamé.

Deux semaines plus tard, Alice me téléphone pour m'annoncer qu'elle a pu rencontrer les deux jeunes femmes dont je lui
avais communiqué les noms. Elle me confie que les bébés se sont
amusés comme des petits fous et qu'elle-même et les deux autres
mères ont tiré des tas d'enseignements utiles en comparant leurs
problèmes respectifs. Elle me déclare d'un ton triomphant : « A
présent, je suis prête à laisser ma mère venir la garder le soir. J'ai
envie de partager Tina avec elle. »

*Nous connaissons très bien la valeur thérapeutique des groupes
de soutien pour tous les nouveaux parents. Les groupes de
préparation à l'accouchement, inaugurés à Boston en 1957,
exercent une très forte influence lorsqu'il s'agit de préparer les
femmes (et les hommes) à tenir leur rôle durant un accouchement
naturel, sans médicaments. Ils donnent aussi aux jeunes parents le
sentiment de ne pas être tout seuls. Même si les groupes ne restent
pas officiellement constitués après les naissances, beaucoup de
parents isolés gardent le contact avec les autres pour comparer
leurs expériences. C'est un moyen important de partager ses*

sentiments, d'apprendre à connaître les expériences des autres et d'établir des valeurs communes pour l'avenir des enfants. Dans le cas d'Alice, c'est particulièrement crucial. Les autres mères célibataires connaissent les mêmes problèmes concernant la séparation d'avec leur enfant. Elles peuvent donc partager leurs idées et leurs angoisses et s'aider mutuellement à trouver des solutions. De nos jours, les parents célibataires ne doivent plus se sentir si coupés du reste du monde et tous les contacts qu'ils parviendront à établir protégeront l'avenir de leur bébé. Un sentiment communautaire, la certitude de connaître d'autres personnes se trouvant dans la même situation, sont primordiaux pour éviter plus tard chez l'enfant une espèce d'isolement narcissique. Quand les parents n'éprouvent pas le besoin d'être sur la défensive, ils peuvent permettre à leurs enfants de se sentir indépendants tout en ayant en même temps l'impression d'être « comme les autres ». C'est durant les tout premiers mois de la vie qu'il faut mettre en branle ce processus.

QUELQUES PAS VERS L'INDÉPENDANCE

Tina commence à être un peu sous-alimentée. Alice avait eu l'intention de l'allaiter pendant une année entière, mais à quatre mois Tina se comporte après ses tétées comme si elle avait encore faim. Sa mère est consternée. Le recours aux aliments solides va-t-il dresser entre elles une première barrière ? Je l'encourage à commencer, mais très progressivement au début, en ne supprimant qu'une seule des tétées de Tina. Trois ou quatre tétées par jour suffiront amplement à maintenir la production de lait d'Alice.

De nombreuses mères redoutent que les aliments solides ne nuisent à l'allaitement et cette seule crainte peut suffire — si elle est assez vive — à tarir partiellement leur lait. Pourtant les aliments solides, administrés progressivement et judicieusement, sont un excellent complément au lait maternel.

Chaque nouvelle étape du développement de Tina annonce

sa future indépendance et l'on sent chez Alice un désir puissant et
inconscient de maintenir le statu quo.

Très vite, Tina adopte un nouveau régime de trois repas
solides et quatre tétées par jour. La vie s'écoule paisiblement.
Les sourires et les gazouillis sont désormais des manifestations
bien établies. Elle en est déjà à dormir dix heures d'affilée la
nuit. Alice n'en croit pas son bonheur d'être la mère d'un petit
bébé aussi passionnant et aussi facile. Elle a l'impression d'avoir
toujours eu Tina. Comment a-t-elle pu vivre si longtemps sans
elle ?

À cinq mois, les repas deviennent un peu plus difficiles. Tina
se laisse distraire à tout bout de champ, par le moindre petit
bruit, une feuille qui bouge sur l'arbre devant la fenêtre, une
rumeur qui lui parvient de la rue. Très souvent elle se détourne
du sein de sa mère pour contempler sa main ou son pied. Alice se
sent rejetée et me téléphone pour savoir si elle ne devrait pas
sevrer sa fille. Je lui assure qu'il s'agit d'une étape tout à fait
normale de son développement, d'un élargissement de sa
conscience cognitive du monde qui l'entoure, et que cela ne
signifie nullement qu'elle est prête à être sevrée. C'est simplement la marque d'un intérêt croissant pour les choses extérieures, qui entre à présent en compétition avec son intérêt pour
l'allaitement.

C'est là le premier de nombreux pas vers l'indépendance
alimentaire. Cette période sera particulièrement pénible pour
Alice qui voit poindre à l'horizon l'autonomie de sa fille. Elle
aura bien du mal à se résoudre à la laisser manger avec ses doigts à
partir de huit mois, tenir un biberon ou une tasse pour boire seule,
manier une cuillère et une fourchette. Il sera bon de la « boviscu-
ler » un peu pour l'amener à reconnaître que Tina est prête à
franchir toutes ces étapes. Bien souvent, les parents célibataires
ont tendance à maintenir chez leur enfant un comportement un
peu trop « infantile » dans le domaine de l'alimentation, en les
allaitant trop souvent et en se servant du sein ou du biberon
comme d'une « sucette » pour les apaiser. Ils négligent ainsi les
étapes vers l'indépendance et se retrouvent très vite avec un
bambin qui refuse de manger, soit de la main de sa mère, soit de la
sienne. Il est bien préférable de consolider ses nouvelles capacités

dès le moment où elles apparaissent. De cette façon, elles sont aussi passionnantes pour le parent que pour l'enfant. Autrement, toute cette énergie, dirigée vers l'intérieur, risque de donner un bébé passif, voire déprimé. Dirigée vers l'extérieur, elle pourrait entraîner par la suite une rébellion subtile et irréductible.

Alice commence à trouver de plus en plus pénible le mélange de solitude et d'écrasante responsabilité qui meuble toutes ses journées. Son plus cher désir est de faire tout ce qu'il faut pour Tina, mais elle a constamment l'impression qu'il y a des tas de choses qu'elle devrait faire et qu'elle ne fait pas. Elle s'efforce de tout faire parfaitement. Lorsque l'interaction entre sa fille et elle laisse à désirer, elle éprouve une sensation d'échec total. Lorsque tout marche bien, au contraire, elle ressent la nécessité d'en parler à quelqu'un. Elle reste donc en contact avec son groupe de parents et assiste aux réunions hebdomadaires. Chacun s'offre à garder les bébés des autres lorsqu'une occasion de sortir se présente. Loin de sa fille, cependant, Alice se sent perdue et inquiète, si bien que les sorties et les excursions ne la tentent même plus.

Alice doit absolument résoudre cet aspect de ses rapports avec Tina. À long terme, il ne sera bon ni pour l'une ni pour l'autre qu'elle se sente aussi complètement « coincée » chez elle. Si Alice commence à faire l'apprentissage de la séparation à petites doses, le phénomène lui sera moins pénible par la suite. Sinon, elle risque de se sentir obligée d'avoir recours à une rupture brutale, en confiant trop tôt sa fille à quelqu'un d'autre et en étouffant ses propres sentiments.

Lorsque Alice se résout enfin à accepter quelques sorties, elle ne parle que de sa fille, ce qui est plutôt lassant pour la plupart de ses amis, sauf ceux qui ont eux-mêmes des bébés.

Il serait bon, à ce moment précis, qu'Alice reprenne ses activités de sculpteur. Si elle parvient à trouver une personne qui vienne s'occuper de Tina pendant deux heures ou si elle arrive à travailler avec son bébé auprès d'elle, cela leur sera profitable à toutes deux. Ainsi mise en mesure de s'épanouir sur le plan professionnel, Alice se sentira plus sûre d'elle, plus dynamique quand elle se retrouvera avec sa fille. *L'artiste créateur mène forcément une vie isolée, ce qui risque d'accroître les difficultés d'Alice. En s'efforçant de parvenir pendant quelque temps à un compromis de ce genre, la jeune femme pourra se rendre compte qu'elle est capable de mener ses deux activités de front et elle aura davantage de temps pour étudier de près les choix qui s'offrent à elle.*

3

Les McNamara

John et Ann McNamara forment un jeune couple très actif. John travaille en mer sur un chalutier et part quelquefois pendant des dix jours d'affilée. Quand il revient passer deux ou trois jours à terre, il compte sur sa femme et sur Danny, leur fils de trois ans, pour fêter son retour avec lui. Ann trouve ces apparitions merveilleuses, mais parfois bien pénibles pour le petit. Celui-ci passe la majeure partie de son temps à attendre l'arrivée de papa. Tant que John est à la maison, Danny est fou de joie et de surexcitation mais, dès qu'il repart, c'est le désespoir. Le petit garçon sanglote, refuse de manger et traite sa mère comme une espèce d'ersatz tout juste acceptable. « C'est *mon* papa qui m'a dit de faire ça. *Toi*, tu es méchante, lui lance-t-il quand il n'a pas été sage. Je le dirai à papa. »

Ann est dactylo dans une banque. Elle a pris ce travail quand Danny avait à peine un an, ayant réussi à trouver une crèche satisfaisante à tous points de vue ; cela fait à présent deux ans que le petit garçon la fréquente. Le salaire de la jeune femme est absolument nécessaire pour que le couple parvienne à joindre les deux bouts. Bien que cela soit contraire à leurs convictions religieuses, ils pratiquent la contraception, car ils se rendent bien compte qu'ils n'ont pas les moyens d'avoir beaucoup d'enfants et qu'Ann ne peut pas non plus se permettre de s'absenter longtemps de son travail pour avoir des bébés.

UN DEUXIÈME ENFANT

Lorsqu'ils s'aperçoivent qu'Ann est à nouveau enceinte, ils sont contents que cet « accident » soit arrivé, malgré leurs « précautions », mais ils se demandent avec inquiétude comment ils vont s'en sortir sur le plan financier. Ann a le cafard. Comment vont-ils faire ? Elle a déjà eu beaucoup de mal à se résoudre à mettre Danny à la crèche. Pendant qu'elle l'attendait, elle préférait d'ailleurs ne jamais s'attarder sur cette pensée. John et elle sont amoureux l'un de l'autre depuis des années et ils savaient bien qu'ils voudraient un enfant dès qu'ils seraient mariés. Elle redoute, cependant, de connaître la même existence d'esclave qu'a subie sa propre mère, une ménagère silencieuse et plutôt revêche, qui n'a eu que bien peu de plaisirs dans la vie. La mère d'Ann a eu huit enfants, très rapprochés les uns des autres, avant de comprendre qu'elle en avait plus qu'assez de cette vie de bête de somme. Son mari et elle ont toujours semblé résignés à l'idée que ce labeur interminable était une espèce de pénitence pour leurs rares instants de plaisir, mais, à mesure qu'elle grandissait, Ann les a vus devenir des étrangers l'un pour l'autre : son père happé par les bistrots, sa mère par la vie de ses enfants. Ann ne veut à aucun prix être comme eux. John et elle désirent une existence meilleure pour eux-mêmes et leur progéniture et ils s'attendent à devoir la « payer » de certaines contraintes : ils n'auront pas plus de deux enfants et ils devront tous les deux travailler à l'extérieur. Ce sont des décisions qu'ils ont prises dès le départ, dans l'espoir de pouvoir concrétiser leur rêve.

Lorsque Ann attendait Danny, c'était sa propre mère qui incarnait pour elle l'image de la maternité : toujours là quand on avait besoin d'elle, venant frotter le dos de sa fille quand elle était malade, l'accueillant quand elle rentrait de l'école. Durant cette première grossesse, c'était son angoisse à l'idée de ne pas pouvoir en faire autant pour son propre enfant, qui avait été le plus difficile à supporter. Une fois, une seule, elle en avait parlé à John. Il n'avait pas manifesté la moindre sympathie et s'était contenté de lui rappeler l'objectif qu'ils s'étaient fixé. Dès lors, elle s'était efforcée de réprimer ses inquiétudes. Résultat : elle n'avait plus pensé qu'au meilleur moyen de parvenir à faire face. Elle prenait chaque jour comme il venait et faisait de son mieux pour s'intéresser à son travail, afin de pouvoir se concentrer sur ce qu'elle avait à faire. Il était plus facile pour elle de travailler dur, à la banque et chez elle. De cette façon, elle n'avait même pas le temps de se tracasser et de « gamberger ». Danny était né et c'était un bébé formidable ; elle s'était très bien adaptée à la situation. Après sa naissance, elle avait passé une année entière à la maison avec lui et elle en avait savouré chaque seconde. Lorsqu'elle avait enfin repris le collier, elle avait beaucoup souffert de devoir confier son fils à quelqu'un d'autre.

John et elle sont à présent bien partis pour réaliser ce rêve qui leur est si cher. Le travail de John, en mer, est bien payé. Danny va tous les jours à la crèche et semble s'y plaire. Ann se débrouille parfaitement pour faire chaque jour tout ce qu'elle a à faire, ce dont elle se sent très fière. À présent voilà que ce nouvel enfant va l'obliger à s'adapter à une situation entièrement différente. Elle se penche donc sur le problème, mais tout au fond d'elle-même se pose une question lancinante : comment aura-t-elle jamais le courage de confier ce nouveau bébé à la crèche quand le moment sera venu ?

Au début, John s'est senti évincé par l'arrivée de Danny. Ann était si absorbée par les soins à donner au petit qu'elle semblait n'avoir plus guère d'intérêt à lui accorder, lorsqu'il venait passer quelques jours à terre. Avant la naissance de leur fils, chacun de ses retours était une véritable fête. Ann l'attendait sur le quai à sa descente du bateau et lui consacrait tous ses instants. Depuis, elle était toujours avec Danny ou au travail et, lorsque John rentrait à la maison, elle donnait l'impression d'être fâchée contre lui. Il avait le sentiment qu'il s'agissait d'une colère contenue contre le fait qu'il était obligé de rester si longtemps absent, la laissant se débrouiller toute seule. De son côté, John se sentait coupable à l'idée que sa femme était tenue de travailler, qu'il ne pouvait à lui seul faire bouillir la marmite. Quand il rentrait chez eux, il avait l'impression qu'elle se mesurait à lui : elle lui parlait de son travail ou lui racontait tout ce qui était arrivé à Danny. Il n'était plus le roi de la maison. Avec l'arrivée de ce nouveau bébé, ne risque-t-il pas d'être encore plus tenu à l'écart, d'être blâmé encore plus qu'avant pour la modicité de leurs moyens ? Bien qu'elle n'en ait jamais rien dit, il a conscience du fait qu'Ann compare parfois leurs deux salaires. Il prend la résolution d'augmenter au maximum ses heures de travail afin d'être mieux à même de pourvoir aux besoins de ce nouvel enfant.

Ils ont certes prévu d'avoir deux enfants, mais bientôt la réalité de cette bouche supplémentaire à nourrir se fait cruellement sentir. Jusqu'ici, John s'est estimé en mesure d'élever Danny sans trop de problèmes. Un enfant n'est pas un fardeau écrasant. Deux, en revanche, doublent les dépenses et tous les rêves qu'il a faits de voir Ann rester enfin à la maison vont devoir attendre. John tente de trouver une meilleure situation à terre, mais il n'a guère d'expérience. Il demande donc davantage de travail en mer, ce qui semble être la meilleure solution. Ann sait bien qu'ils n'ont pas le choix.

D'une certaine façon, il est un peu plus facile de ne pas avoir besoin de choisir si l'on souhaite ou non reprendre le travail. Si l'on n'a pas le choix, le chagrin que l'on ressent peut se transformer en colère contre le système qui vous prive ainsi de votre légitime plaisir de mère. Tout au long de sa grossesse, Ann va se préparer à la séparation. Aucune étude n'a été faite pour découvrir si cet état de fait facilitait ou non la rupture quand elle survenait, mais du moins n'est-on pas tiraillé par des sentiments ambivalents.

Les McNamara en tout cas font la preuve de toutes leurs qualités. Bien des jeunes familles abandonnent la lutte à ce stade et préfèrent se faire entretenir par l'État. Notre système d'allocations semble fait exprès pour entériner les échecs et non les réussites. Si les McNamara étaient prêts à quitter leurs emplois, à se séparer et à quémander l'assistance sociale, Ann pourrait fort bien se débrouiller en tant que femme seule recevant l'aide aux mères d'enfants à charge. Elle pourrait rester chez elle et disposer d'un budget à peu de chose près analogue. Si nous parvenions, en tant que société, à réévaluer un tant soit peu nos besoins prioritaires, nous pourrions offrir aux McNamara des crèches gratuites d'excellente qualité pour leurs enfants, ce qui leur permettrait de mettre un peu d'argent de côté en prévision de futures difficultés. Il faut absolument récompenser les jeunes couples de ce genre pour leur courage et non leur enfoncer la tête sous l'eau.

Ann sait donc dès le début de sa grossesse qu'il lui faudra confier ce bébé à quelqu'un d'autre dès qu'elle sera en mesure de recommencer son travail. La banque l'autorisera sans doute à prendre un congé non payé d'un mois ou six semaines, auquel elle se propose d'ajouter les deux semaines de congés payés auxquelles elle a droit, afin de limiter les dégâts. Elle ne peut s'absenter trop longtemps car, si elle perd son emploi, elle percevra certes une allocation de chômage, mais leur revenu baissera quand même sensiblement. John augmente ses heures de présence à bord du chalutier et ils rognent sur toutes leurs dépenses dans la mesure du possible.

Lorsque Ann va voir les responsables de la crèche, on lui assure qu'il sera possible de prendre le bébé en plus de Danny, dès qu'il aura quatre mois, mais que cela coûtera plus de deux fois plus cher. La raison, lui explique-t-on, c'est qu'une nursery entraîne des frais plus élevés, car le personnel doit y être en plus grand nombre. La majeure partie de son salaire va devoir servir à payer la crèche.

Il faut éviter à tout prix une crèche où l'on ne compte pas au moins un adulte pour trois ou quatre petits bébés. Ces derniers ont besoin de soins beaucoup plus accaparants qu'un enfant de trois ans. Le gros problème, évidemment, c'est que bien souvent tout le salaire de la mère passe en frais de crèche. Nous devons absolument subventionner ces établissements afin que les couples qui travaillent soient en mesure d'offrir un environnement de qualité à leurs petits enfants.

Les McNamara se demandent comment ils vont pouvoir se permettre un tel « luxe », mais Ann est fermement décidée à ce que ce second bébé, dont elle va devoir se séparer si vite, ait droit à ce qu'ils peuvent lui offrir de meilleur. Elle s'attarde longuement sur la possibilité de renoncer à son travail à la banque pour rester chez elle, mais elle a su faire son trou au bureau et gagner l'estime de tout le monde. Elle va bientôt avoir droit à une augmentation et à de l'avancement. Une longue absence pour des raisons familiales risque de différer tous ces avantages d'au moins un an.

UNE NOUVELLE RESPONSABILITÉ

John est animé par des sentiments complexes, aussi bien en ce qui concerne le travail d'Ann que cette nouvelle grossesse. L'un et l'autre lui donnent l'impression d'être vaguement diminués.

Ces problèmes de rivalité inexprimée existent toujours dans les familles où les deux parents travaillent, qu'ils exercent des professions libérales ou qu'ils soient de modestes salariés. Selon une étude, les garçons sont incapables de s'identifier à leur père lorsque leur mère connaît une plus grande réussite profession- nelle. Les mères se servent inconsciemment de ce facteur pour prendre le dessus sur leur époux, lequel se sent en conséquence dévalué. Talley's Corner, grand classique de la recherche sociolo- gique, cite plusieurs exemples du comportement autodestructeur d'hommes noirs que la mauvaise image qu'ils ont d'eux-mêmes a entraînés sur la voie de l'échec et de la résignation. John se sent tenu de pourvoir aux besoins de sa famille qui s'agrandit. Et il est vrai que deux enfants sont une responsabilité deux fois plus grande. Étant donné qu'Ann doit travailler, elle aussi, et que les dépenses que va entraîner cette seconde naissance sont inquié- tantes, il est normal que John soit préoccupé. Ann aura moins de temps à lui consacrer que jamais. Et pourtant, quels plaisirs il a connus avec Danny! Chaque nouveau progrès, chaque mot nouveau ont été une véritable joie. Le ravissement de son fils à chaque fois qu'il revient passer quelques jours à terre compense les longues heures de séparation.

Le salaire de John suffit à peine à couvrir les dépenses courantes. Sans celui d'Ann, ils n'ont pratiquement aucune marge de sécurité. En différant la naissance de leur second enfant, ils sont parvenus à mettre de côté un peu d'argent en vue de l'acquisition d'un appartement. Lorsque Ann s'est aperçue qu'elle était enceinte, cependant, la perspective de devenir un jour propriétaires de leur habitation est devenue quasiment inexistante. Ils ont songé un moment à avoir recours à une I.V.G., mais ni l'un ni l'autre n'ont pu s'y résoudre et ils se sont même sentis tout honteux de l'avoir seulement envisagée. Ils doivent plutôt remercier le ciel pour ce bébé, se disent-ils, et la plupart du temps ils se sentent effectivement privilégiés.

Il y a néanmoins pas mal d'obstacles à franchir. Au troisième mois de grossesse, des saignements se déclarent et le gynécologue conseille à Ann de garder le lit quelque temps sous peine de fausse couche. Étant donné que cela l'obligerait à s'absenter momentanément de son travail et à utiliser tous les congés maladie auxquels elle a droit, John et elle doivent décider s'il faut à tout prix essayer de sauver ce second enfant. Ne vaut-il pas mieux « faire une croix dessus », quitte à le reprogrammer un peu plus tard ?

Ann doit-elle déjà annoncer à son patron qu'elle est enceinte, ce qui pourrait mettre sa situation en péril ? Si elle prend actuellement plusieurs semaines de congé, ce sera autant de précieux moments perdus pour après la naissance. Ils décident finalement de risquer la fausse couche. Ann continue à travailler, en espérant que tout ira bien. Les saignements cessent. Ils l'ont échappé belle mais, du coup, ils se demandent avec angoisse si le bébé sera normal. Ann veille à se ménager au maximum. Elle ne fume et ne boit guère de toute façon, mais à présent ils estiment tous les deux que cela serait trop dangereux. Et, même, comme ils ont lu quelque part que le seul fait d'inhaler la fumée dégagée par le tabac que fument les autres pouvait nuire au fœtus, John s'astreint à ne fumer qu'en dehors de chez lui.

Ann consulte fréquemment sa mère quant aux aliments « sans danger » pour elle. Elle s'allonge en fin de journée. Leur vie de couple se transforme rapidement du fait de l'importance qu'ils attachent à ce nouvel enfant. Ils suppriment toutes les sorties du soir. Ils ne parlent pratiquement plus que de leurs projets d'avenir. Le stage préparatoire à l'accouchement leur offre heureusement une occasion d'avoir quelques échanges et de partager leurs soucis avec d'autres jeunes couples logés à la même enseigne.

Et ce ne sont pas les soucis qui manquent. Ann va devoir demander un congé de maternité et elle redoute que son chef de service ne lui donne plutôt son congé définitif. Ce serait un coup dur pour eux, John et elle en sont parfaitement conscients. Que ferait-elle dans ce cas ? Il lui faut plusieurs semaines pour réunir le courage nécessaire et aborder la question de son avenir immédiat avec ses supérieurs. Elle s'aperçoit alors qu'ils semblent déjà résignés au fait qu'elle attend un enfant. Ils sont prêts à lui accorder un congé sans solde de quatre semaines, en plus de ses deux semaines de congés payés. Elle en conçoit un tel soulagement qu'elle ne songe même pas à contester la durée de son absence. À ce moment précis, six semaines lui font l'effet d'une éternité. En dépit de ce qu'elle a déjà connu avec Danny, il ne lui vient même pas à l'idée qu'elle aura peut-être envie de rester plus longtemps chez elle avec son bébé.

Lorsqu'ils évoquent la possibilité pour elle d'allaiter l'enfant, John et elle renoncent rapidement à cette idée. Ann va devoir reprendre très vite son travail et il paraît peu probable qu'elle soit en mesure d'allaiter une fois qu'elle sera retournée à la banque. Ann se sent tout attristée lorsqu'elle entend ses camarades du stage évoquer les préparatifs qu'elles font en vue de leur allaitement. John et elle s'efforcent de se consoler de cette déception : avec les biberons, au moins, ils pourront se répartir les tétées équitablement.

Ils cherchent à modifier l'installation de leur petit appartement. Trois pièces paraissaient suffisantes lorsqu'ils n'étaient que trois, mais pour quatre c'est une autre histoire. Ils se demandent où il vaut mieux mettre le berceau du bébé. Leur chambre est trop petite. Celle de Danny aussi et en plus ils préféreraient éviter d'empiéter sur son territoire. Le séjour, qui sert déjà de salle à manger, ne semble pas assez grand pour servir en outre de nursery. Ils finissent par opter pour une solution de compromis en choisissant un lit de bébé démontable qu'ils pourront déplacer d'une pièce à l'autre. À mesure que les joujoux et les objets plus utilitaires qu'on leur offre s'accumulent, ils commencent à crouler sous les affaires du bébé. Ils ont l'impression qu'il ne reste plus de place pour eux ni pour Danny. Ils s'efforcent de prendre la chose du bon côté, mais Ann s'aperçoit qu'elle évacue une grande partie de ses propres affaires vers la maison de sa mère. Le bébé et tout ce dont il a besoin les chassent de chez eux. Elle n'en éprouve aucun ressentiment, seulement un peu de regret pour le « bon temps » où il n'y avait que John, Danny et elle. Ce qu'elle redoute le plus, c'est la tension à laquelle son fils aîné va être soumis. Il est si sage, si mignon et il n'a pas eu la vie si rose jusqu'à présent.

Les mois s'écoulent. À la banque, Ann multiplie les erreurs et elle est bien souvent obligée de retaper des pages entières. Elle espère que personne ne s'en aperçoit, car elle doit continuer à travailler le plus longtemps possible. John l'appelle souvent au bureau pour savoir comment elle va. Elle sait qu'il est aussi surexcité qu'elle par l'événement en perspective, mais elle a l'impression que certains de ceux avec qui elle travaille lui « en veulent » de son état, même s'ils se montrent pleins de sollicitude et d'intérêt. Ses supérieurs sont trop occupés pour faire attention à elle. Elle est bien sûr ravie d'avoir pu garder son emploi, mais elle aimerait de temps en temps un petit mot d'encouragement de leur part. Elle se sent si énorme, si laide, elle a l'impression de gêner tout le monde. Quand elle a un coup de cafard, elle pose les mains sur son ventre gonflé. Les mouvements du bébé paraissent la rassurer et lui faire savoir que tout ira bien.

John prend plaisir à réconforter toute sa petite famille. Quand Ann rentre à la maison, lasse et déprimée à la fin d'une journée de travail, il fait preuve d'une étonnante bonne humeur. Il bondit joyeusement à travers l'appartement, lui prépare des petits plats, la console et s'efforce de lui remonter le moral. Il la traite comme si elle était elle-même un bébé et elle adore ça. Cela dit, il manque de réalisme. Il n'hésite pas à déclarer : « Ne t'en fais donc pas pour ta situation. Tu n'auras aucun mal à en trouver une autre. Et de toute façon, nous pourrons toujours nous débrouiller avec ce que je gagne. » Elle sait bien que c'est faux. Qui donc songerait à l'engager dans son état ? Et pourtant, ils ont plus besoin que jamais de son salaire. Elle comprend, toutefois, que John cherche surtout à lui donner du courage et elle s'efforce donc de se montrer plus gaie. Alors que la grossesse arrive à son terme, cela les rapproche encore l'un de l'autre.

Quand John est en mer, Ann se sent terriblement seule. Ce sont les moments où elle se fait le plus de souci pour Danny. Le petit garçon et son père sont si proches. Tout semble aller comme sur des roulettes quand John est à la maison. Que se passera-t-il si elle accouche en son absence ? Comment feront-ils ?

L'aspect le plus pénible d'une deuxième grossesse, c'est la séparation d'avec l'aîné. Tout en faisant ses préparatifs en vue de l'accouchement, Ann se demande si Danny ne va pas avoir l'impression qu'elle l'abandonne. Ses craintes sont, bien sûr, déraisonnables, mais toutes les mères souffrent pour leur aîné à l'approche d'une deuxième naissance.

UN ACCOUCHEMENT PÉNIBLE

Finalement, lorsque les premières douleurs se font sentir, John est à la maison et il accompagne sa femme à l'hôpital. Il se rappelle parfaitement tout ce qu'ils ont appris au cours du stage préparatoire et ne cesse de lui adresser un flot d'instructions — sur la façon de respirer et de pousser — pour tenter de l'encourager. La mère de John est venue, elle aussi, et offre de rester avec sa bru quand John a besoin de sortir se détendre. Malheureusement, le personnel hospitalier est prêt à accepter les pères, mais pas les grand-mères, et on la prie de bien vouloir rester dans la salle d'attente.

On considère bien souvent les grand-mères comme « gênantes ». La majorité des hôpitaux acceptent désormais les maris en salle d'accouchement, mais on n'a pas encore saisi toute l'importance des parents ou beaux-parents. Le personnel médical voit plutôt les futures grand-mères comme une menace envers l'indépendance de l'accouchée que comme un authentique soutien. Dans la plupart des cultures, c'est l'ancienne génération qui transmet les valeurs traditionnelles de la société. Elle propose des limites à l'intérieur desquelles la jeune génération doit trouver son propre chemin. Dans notre culture occidentale, cependant, ces limites sont si mal définies que les jeunes parents connaissent des difficultés tout à fait inutiles pour établir leurs propres valeurs et leur propre façon de faire les choses. Il serait beaucoup plus logique, durant la période si importante de l'éducation des enfants, d'avoir recours aux conseils de l'ancienne génération. Certes, il est bon que les jeunes parents trouvent eux-mêmes leur voie, mais il est souvent commode d'avoir à sa disposition des limites bien établies à outrepasser.

Le difficile accouchement d'Ann se prolonge. Au bout de huit, puis de douze heures, John a l'impression qu'elle ne va pas pouvoir tenir le coup beaucoup plus longtemps. Personne n'a songé à les avertir d'une telle possibilité. Ann commence à être épuisée et découragée. John, lui, a carrément peur et demande aux infirmières de leur venir en aide. Elles lui assurent que « ce n'est pas grave. Il y a des tas de femmes qui mettent bien plus longtemps ». John garde ses inquiétudes pour lui ; il ne veut pas alarmer inutilement sa femme, qui commence d'ailleurs à craquer et à fondre en larmes. Elle a toujours cru être une forte femme, mais pour le moment elle se sent aussi faible qu'un nouveau-né.

Les stages de préparation à l'accouchement devraient toujours inclure la possibilité d'un accouchement pénible et prolongé, afin de préparer les femmes à la déception d'une césarienne.

Au bout de dix-huit heures, Ann a si peu progressé que le jeune médecin chargé de l'accouchement prend une décision. (Il lui a injecté un médicament destiné à améliorer les contractions de l'utérus, mais sans résultat.) Il va à présent faire part de sa décision à Ann et John. Ses supérieurs et lui-même estiment que la césarienne s'impose. Il précise qu'Ann souffre de « dystocie », c'est-à-dire d'insuffisance des contractions de l'utérus. Au point où ils en sont, les McNamara sont prêts à accepter n'importe quoi et même soulagés que la décision soit ainsi prise pour eux. C'est une mauvaise surprise, cependant, car le premier accouchement s'était très bien passé.

Un accouchement prolongé est épuisant pour la mère, mais ne fait pas nécessairement du tort au bébé. Le travail « alerte » ce dernier. Et, même si une intervention chirurgicale s'impose, il vaut probablement mieux que l'enfant ait été soumis à quelques contractions. Les césariennes sont beaucoup plus couramment pratiquées qu'avant. De nos jours, on parvient le plus souvent à éviter que le cerveau du bébé soit endommagé durant la naissance et les obstétriciens envisagent plus facilement le recours à la césarienne si le travail se prolonge indûment. Étant donné qu'il s'agit d'une intervention désormais commune, il est préférable d'informer à l'avance les futurs parents du pour et du contre.

L'AÎNÉ

Le bébé, un superbe garçon de quatre kilos qui portera le nom de Timothy, est fort et vigoureux. Une fois arrivé à la maison, il tète goulûment, reste éveillé une bonne partie de la journée et dort profondément la nuit. Danny, en revanche, est presque inconsolable. Quand il constate que sa mère a momentanément cessé de travailler pour s'occuper du nouveau-né, il s'effondre. Il se réveille toutes les nuits en appelant sa mère et son père. Il sanglote tous les matins. Cela fait plus d'un an qu'il est propre, mais il recommence presque aussitôt à faire pipi au lit ou dans sa culotte et refuse d'aller à la selle. Si sa mère tente de l'aider, il hurle. Elle songe à le garder à la maison avec elle, mais elle ne supporte pas tout le désordre qu'il cause. Elle décide qu'il sera mieux à la crèche où « tout le monde l'aime bien ».

Les mères doivent être préparées aux difficultés de cet ordre. Au moment d'une deuxième naissance, il est très fréquent de voir l'aîné « régresser » considérablement. D'ailleurs, je me ferais beaucoup plus de souci si Danny n'était pas sensiblement perturbé. Cela fait déjà deux ans que Danny « peine » pour s'adapter à l'univers de la crèche. Il y est fort bien parvenu et y semble tout à fait heureux, mais son comportement montre bien que pour lui la famille vient en premier. Dans un certain sens, c'est très bon signe, car c'est la preuve qu'il reste très attaché à ses parents, malgré les longues heures de séparation.

John voudrait bien rester à la maison pour aider sa femme, mais, avec son surcroît de travail à bord du chalutier, il ne parvient pas à passer plus de deux jours à terre. Quant à la mère d'Ann, elle est très occupée et ne peut pas se libérer avant trois semaines. Ann attend sa venue comme une oasis de paix au milieu du chaos.

En voyant l'état dans lequel s'est mis Danny, les responsables de la crèche interviennent. Ils suggèrent à Ann de le garder à la maison et de lui expliquer combien il lui manque et combien elle a envie de l'avoir avec elle. Et aussi de le faire participer à tout ce qu'elle fait pour le bébé, de façon qu'il ait l'impression de jouer un véritable rôle dans la vie familiale. La méthode réussit. Lorsque Ann nourrit Timmy, elle fait asseoir Danny à côté d'elle, puis elle lui demande de l'aider à changer le petit. Danny entre très vite dans la peau de son personnage de « grand frère ». Sa mère lui explique qu'elle a besoin de lui parce que papa n'est pas là et il s'efforce de l'épauler de son mieux. Quand elle lui demande d'aller chercher une couche propre, il s'en va dans la pièce voisine d'un pas assuré qui rappelle irrésistiblement celui de son père. Ses problèmes de sommeil, d'alimentation et de propreté s'estompent à mesure qu'il assume un véritable rôle au sein de sa « nouvelle » famille.

Il se peut que Danny traverse ultérieurement d'autres périodes de régression. Il n'est après tout guère plus qu'un bébé lui aussi et il vient de subir un bouleversement considérable. Il a fait néanmoins la preuve de sa résistance en repartant aussi manifestement du bon pied dès qu'il en a eu l'occasion.

Pourquoi Ann n'a-t-elle pas su prévoir les difficultés de Danny ? Il ne fait aucun doute que la nécessité de régler la situation en l'espace de six courtes semaines l'a aveuglée au point de lui faire oublier le besoin d'amortir un choc aussi rude pour son petit aîné.

LA NOUVELLE FAMILLE SE DESSINE

Dès que Timothy et Ann sont rentrés à la maison, John retourne en mer, car il se sent légèrement coupable d'avoir abandonné si longtemps son travail. En laissant Ann seule avec leurs deux fils, cependant, il est déchiré par l'affreux sentiment qu'il l'abandonne au moment où elle a le plus besoin de lui. Il a à peine le courage de se retourner pour répondre aux adieux d'Ann et Danny qui l'ont accompagné jusqu'à la porte d'entrée. Il parvient à faire taire son désarroi et s'attelle à la tâche de pourvoir de son mieux aux besoins de sa famille. Le travail l'empêche de trop se tracasser. Il sait qu'Ann est une femme très capable, mais lui-même se sent lésé. Il a éprouvé une émotion unique en tenant dans ses bras le petit corps si doux de son nouveau-né. Dès qu'il touche terre, il téléphone chez lui pour savoir comment vont Ann et les deux garçons. Lorsqu'elle se met à lui raconter tout ce qui se passe — les sourires de Timmy, les pleurs de Danny qui réclame son père la nuit —, il coupe court à la conversation. Il ne se rend pas compte que c'est parce qu'il est jaloux et déchiré.

Si elle ne comprenait pas la nature des sentiments de son mari, Ann pourrait être blessée par cette réaction. Il se peut aussi qu'elle éprouve un sentiment d'abandon et le besoin de partager les décisions. Si John n'est pas capable de tolérer ses bavardages, elle risque de se sentir encore plus esseulée. Il est souvent douloureux pour les pères retenus loin de chez eux, de s'entendre ensuite raconter tout ce qui s'est passé en leur absence. Inconsciemment, John désire participer à la vie familiale. En surface, il se montre bougon et distant.

La mère d'Ann vient passer deux semaines auprès de sa fille. Elle l'aide à faire face aux crises de larmes de Tim en fin de journée. C'est elle qui se lève la nuit pour aller le calmer, de façon que le sommeil d'Ann ne soit pas perturbé, et elle devient pour Danny une seconde maman. Toute la famille se laisse materner par cette femme si capable qui les sécurise tous. Ann se sent presque prête à franchir le nouvel obstacle qui se dresse sur sa route : reprendre son travail. Lorsque John rentre à la maison pour un week-end prolongé, Ann et lui ont l'occasion de sortir « en amoureux », puisque sa belle-mère est là pour s'occuper des enfants. Les trois générations s'immergent dans un véritable bain d'amour partagé.

4

La reprise du travail

Chacune des mères des trois précédents chapitres se pose la même question : « Quand faut-il que je reprenne le travail ? » Quelle que soit la situation, le véritable problème à résoudre, c'est de savoir quand il est possible de quitter son bébé sans nuire à son développement. Même si les nécessités financières ou professionnelles sont pressantes, aucune femme ne peut se permettre de négliger son nouveau rôle de mère lorsqu'elle prend sa décision. Les besoins de son enfant et son propre désir d'être bonne mère auront une influence prépondérante sur sa tranquillité d'esprit lorsqu'elle devra reprendre le travail. Les parents peuvent se défendre contre le déchirement de la séparation en refusant de tenir compte de ce facteur — comme le font les McNamara — mais cela nuit énormément à leur propre développement en tant que parents.

Nos recherches nous ont permis de constater que la maternité comporte, dans son évolution, certaines étapes critiques dont il convient de se préoccuper avant que la jeune maman ne reprenne le travail. Peut-être des étapes analogues existent-elles pour les pères, mais jusqu'à présent nous ne les avons pas identifiées. Pour le couple mère-enfant, chaque pas en avant dans la connaissance mutuelle est le résultat d'instants privilégiés passés ensemble. Or c'est de cette connaissance qu'est issu l'attachement réciproque. Pour le nouveau-né, cet apprentissage est à la base de ce qu'Erikson appelle la « confiance fondamen-

tale » dans son environnement. Chez la mère, il alimentera sa
« confiance fondamentale » dans ses propres facultés de mère.

Une fois qu'elle aura passé ce cap avec son bébé, une mère
sera sans doute plus disposée à partager avec une autre personne
le développement ultérieur de ce dernier, lequel sera de son côté
plus apte à faire connaissance avec les autres membres importants de son entourage. Si un nourrisson n'a pas l'occasion d'être
pleinement exposé à cette croissance de la confiance et de
l'attachement mutuel, sa faculté de s'attacher aux autres personnes qui comptent dans sa vie risque d'être menacée ou
affaiblie : c'est un domaine où nous n'avons pas encore sondé le
fond du problème. Nous savons, en revanche, à quel point il est
important de respecter les étapes mentionnées plus haut. Lorsque cet apprentissage n'a pas eu lieu du tout, dans le cadre des
rapports enfants-parents, nous avons affaire à des bébés dont
l'évolution stagne, sur le plan soit social, soit cognitif, soit
même, dans les cas extrêmes, physique, puisqu'ils cessent de
prendre du poids et de grandir. René Spitz a été le premier, dès
1945, à décrire des bébés placés dans des institutions et
socialement sous-développés ; depuis, toute une littérature sur
l'évolution sociale des tout-petits a vu le jour. Nous avons encore
beaucoup de choses à apprendre concernant les composantes de
l'attachement mère-bébé et bien plus encore dans le domaine de
l'attachement du père au bébé, mais nous avons déjà fait de
multiples découvertes quant aux moyens de jauger les rapports
et à la faculté de reconnaître ceux qui permettent au nouveau-né
et à ses parents de s'épanouir.

La très petite enfance est la première période, primordiale,
durant laquelle vont s'établir des rapports empreints de certitude. Armé du sentiment de sécurité que lui donne l'affection
chaleureuse et solide de ses parents, le nourrisson saura plus
facilement faire face aux agressions de la vie de tous les jours. La
séparation due aux obligations professionnelles et l'intervention
d'une tierce personne seront alors équilibrées par l'intimité
retrouvée en fin de journée. Le bébé pourra se permettre de
différer son « effondrement » jusqu'au moment où il aura
retrouvé ses parents, fort de la certitude que ces derniers seront
toujours là pour le consoler et le rassurer.

Combien de temps une mère (ou un père) doit-elle compter
passer chez elle pour engendrer ce sentiment de sécurité ?

Chaque parent devra fournir sa propre réponse. Une bonne compréhension de ses rapports avec son enfant l'aidera à en décider. Quelle qu'en soit la durée, les jeunes parents ont besoin d'une période protégée durant laquelle ils pourront apprendre à connaître leur enfant. La société (voir plus loin) devrait permettre aux parents de profiter librement de cette phase d'adaptation mutuelle, sans que cela leur porte préjudice et sans qu'ils en soient sanctionnés par la suite. Chaque mère et chaque père mettront plus ou moins longtemps pour se sentir solidement attachés à leur bébé.

Les quatre étapes des rapports parents-nouveau-né que nous sommes venus à considérer comme cruciales dans le processus de l'attachement évoluent comme suit :

1. La première prend environ dix à quatorze jours. Au cours de cette phase la mère* apprend à son bébé à contrôler les activités motrices et réflexes qui s'interposent, afin de l'encourager à lui consacrer une attention prolongée. Elle s'apercevra que, s'il est convenablement éveillé, elle peut le faire réagir à sa voix ou à son visage et retenir brièvement son attention. Elle apprendra à la fois à susciter la réaction et à reconnaître les signes par lesquels l'enfant lui indique qu'il en a assez (par exemple les yeux qui se ferment ou se révulsent, le visage et le corps qui se détendent, les bras et les épaules rejetés en arrière, la respiration plus bruyante, les bâillements, les hoquets). Par son langage facial et corporel, le bébé dit à sa mère quand elle doit attirer, retenir ou relâcher son attention.

2. La deuxième étape est généralement atteinte au cours des huit semaines suivantes. Durant cette période, les mères apprennent à fournir une « enveloppe » protectrice et nourricière, à l'intérieur de laquelle le bébé sera en mesure de fixer son attention et d'apprendre à réagir aux jeux qu'elle lui propose. Pour aider son nourrisson à soutenir une longue

---

* Dans tout ce passage, j'utilise, par souci de clarté, le pronom féminin pour le parent et masculin pour l'enfant, mais j'imagine que les pères passent par les mêmes étapes.

période d'interaction (de plusieurs minutes au moins), la mère doit faire plusieurs choses :

Elle doit choisir le bon moment à l'intérieur du cycle de ses divers états (sommeil, faim, pleurs, activité) ;

Elle doit savoir reconnaître les signes non verbaux qui lui disent : « Je suis prêt à jouer », par exemple en voyant son bébé se détendre dans son siège ou sur le lit plutôt que de gigoter ou de sursauter ; en constatant que son visage est relâché plutôt que scrutateur ou tendu ; en le voyant faire des gestes lents et réguliers plutôt que saccadés ou démesurés ;

Elle doit savoir que les nouveau-nés n'ont que trop tendance à réagir de façon excessive aux sourires et aux vocalises. Le bébé risque de s'investir si complètement dans sa propre tentative de répondre aux ouvertures de sa mère qu'il va trop loin, se crispe et ne parvient pas à fixer son attention. En lui tenant le derrière, le bras ou la jambe, elle peut l'aider à garder son contrôle et enrayer ses réflexes de crispation. En le contraignant ainsi, doucement, et en modulant sa voix, elle peut éveiller son intérêt ;

Elle doit apprendre à connaître son rythme : attention soutenue-attention diminuée-attention soutenue-détournement et récupération-attention soutenue. Ce rythme qui, chez la majorité des bébés semble durer environ quinze secondes, est fondé sur un bon équilibre entre l'énergie intense (effort cardiaque et respiratoire) que nécessite l'attention soutenue et une courte période de récupération, durant laquelle les efforts auxquels est soumis son système immature sont moindres. Sinon, par mesure d'autoprotection, le nouveau-né préférera « couper le contact » plutôt que de se laisser engloutir par la surexcitation. Une mère qui comprend cela et qui baisse la voix, modère sa propre véhémence, détourne les yeux, se carre dans son fauteuil d'un geste régulier, lent et rythmé, aidera son enfant à savoir atteindre de lui-même cet équilibre. De façon empirique, en se fiant à son intuition, elle apprend comment inaugurer un échange qui caractérisera leur futur comportement quand ils seront ensemble.

Au cours de ce réconfortant dialogue, la mère apprendra à reconnaître les premiers petits sourires, les débuts de vocalises, les tentatives de se pencher vers elle et d'essayer de la toucher. Toutes ces réactions vont se manifester durant la période de deux à huit semaines et représentent les débuts de la communication. À mesure que la mère apprend à renforcer ces réactions, elle apprend aussi ce qu'elle-même a besoin de savoir, y compris la certitude que ces réactions lui sont bel et bien destinées. Une mère (ou un père) qui aide consciemment son bébé à se contenir et l'encourage à sourire ou à gazouiller se rendra déjà compte de l'effort que cela nécessite et se sentira d'autant plus responsable du rôle qu'elle-même doit jouer en enseignant à son bébé le contrôle de soi nécessaire pour produire ces signaux.

3. La troisième étape commence vers la dixième semaine et se termine au quatrième mois. Daniel Stern, de New York, l'appelle la période d'apprentissage du jeu, au cours de laquelle le parent apprend comment aider son bébé à prolonger davantage leur interaction, à intensifier son attention et sa faculté de produire une série de réactions : par exemple à gazouiller ou à glousser, à sourire ou à rire aux éclats, à se tortiller ou à tendre les bras. C'est la période durant laquelle le nourrisson apprend à se contrôler, apprend à produire ces signaux à volonté par séries de trois ou quatre à la fois. Le bébé sourit, la mère lui rend son sourire. L'échange se répète avec une intensité croissante quatre fois, après quoi tous deux se détournent pour récupérer. Le nouveau-né gazouille ; sa mère lui dit : « Oui. » Il recommence, elle lui dit : « C'est très bien. » Le petit gazouille une troisième fois, lorsqu'elle se tait pour le laisser répondre. Cette fois, tout son petit corps se tortille à mesure que le gazouillis monte vers l'aigu. La maman s'extasie : « Tu es merveilleux ! » Ils viennent d'atteindre un nouveau sommet et chacun se calme afin de se préparer à un nouveau « jeu ». A présent, l'une et l'autre connaissent les limites raisonnables, d'habitude trois ou quatre signaux qu'ils se renvoient assez rapidement. Ils sentent bien qu'il ne faut pas aller au-delà de ce nombre, car autrement l'enfant risque de réagir de façon excessive et de se retirer définitivement du jeu. Ils s'adaptent mutuellement au rythme qui leur convient, en « testant » les rythmes d'attention qu'ils ont appris à connaître un peu plus tôt ; à présent, lorsque le bébé « fixe » son attention, ils échangent des signaux importants. Une mère m'a confié qu'elle avait l'impression que, durant les phases d'échange intense, son enfant apprenait à communiquer avec le monde extérieur et, durant les périodes de récupération, à mieux

se connaître lui-même. Ces jeux rythmiques sont absolument primordiaux pour l'apprentissage, aussi bien pour les parents que pour les nourrissons.

4. La quatrième étape se situe durant le quatrième mois et coïncide avec la brusque poussée de connaissance de soi et du monde extérieur visible chez les enfants de cet âge. Au cours de son quatrième mois, un bébé acquiert une conscience aiguë de tout ce qu'il voit et entend de nouveau et il cesse très facilement de s'alimenter et même de dormir pour observer ce qui se passe autour de lui ; il en va de même pour les périodes d'échange avec ses parents. Peut-être va-t-il commencer à jouer en regardant sa mère et suivre d'abord l'habituel schéma rythmique. Et puis, comme s'il savait qu'il contrôle désormais la situation, il va se détourner légèrement pour contempler sa chaussure ou un objet situé derrière sa mère. Celle-ci redouble d'efforts pour capter à nouveau son attention, mais le regard de l'enfant glisse sur elle pour se fixer sur son autre chaussure ou par-dessus l'autre épaule et, pour la mère, cela peut devenir un véritable supplice de Tantale. Que faire pour récupérer l'attention de son bébé ? Elle tente de s'interposer dans sa ligne de vision, mais il détourne les yeux. Pendant parfois plusieurs minutes, la mère et le nourrisson poursuivent ce petit manège et c'est l'enfant qui garde constamment l'initiative. Si la mère désire réellement retenir son intérêt, elle doit permettre au bébé d'être l'instigateur. Avec l'aide d'un jouet, elle peut l'inciter à utiliser une technique nouvellement acquise : tendre la main vers ce qu'elle lui présente et qu'elle associe ainsi à ce soudain intérêt pour tous les objets et bruits inconnus, afin d'attirer et de retenir l'attention du bébé. Durant cette période, elle apprendra que son enfant doit contrôler la situation et devra respecter cette autonomie naissante. Désormais, elle ne le maîtrise plus totalement ; elle doit partager le contrôle avec lui durant ces périodes d'attention soutenue. Ayant déjà dû s'adapter aux rythmes physiologiques de son bébé, elle est mieux préparée à admettre son besoin d'indépendance. La conscience accrue des événements extérieurs fait qu'il est moins disponible pour elle. Elle doit apprendre à se servir de la nouveauté pour attirer et retenir son attention.

Ces quatre étapes, qui permettent à la mère et à l'enfant d'apprendre mutuellement à se connaître, sont suivies d'une cinquième durant laquelle le nourrisson est prêt pour de nouvelles expériences et de nouveaux niveaux d'interaction où il contrôlera partiellement la situation. Il me semble que c'est une période où le bébé est tout à fait en mesure d'accepter qu'une tierce personne commence à s'occuper de lui. Au cours des quatre premiers mois, la mère a appris des tas de choses sur elle-même et sur son enfant. Elle sait que, quand il sourit, ce sourire est *pour elle*. Elle sait maintenant reconnaître les moments où il est bien éveillé et prêt à l'interaction, ainsi que les rythmes nécessaires pour obtenir des réactions de sa part. Il me paraît donc essentiel que la mère puisse rester chez elle et être disponible tout au long de ces quatre mois. Dans l'idéal, le père, lui aussi, devrait être libéré au maximum durant cette période. Comme je le fais remarquer dans la prochaine partie, une loi décrétant quatre mois de congé de maternité payé et un mois de congé de paternité mettrait efficacement l'accent sur l'importance de cette période.

Les trois premiers mois soumettront probablement les parents à de tels bouleversements qu'ils seront vidés de toute énergie. Les crises de coliques ou de pleurs prévisibles en fin de journée donnent aux jeunes parents une sensation d'échec. Ils ont donc besoin de franchir ce cap des trois mois et de bien entamer le quatrième — période de jeux et d'interaction en fin de journée, de façon à être capables de prédire quand leur bébé a besoin de dormir ou de pleurnicher et quand on peut s'attendre à le voir jouer. Je suis convaincu que la mère (ou le père si c'est lui qui s'occupe principalement du nourrisson) doit être libre de rester à la maison tout au long de ces quatre mois, afin d'apprendre à « connaître » son enfant. Si c'est une autre personne — d'importance secondaire pour l'enfant — qui aide ce dernier à franchir cette période, ou bien si le bébé commence à sourire, à vocaliser et à jouer pour quelqu'un d'autre que ses parents, ceux-ci ne parviendront jamais à se sentir compétents ou véritablement « attachés » à leur bébé.

Quelles sont les étapes ultérieures durant lesquelles le stress dû à une séparation sera probablement réduit au minimum ? Si la mère ou le père peuvent se permettre de rester plus longtemps chez eux, cela est-il préférable ? Dans l'idéal, plus une mère a la possibilité de rester chez elle pour s'occuper de son enfant, plus elle aura l'impression qu'il est « à elle » et plus les rapports qui les unissent lui paraîtront intimes. Elle participera étroitement à chaque pas en avant dans le développement cognitif, moteur et social du nourrisson. Plus elle aura de temps et d'efforts à lui consacrer, plus elle sera sûre que ses réactions sont « pour elle ».

Si le choix est possible, je suggère que la mère essaie de reprendre son travail à un moment où le bébé n'est pas accaparé par l'apprentissage d'une technique nouvelle et exigeante. Une fois qu'il aura consolidé ce savoir fraîchement acquis et retrouvé son équilibre, ce qui lui permettra de s'intéresser de nouveau aux autres, il sera prêt à supporter les tensions engendrées par un changement de situation. Pendant qu'il est en train de maîtriser une nouvelle tâche motrice ou cognitive, les ressources dont il dispose pour l'adaptation sociale sont déjà sérieusement sollicitées. Dès que le résultat est acquis, l'enfant adopte une « nouvelle » attitude envers lui-même et son autonomie. Ainsi, les périodes favorables pour un bouleversement pourraient être : 1. À neuf ou dix mois, une fois qu'il a surmonté sa peur des inconnus et appris à se nourrir tout seul, à s'asseoir et à se déplacer à quatre pattes. Ou bien : 2. Entre dix-huit mois et deux ans, une fois qu'il sait marcher et qu'il a surmonté le négativisme et la peur aiguë de la séparation, caractéristiques de la période qui se situe entre douze et seize mois. Chaque bébé se développe à son propre rythme, si bien que c'est de lui que doivent venir les signaux indiquant que le moment est venu. Quand leur mère reprend son travail, tous les enfants ou presque régressent vers un stade antérieur de leur développement, mais, si leur entourage leur a donné très tôt confiance en eux, la régression ne sera que temporaire et la mère sentira bien que son bébé est tout à fait capable de supporter les affres de la séparation.

Jusqu'ici, je ne me suis penché que sur les subtiles indications psychologiques qui permettent à un parent de prendre une décision concernant la séparation. Il y a, évidemment, bien d'autres considérations, surtout sur le plan économique et pratique. Les femmes et les hommes qui assurent à leurs enfants une vie matérielle aisée sont déjà, de ce fait, plus assurés dans leur rôle de parents. Lorsque cette sécurité manque, le processus d'attachement risque de s'en trouver menacé. Les recherches menées par L. W. Hoffman auprès des femmes qui travaillent montrent qu'une femme satisfaite de son emploi et qui se sent à l'aise dans son milieu professionnel est une femme plus épanouie, si bien qu'elle est en mesure d'être une épouse plus satisfaite et une mère plus nourricière. Il en va certainement de même pour un homme. Le fait d'être capable d'assumer un travail avec assez d'énergie pour le faire bien et être satisfait des résultats obtenus influe sur le rôle de parent. Par conséquent, le meilleur moment pour reprendre le travail est conditionné, dans une mesure non négligeable, par les occasions qui se présentent sur le marché du travail et par l'environnement professionnel.

Le bien-être psychologique de la mère est une autre considération. Si elle doit se consacrer à cette nouvelle petite personne, qui dépend entièrement d'elle, et en même temps à des activités professionnelles impératives, ses propres besoins doivent être satisfaits. Les soutiens dont elle dispose deviennent essentiels. Est-elle seule au monde avec son enfant ? Y a-t-il dans sa vie une autre personne susceptible de venir à la rescousse dans les moments difficiles ? Son mari s'occupe-t-il non seulement du bébé mais aussi d'elle ? La participation du père possède un effet indirect mais très puissant. Jamais le besoin de grands-parents n'a été aussi vif et pourtant jamais ils n'ont été aussi peu disponibles qu'aujourd'hui, car ils sont bien souvent accaparés par leur propre carrière et mènent des vies très occupées. Les distances géographiques tout autant qu'émotionnelles privent bien souvent la jeune famille du soutien de la famille au sens large.

Lorsque les grands-parents sont justement indisponibles, il est très utile que la crèche pourvoie aux besoins des parents en plus de ceux des bébés. Par exemple, si Ann et John étaient chaque jour en mesure de laisser — et de retrouver — Tim et Dan dans un environnement où l'on tiendrait compte de leur existence familiale et où l'on répondrait à leurs questions, ils pourraient très certainement offrir à leurs fils davantage de sécurité après une journée entière de séparation. Alice, quant à elle, a besoin du soutien des autres pour rompre l'attachement symbiotique qui l'unit à sa fille. Si elle trouve pour s'occuper de Tina une personne disposée à partager avec elle tout ce qu'elle a appris sur le développement de la petite et à l'épauler sur le plan psychologique, la séparation sera infiniment plus facile pour l'une comme pour l'autre.

Il faut donc étudier toutes les circonstances qui entourent la séparation. Le mari d'une femme qui travaille est-il en mesure de veiller à ce que la famille soit bien pourvue et unie ? Si une femme a besoin de travailler, elle a aussi besoin d'un mari prêt à prendre sa part de travaux domestiques ou à la soulager d'une façon quelconque.

Au cours de ces dernières années, j'ai glané auprès de ma clientèle plusieurs suggestions pratiques, émanant de femmes qui semblent bien réussir dans leur double rôle :

1. Il faut très longtemps pour s'adapter à ce double rôle et il ne faut surtout pas brûler les étapes. Ne vous croyez surtout pas tenue de maîtriser la situation dans les plus brefs délais. Lorsqu'il s'agit de remplir deux rôles aussi importants, il faut savoir se donner le mal de bien les délimiter.

2. Réfléchissez longuement avant de choisir une crèche ou une personne pour s'occuper de votre bébé. Si vous laissez ce dernier en toute confiance, vous pourrez vous consacrer beaucoup plus pleinement à votre travail. Restez en contact très étroit avec la personne en question, qu'elle vienne à domicile ou travaille à la crèche. C'est important pour vous et pour votre enfant, ainsi d'ailleurs que pour elle. Préparez-vous, cependant, à éprouver un sentiment de rivalité et, lorsque cela vous arrivera, n'oubliez pas que votre bébé est sans doute tout aussi capable que vous de s'adapter à une tierce personne. N'hésitez pas à le traiter à votre façon et à laisser l'autre en faire autant. Votre nourrisson s'habituera très vite à ces différences, alors qu'il serait perturbé par la présence auprès de lui d'une personne furieuse d'être obligée de procéder de façon inhabituelle. Vous allez devoir apprendre à partager, ce qui n'est pas facile.

3. Ménagez-vous au maximum durant la journée. Asseyez-vous chaque fois que vous en avez l'occasion. Faites le vide dans votre esprit quand vous le pouvez. Si vous vous énervez, efforcez-vous de venir à bout de votre contrariété avant de rentrer chez vous. Votre famille a besoin de toute l'énergie que vous pouvez lui réserver. La vieille tradition anglaise qui consiste à prendre le thé en rentrant à la maison vous aidera peut-être à vous détendre, ainsi que votre époux. Vous pourrez en profiter

tous les deux pour consacrer toute votre attention à votre bébé, sans avoir à vous soucier de le nourrir ou de vaquer aux travaux ménagers.

4. Quitte à verser dans le lieu commun, répétons que la qualité du temps que l'on passe avec ses enfants est plus importante que la quantité. Une courte période durant laquelle vous vous mettrez entièrement à leur disposition vaudra mieux que toute une soirée d'attention distraite. Que vos enfants apprennent très tôt à participer aux soins du ménage. Vous pourrez les y inciter en faisant de leur apprentissage un véritable jeu. Que le « temps des enfants » et le « temps des parents » soient clairement délimités dans l'esprit de chacun.

5. Partagez les travaux ménagers avec votre époux. Ces travaux ne sont nullement réservés aux femmes ; ils concernent toute la famille. S'il est important que vous ayez une situation, il est non moins important que votre mari vous aide dans la maison. Peut-être ne sera-t-il pas toujours possible ni commode de faire chacun la moitié de tous les travaux, mais il y a bien des façons de répartir le travail que donne la vie de famille de façon équitable pour tous. Les séances de planification sont indispensables ! Il est encore plus important de partager ses sentiments que le travail.

6. Soyez prévoyante. Simplifiez les repas et remplissez le congélateur. N'allez surtout pas vous éreinter en travaillant toute la soirée ou tout le week-end. Que toute la famille participe aux séances de prévision et réservez tous les jours un bon moment à consacrer à vos enfants. Si la chose n'est pas possible quotidiennement, les week-ends deviennent d'autant plus importants pour les « réunions de famille ». Tâchez de rendre le plus agréable possible tous les moments que vous passerez ensemble : les repas, le retour à la maison, les courses, les périodes où l'enfant est souffrant ou en vacances.

7. Montrez-vous réaliste dans vos espérances, tant pour vous-même que pour vos enfants. Il est impossible, ou en tout cas nocif, d'être une « supermaman » ; quant aux enfants, à vouloir les faire progresser trop vite, on risque de leur faire plus de mal

que de bien. Le plus important objectif à atteindre, c'est tout simplement de rester une famille unie dont tous les membres travaillent en équipe. Si vous y parvenez, vous battrez sûrement un record !

UN CHOIX NATIONAL

Lorsque j'étudie le climat national qui prévaut envers les enfants et leurs parents qui travaillent, une constatation me saute aux yeux : nous sommes loin derrière de nombreux autres pays. Les gouvernements d'U.R.S.S., de Chine et du Japon prévoient tous un congé de maternité payé après une naissance. Ils subventionnent en outre les crèches pour les nouveau-nés et les petits enfants. Plusieurs autres pays ont désormais institué un congé de paternité, ou du moins une période de liberté mise à la disposition de l'un ou l'autre parent, selon leur choix personnel. Les parents ont droit aussi à des congés maladie si leur enfant est souffrant ou a besoin d'eux à la maison pour une raison quelconque. Toutes ces nations nous montrent la voie dans le domaine du soutien à apporter aux jeunes ménages et à leur progéniture.

En dépit du fait que 55 pour cent de tous les enfants des États-Unis ont des mères qui travaillent, les Américains semblent refuser de se pencher sur ce problème. Peut-être voudrions-nous toujours voir les femmes rester à la maison pour élever leur famille. Les autres rôles que peut remplir une femme ne sont pas encore entrés dans nos mœurs ou ne semblent pas, en tout cas, mériter le soutien du secteur public. Comme m'a répondu un cadre supérieur que je pressais vivement de prévoir dans son entreprise un système de crèche pour les jeunes parents qui travaillent tous les deux : « Si la femme a besoin de travailler, c'est le problème de la famille. Les mères qui veulent exercer un métier doivent se débrouiller toutes seules. Comme ça, elles s'apercevront peut-être que ça ne paie pas et elles resteront chez elles. Une femme doit élever elle-même ses enfants. Si nous consentions les fonds nécessaires pour éponger les frais d'une crèche convenable, nous dépenserions beaucoup trop d'argent pour une seule fraction de nos employés et les personnes plus âgées, par exemple, pourraient se sentir lésées. » Aucun de mes arguments — le besoin pour la plupart des jeunes ménages de pouvoir compter sur deux salaires, la possibilité d'engager des personnes du troisième âge pour s'occuper des enfants — n'est parvenu à l'ébranler le moins du monde. Périodiquement, j'avais droit au leitmotiv : « Ni ma femme ni ma mère n'ont jamais travaillé et leurs enfants ne s'en sont que mieux portés. Je refuse de donner aux mères une autre raison de vouloir travailler. »

Et, aujourd'hui encore, cette conviction inexprimée et en grande partie inconsciente que les femmes sont faites pour s'occuper de leur foyer domine la politique américaine. Il n'est pas question d'affronter carrément les réalités : le fait que les familles sont instables, que les femmes sans profession sont vulnérables, que la plupart des couples n'ont pas trop de deux salaires pour survivre. Si tel était le cas, nous envisagerions d'un œil beaucoup plus circonspect notre responsabilité envers les jeunes enfants que leurs parents sont obligés de confier à des tierces personnes. Les Américains ne peuvent pas se permettre de laisser la moitié de leurs futurs citoyens, à savoir les enfants de moins de cinq ans, être élevés par des personnes ou dans des institutions de second ordre. Les enfants qui ne sont pas encore en âge d'aller à l'école, les plus vulnérables, fréquentent souvent des crèches qui ne subissent aucun contrôle ou sont confiés à des voisines dont la compétence est des plus douteuses. Les personnes responsables de ces petits enfants impressionnables n'ont reçu généralement qu'une piètre formation. De plus, ces emplois sont si mal payés que seuls ceux qui ne trouvent vraiment rien d'autre les acceptent. Certes, il y en a parmi eux qui aiment vraiment les enfants, mais beaucoup font ce métier faute de mieux. Étant donné la modicité des budgets, l'existence de normes officielles et de contrôles de qualité ne pourrait mener qu'à la fermeture de nombreuses crèches ou ferait tellement monter les prix que la plupart des jeunes parents devraient renoncer à y mettre leurs bambins. Les actuelles menaces de sévices sexuels infligés à des enfants dans certaines crèches sont symptomatiques du genre de personnel auquel on nous demande de confier nos petits : le manque de qualifications et de supervision se font cruellement sentir. La National Association for the Education of Young Children (Association nationale pour l'éducation des jeunes enfants) a mis au point un système de surveillance et de contrôles de qualité pour les soins administrés aux petits bébés. Elle n'a pas pu le faire appliquer, cependant, car en fermant des crèches et en minimisant la valeur de personnes dont la formation insuffisante est compensée par un sens réel des responsabilités, elle risquerait de faire plus de mal que de bien. Ce qu'il faudrait fournir, ce sont de meilleurs salaires, un niveau d'éducation plus élevé et des normes plus strictes afin de mettre un personnel sensible et compétent à la disposition de tous les enfants dont les parents doivent travailler à l'extérieur.

Comme je l'ai déjà dit, une crèche idéale attacherait autant d'importance aux besoins des parents qu'à ceux des enfants. Il faut fournir aux parents des occasions de participer et considérer ce facteur comme primordial. On devrait s'attendre à voir les parents intervenir de façon régulière, et même l'exiger. Il faut les encourager et les accueillir à bras ouverts à la fin de chaque journée. Des réunions de groupes de soutien, destinées aux deux parents et au cours desquelles un personnel qualifié participe à des discussions éducatives et parfaitement franches, peuvent fournir des occasions de partager les expériences et d'apprendre à se connaître. Ces groupes annexes deviennent alors une sorte de famille au sens large, qui se porte au secours des membres soumis à de fortes tensions durant les crises qui surgiront inévitablement.

En attendant, le monde des affaires doit jouer un rôle dans la consolidation de la structure familiale et c'est en pourvoyant aux soins que nécessitent les nouveau-nés et les bébés qu'il aura l'occasion de le faire. Ce sera d'ailleurs un excellent moyen de renforcer la loyauté des parents envers l'entreprise pour laquelle ils travaillent. En contribuant ouvertement à la saine évolution des jeunes parents, une entreprise peut créer une atmosphère de fidélité et de dévouement. Une entreprise qui se penche sur les problèmes de ses employés, en accordant un congé de maternité payé de quatre à six mois, au minimum, et un congé de paternité plus réduit (quatre à six semaines), rend un service public. Tous les parents ne voudront pas nécessairement profiter de ces avantages, mais du moins ont-ils le choix et c'est cela qui compte. En Suède, un père peut choisir de prendre le congé de maternité à la place de sa femme. La possibilité de s'absenter du travail lorsqu'un enfant est malade pose un problème plus délicat, mais dont il faut néanmoins se préoccuper. Aucun parent ne pourra vraiment faire du bon travail si son bébé, souffrant, se languit à la maison. En ce qui concerne la majorité des petites entreprises, ainsi que les professions libérales et les travailleurs indépendants, c'est le gouvernement qui doit subventionner les congés de ce genre.

En attendant, comme il est peu probable que les entreprises commerciales et industrielles adopteront d'elles-mêmes une telle responsabilité, j'aimerais que nous continuions à lutter pour obtenir des lois favorables aux jeunes familles qui travaillent, ainsi qu'un soutien officiellement entériné au niveau national.

En bref, voici les politiques nationales que je voudrais voir suivre :

Congé de maternité payé d'au moins quatre mois. À la fin de cette période, la mère connaîtra son bébé et celui-ci sera prêt à accepter les soins d'une tierce personne que ses parents auront eu le temps de choisir soigneusement.

Congé de paternité payé d'au moins un mois. Il pourrait être le symbole de l'importance du père au sein de la famille et de son rôle nourricier auprès du bébé. Le père doit être libre de participer à l'adaptation initiale, de soutenir sa femme et d'apprendre à connaître son nourrisson.

Mesures permettant une reprise progressive du travail pour les mères qui étaient en congé de maternité. Ne serait-il pas possible de leur offrir des emplois à mi-temps ou du moins des horaires souples, de façon qu'elles puissent rattraper par la suite les journées d'absence ?

Autorisation de s'absenter en cas de maladie ou de crise familiale. Les parents pourraient se répartir ces absences, chacun négociant avec son employeur, afin d'adapter ses périodes d'absence aux exigences de son métier. Là encore, les journées d'absence seraient rattrapées à une date ultérieure.

Soins contrôlés et de bonne qualité pour les nourrissons et les enfants en bas âge. Pour leur avenir, il est essentiel que les enfants reçoivent des soins de bonne qualité. Les rapports de moins d'un adulte pour trois nourrissons ou quatre petits enfants sont dangereux et risquent de retarder le développement des enfants, ce que nous ne pouvons nous permettre, en tant que société. Nous avons besoin d'exiger que le personnel des crèches ou le personnel nourricier soient convenablement formés et qualifiés. Cela signifie que nous devons disposer de surveillants chargés de contrôler périodiquement les soins donnés aux enfants. Cela signifie en outre que nous *devons* consentir au personnel qui s'occupe des enfants des salaires suffisants et des avantages comparables à ceux dont disposent les autres catégories de personnel qualifié occupant des postes à responsabilités. Les jeunes familles où les deux parents travaillent ne peuvent que rarement s'offrir des crèches de première qualité et ont besoin d'une aide financière au niveau national ou régional. En subventionnant les crèches, nous pouvons exiger que nos enfants et leur environnement soient convenablement surveillés et exiger aussi des soins de haut niveau, libres de toute espèce de sévices d'ordre sexuel ou autre.

Des emplois du temps souples pour les parents. J'entends par là des occasions professionnelles partagées et des horaires souples, ainsi que la possibilité d'étaler la semaine de travail selon les besoins familiaux.

George Miller, élu à la Chambre des représentants, a créé un Select Committee of the House of Representatives for Families and Children (Comité choisi de la Chambre des représentants pour les familles et les enfants), organe bipartite, qui est actuellement occupé à entendre des témoignages émanant de tous les secteurs, afin d'établir où en est le soutien apporté aux familles dans notre pays. Ce comité a réuni des données troublantes, dénotant toute l'étendue du malaise qui sévit dans notre société, si l'on se fie au critère du soutien qu'elle apporte à la vie familiale. Il recueille aussi des idées pour consolider notre politique nationale dans ce domaine. Nous devons tous nous ranger derrière ce comité et réclamer des lois draconiennes, afin de transformer la situation actuelle.

DEUXIÈME PARTIE

Partager les soins

5

Les Snow

En demandant ce mois de congé supplémentaire, Carla a été aussi loin qu'elle l'ose. Lorsqu'elle annonce à Jim ce qu'elle a fait, elle est tout étonnée de le trouver ravi : « Bravo, Carla ! Comme ça, peut-être qu'elle aura terminé ses coliques avant que tu ne reprennes le travail. » Pourtant, peu de temps auparavant, il s'était élevé contre ce désir de rester encore à la maison. Elle comprend que les critiques de son mari reflétaient en fait l'angoisse qui le tenaillait à l'idée de ce qu'il adviendrait d'Amy lorsque sa mère serait obligée de la quitter.

Carla passe toutes ses journées à contempler avidement sa fille. Au cours de ce dernier mois, elle joue avec elle comme si elle ne devait jamais la revoir. La pensée de laisser son bébé lui est de plus en plus odieuse et elle a beaucoup de mal à trouver quelqu'un à qui elle pourra se résoudre à le confier. Elle voit de très nombreuses personnes : des femmes d'un certain âge, déjà grand-mères, des jeunes femmes, elles-mêmes mères de nourrissons, et d'autres qui prennent des enfants chez elles. Elle va même visiter la grande crèche la plus proche de son domicile, mais cet établissement ne reçoit que très peu de petits bébés et elle préférerait pour Amy une expérience plus personnalisée. Pour elle-même aussi, d'ailleurs. Elle étudie et rejette chacune des candidatures, pour l'unique raison qu'elle-même n'aurait aucune envie de vivre avec la personne en question. Elle se rend compte qu'elle doit trouver quelqu'un avec qui elle aura de bons rapports et pas seulement une femme capable de s'occuper de sa fille.

La décision est, en effet, d'une grande importance. Carla a besoin d'une personne sensible à ses propres états d'âme. Il est très pénible de se séparer d'un petit bébé. On peut s'attendre à regretter amèrement l'intimité passée et les étapes du développement dont on ne sera pas le témoin privilégié. Sans même s'en rendre compte, une mère a l'impression d'abandonner une grande part de son enfant à quelqu'un d'autre qui va avoir la joie de suivre son évolution. Elle souffrira de cette perte et éprouvera un vif sentiment de rivalité. Ce sont des émotions quasi inévitables auxquelles il vaut mieux se préparer.

Carla se montre si difficile qu'au bout de trois semaines elle n'a toujours trouvé personne. Elle n'a besoin d'une garde que quatre heures par jour, ce qui ne l'empêche pas d'avoir l'impression qu'elle va devoir s'absenter durant toutes les heures de veille de sa fille. À mesure que la date limite se rapproche, il devient évident qu'il va falloir trouver une solution. En désespoir de cause, Jim lance un beau soir : « Et moi, est-ce que je ferais l'affaire pour m'occuper d'Amy ? » Carla s'écrie aussitôt : « Oh ! Jim, tu ne peux pas demander si on te laisserait rester ici une partie du temps ? » Elle pose la question avec tant de ferveur que, le lendemain, son mari rassemble tout son courage et demande à son patron s'il veut bien l'autoriser à travailler chez lui une partie de la journée. Celui-ci accepte et Jim a l'impression d'avoir reçu tout à la fois un merveilleux cadeau et un redoutable défi. À l'idée de se retrouver seul avec sa fille pendant toute une partie de la journée, il se sent à la fois affolé et surexcité. Cent fois, il fait répéter à Carla la marche à suivre. Tout lui semble absolument nouveau et pourtant il a déjà fait au moins une fois chacune des opérations. Le jour où Carla le laisse effectivement seul avec Amy, il est pris de panique. Cette première journée à la maison lui donne l'impression de durer quarante heures plutôt que quatre, mais il s'en sort, ce qui lui procure un vif sentiment de triomphe. Avec chaque jour qui passe, il se sent à la fois plus compétent et plus proche du bébé. Au bureau, il passe des heures à décrire en détail à ses collègues tout ce qu'Amy sait déjà faire. Serait-il en train de devenir un vrai raseur ? Eh bien, tant pis : c'est plus fort que lui.

Rester seul avec un petit bébé dont on est entièrement responsa-
ble n'a rien de commun avec le fait d'être simplement disponible
au cas où l'on aurait besoin de vous. Pour un homme, s'occuper
d'un bébé quand la mère est présente est loin d'être une aussi
lourde responsabilité. Je me suis moi-même aperçu que, quand
ma femme était là, je comptais toujours sur elle pour prendre la
décision critique. Lorsqu'elle était absente, la tâche me pesait
sensiblement plus. Mes sentiments me semblaient très différents,
mon instinct paternel paraissant nettement plus fort, de même que
mes rapports avec mon enfant. En ce qui concerne Jim et Amy,
cette expérience sera très importante pour leurs rapports futurs.

UNE GARDE EXPÉRIMENTÉE

Ce mois à temps partiel est une telle réussite que Jim et Carla
donneraient n'importe quoi pour pouvoir continuer à se partager
leur fille de cette façon. Mais, à présent, le patron de Carla veut
qu'elle reprenne le travail à plein temps et elle sait bien qu'ils
vont devoir confier la petite à une tierce personne. Cette fois, ils
s'attellent tous deux à la tâche et ils finissent par trouver une
dame débordant de chaleur humaine et de tendresse qui, ayant
elle-même été une mère exemplaire pour ses deux enfants,
semble « idéale » pour leur petite famille. Elle adore Amy et
sent bien à quel point les Snow ont du mal à se séparer d'elle.
Elle semble tout aussi prête à les y aider qu'à se consacrer à la
petite fille. Chaque jour, juste avant de partir au travail, Carla et
Jim passent un moment avec Mme Warren afin d'établir l'emploi
du temps d'Amy. Ils décident tous ensemble quels aliments
solides elle doit manger et à combien de biberons elle a droit.
Tous trois sont bien d'accord sur le fait que l'allaitement doit
passer avant tout.

L'allaitement peut fort bien se prolonger après la reprise du
travail, pourvu qu'il soit sans problème et que la mère soit bien
décidée à poursuivre. Il faut compter au moins trois tétées pour
maintenir le niveau de lait : une le matin, une dès que la mère

rentre du travail et une troisième tard le soir, pour laquelle il faudra probablement réveiller le bébé. La perspective d'allaiter son nourrisson en rentrant rendra les retrouvailles d'autant plus joyeuses et marquantes pour la mère. Grâce à ces tétées, Carla ressentira de façon très spéciale l'importance de sa présence pour Amy.

Cette idée de faire participer Carla et Jim à l'emploi du temps de leur fille est un trait de génie de la part de Mme Warren. Même si elle ne s'y tient pas strictement, ils auront l'impression d'être symboliquement présents.

Tous les soirs, quand Jim et Carla rentrent chez eux, Mme Warren leur montre le petit « journal » qu'elle a tenu durant la journée, afin qu'ils sachent tout ce qu'a fait leur fille. Ils ont vraiment l'impression d'avoir pris part à toutes ses activités.

Lorsqu'il confie son bébé à une tierce personne, un parent se sent plus exclu qu'il ou elle ne l'est en réalité. Cela fait partie du chagrin de la séparation. Un moyen de défense très commun contre cette sensation est de se détacher de la situation tout entière, non pas parce qu'on s'en désintéresse, mais au contraire parce qu'on ne s'y intéresse que trop et que ça fait trop mal. Il est évident que cela ne se passera pas comme ça avec Mme Warren qui comprend très bien ce qu'il en est et veillera à y remédier. En faisant ainsi revivre à Carla et Jim, dans le détail, chacune des journées de leur fille, elle les aide à se sentir concernés. De ce fait il est peu probable qu'ils aient envie de céder à la rivalité et aux critiques inévitables envers elle, ce qu'ils risqueraient de faire autrement.

Mme Warren évite de faire dormir Amy le matin. Comme ça, la petite fait une longue sieste après le déjeuner et, vers cinq heures et demie, quand ses parents rentrent du travail, elle est bien réveillée et prête à profiter de la soirée qu'elle va passer avec eux. Voilà une initiative avisée et pleine de considération de la part de Mme Warren, grâce à laquelle Carla se sent elle aussi protégée. Décidément, les Snow ont déniché une véritable perle !

La réadaptation a été beaucoup plus facile qu'ils ne l'auraient cru. C'est une joie sans mélange pour le jeune couple que de rentrer à la maison pour y retrouver une personne aussi mûre et maternelle. Inconsciemment, beaucoup de femmes d'un certain âge en veulent aux jeunes mères qui « abandonnent » leur progéniture. Ce sentiment d'hostilité et de rivalité les empêche de s'occuper convenablement des jeunes parents qui en ont au moins autant besoin que le bébé. La garde idéale est une personne qui, comme Mme Warren, sait que sa tâche consiste non seulement à pouponner, mais aussi à aider la nouvelle famille à se sentir solidement soudée.

Au travail, Carla est désormais beaucoup plus sûre d'elle. Elle s'affirme plus volontiers et sait prendre plus vite les décisions nécessaires. Elle doit lutter contre sa tendance à plaindre les jeunes hommes célibataires de son cabinet, qui n'ont pas d' « Amy » chez eux. Elle se rend compte que son instinct de compétition est plus fort qu'elle ne le croyait.

Dans son excellent ouvrage, In Another Voice, *Gilligan présente une intéressante intuition psychodynamique, selon laquelle les femmes apprennent à rivaliser d'une façon différente de celles des hommes. Ces derniers se mesurent directement et ouvertement. Les femmes au contraire le font chacune à son tour ou en adoptant des techniques plus indirectes. Martina Horner a fait remarquer que les femmes ont « peur » du succès, parce qu'il les oblige à reconnaître, contre leur gré, que leur réussite peut constituer une menace pour les autres. Les rôles des femmes doivent être nourriciers et non compétitifs. Carla sera donc tenue de reconnaître son instinct de compétition pour accepter sa réussite. À présent qu'elle doit affronter la « décision » de réussir dans deux domaines, elle se trouve confrontée au syndrome de la « surfemme », supérieure aux hommes de deux façons bien distinctes. Cela l'inquiète. Va-t-elle devoir le cacher à Jim ? En est-elle seulement capable ?*

En même temps, Carla n'est pas pleinement concentrée sur son travail. Elle rêve constamment de rentrer chez elle. En fin de journée elle est épuisée par les efforts qu'elle doit faire pour se trouver mentalement dans deux endroits à la fois : au bureau et à la maison. Elle se tracasse à l'idée que son travail s'est détérioré. Cette dichotomie profondément enracinée — ce sentiment d'être à la fois plus assurée et moins compétente — la déconcerte et lui fait même peur. Elle est néanmoins quelque peu rassurée quand son patron la félicite de s'être si bien adaptée à la nouvelle situation. Elle espère de tout son cœur qu'il est sincère, car elle-même n'en est rien moins que sûre. Bien souvent, il lui arrive d'avoir envie de s'enfuir jusqu'sur une île déserte et solitaire où elle n'aura aucune décision à prendre ! Elle est fréquemment au bord des larmes, surtout quand elle est obligée d'aller aux toilettes se tirer du lait, afin de prolonger sa montée de lait. Elle se rend compte que, lorsqu'elle appelle chez elle pour parler à Mme Warren, c'est parce qu'elle a besoin d'établir un contact avec sa fille. Toute la journée privée d'elle, elle a l'impression de ne vivre qu'à moitié. Le soir, elle se précipite pour prendre Amy dans ses bras et la serrer contre elle, de façon si passionnée que le bébé finit par avoir peur. Dans les bras de sa mère, Amy se met à pleurer comme pour dire : « Tu me terrorises ! » Carla s'en effraie et se sent repoussée par cette réaction. « Est-ce qu'elle est fâchée parce que je l'ai laissée ? Est-ce qu'elle va m'exclure de sa vie ? » Avec beaucoup de doigté, Mme Warren fait comprendre à sa jeune employeuse que c'est son emportement qui perturbe la petite fille. Carla s'aperçoit, en effet, que, si elle se maîtrise, elle ne provoque pas chez Amy cette réaction excessive.

Lorsqu'il reprend le travail à plein temps, Jim lui aussi se sent exclu, mais pas de la même façon. Il a pris un plaisir immense à rester chez lui avec son bébé. Elle a été entièrement « à lui », comme il le rêvait quand Carla était enceinte. À présent, au week-end, il lui est bien difficile de trouver le courage de lui donner son bain ou son biberon, alors qu'il le faisait quotidiennement lorsqu'il était seul avec elle. Il a l'impression que chacune de ces tâches est désormais trop lourdement chargée de signification symbolique. Une fois qu'il a su venir à bout de ces sentiments, il s'aperçoit qu'Amy est ravie de son sort et se porte comme un charme.

Un jour, cependant, elle se met à pleurer sans raison apparente. Jim se sent envahi par une panique qu'il a peine à maîtriser. Comment diable va-t-il faire pour la consoler ? Après tout, il n'est qu'un homme. Il se rend compte qu'il s'est toujours considéré comme une sorte de mère ou de garde de second ordre ; il n'est capable de s'occuper d'Amy que si tout se passe bien. Dès que survient la moindre crise, dès qu'il faut prendre une décision, il ne se croit plus apte à faire face. Doit-il appeler Carla ? Ou Mme Warren ? Se rappelant brusquement qu'il a très bien su s'occuper de sa fille quand ils étaient tout seuls, il s'arrête pour l'examiner un peu plus attentivement. C'est Amy elle-même qui l'aide à trouver la réponse. Elle est tout simplement affreusement fatiguée et surexcitée et elle a besoin de dormir. Une fois au lit, elle a une brève crise de larmes, puis elle se pelotonne sous ses couvertures et s'endort en suçant son pouce. Jim se fait soudain l'effet d'un conquérant. Après cette expérience, il éprouve une confiance croissante en son propre jugement et se sent tout à fait de taille à choisir la bonne solution. Il prend ses responsabilités vis-à-vis d'Amy, ce dont elle est aussi consciente que lui. Ils ont désormais des rapports différents, beaucoup plus détendus.

Cette comparaison inconsciente avec le critère que représente la « mère omnisciente » permet aux hommes de conserver leur rôle secondaire dans le domaine nourricier. Ce faisant, ils vont sans doute abdiquer toute espèce de sens ·des responsabilités, alors qu'ils en auraient pourtant grand besoin pour établir des rapports empreints de tendresse et de confiance avec leur enfant. Pour Jim, c'est un grand pas en avant que de reconnaître qu'il est tout à fait capable de s'occuper d'Amy et de décider tout seul ce dont elle a besoin.

Les femmes s'adaptent plus facilement que les hommes. De par leur éducation, elles ont pris l'habitude de considérer l'interdépendance comme un des facteurs essentiels de tous leurs rapports et l'on s'attend toujours à les voir sensibles aux besoins d'autrui. En revanche, cet état d'esprit ne fait pas partie des premières expériences de l'homme ; c'est presque toujours un merveilleux cadeau que lui fait la paternité.

LA CRISE

Amy semble posséder une infinie capacité d'adaptation
Toutes les transitions survenues au cours des huit derniers mois
ont été réussies et pour les Snow, la vie de famille « baigne dans
l'huile ». Sur le plan professionnel aussi, tout va très bien pour
Carla. Elle se sent si épanouie lorsqu'elle rentre du travail et
prend sa fille dans ses bras qu'elle se demande à présent
pourquoi elle a attendu si longtemps pour reprendre le collier.
Quant à Jim, il est dans une forme éblouissante. Le soir, il rentre
chez lui au plus vite pour s'occuper d'Amy. Il laisse Carla
préparer le dîner, pendant qu'il joue et rit aux éclats dans le
séjour avec le bébé. Le samedi et le dimanche, Mme Warren ne
vient pas, mais les deux jeunes parents se régalent, car ils ont
l'impression de jouer à la poupée. Ce sont deux journées bénies
des dieux : débarrassés de leurs obligations professionnelles, Jim
et Carla peuvent en toute liberté s'amuser avec leur bébé et se
partager les travaux ménagers et la cuisine, forts de la certitude
que le lundi sera vite venu. Et, le lundi matin, ils laissent derrière
eux les corvées ménagères, soulagés de ne plus se sentir
entièrement responsables d'Amy, ravis de retourner exercer des
métiers qui les passionnent. Ils sont comme deux enfants dont on
fait les quatre volontés. Pourquoi donc les gens font-ils tant de
foin avec tous les soucis que donne un bébé ? se demandent-ils.
Eux, en tout cas, savourent chaque instant de leur vie de parents
et commencent à parler d'un deuxième enfant.

Et puis, un matin, Mme Warren téléphone pour annoncer que
sa propre fille est gravement malade et qu'elle doit se rendre
auprès d'elle au plus vite. Elle a plusieurs petits-enfants qui vont
avoir besoin d'elle, si bien qu'elle ne sera sûrement pas libre
avant un certain temps. Elle est absolument désolée de les
mettre ainsi dans l'embarras et elle a téléphoné à toutes ses
amies dans l'espoir de trouver quelqu'un pour la remplacer, mais
sans succès. Vont-ils pouvoir se débrouiller ? Dès qu'elle sera en
mesure de le faire, elle leur dira si et quand elle va pouvoir
revenir, mais pour le moment la chose lui paraît douteuse. Les
Snow lui certifient qu'ils s'arrangeront très bien et qu'elle ne doit

pas s'inquiéter pour eux ; mais, si elle peut éventuellement reprendre son travail chez eux, ils l'accueilleront à bras ouverts.

C'est la tuile ! Carla annule tous ses rendez-vous. Ses collègues font la grimace, mais elle sait bien que c'est à elle de rester auprès de sa fille. Elle explique à Jim qu'elle considère Amy comme sa responsabilité. Il proteste, mais sans grande conviction.

Dans la plupart des familles, la répartition des tâches n'est jamais parfaitement équitable. On s'attend toujours que les mères se sentent plus responsables et c'est généralement ce qui arrive. Au travail, on tolérera plus facilement qu'une femme s'absente pour s'occuper de son bébé, alors qu'un homme, consciemment ou non, sera plus volontiers critiqué.

À l'issue de sa première journée auprès d'Amy, Carla est au bord de la crise de nerfs. Elle a oublié combien il était fatigant de tenir une maison. Il faut faire le ménage, la cuisine. Amy semble être constamment en train de pleurer. Carla s'aperçoit qu'elle est furieuse de l'absence de Jim. Elle se sent dépassée par les exigences de leur fille et par le sentiment d'être l'unique responsable. Le soir, à son retour, Jim retrouve une femme revêche et irascible et un bébé pleurnichard. De toute évidence, ni l'une ni l'autre n'ont passé une agréable journée. Jim empoigne le téléphone et tente de s'arranger pour pouvoir rester chez lui à mi-temps, afin de soulager Carla. Il n'y parvient pas tout à fait. Dans deux jours, explique-t-il à sa femme, il pourra passer tous les après-midi à la maison, mais d'ici là c'est Carla qui va devoir assurer la permanence, à moins qu'ils ne parviennent à trouver une garde. Ils passent dans ce but plusieurs coups de téléphone, mais sans aucun résultat. La seule personne disponible ne sera pas libre avant une semaine et de toute façon elle demande un salaire très élevé et préfère les enfants plus âgés. Au bout du troisième jour, Carla est dans un tel état de nerfs qu'elle songe à l'engager quand même, mais fort heureusement elle se ravise.

En cas de crise, c'est presque toujours la mère qui devra se charger du bébé. S'emporter contre Jim permet à Carla d'épancher sa frustration, mais la vérité c'est qu'elle se sent responsable de sa fille et tenue d'assumer cette responsabilité. Une partie de son irritation contre son mari est en fait dirigée contre elle-même : elle sait bien qu'elle n'est pas encore très au point dans son double rôle, professionnel et maternel. En tant que mère, elle a encore des tas de lacunes et cette crise vient lui rappeler qu'elle est loin d'avoir terminé son apprentissage. Si seulement elle avait pu passer plus de temps avec son bébé au départ, elle se sentirait plus sûre d'elle à présent.

Carla se fait un souci monstre à l'idée d'être ainsi obligée de s'absenter du cabinet. Elle a l'impression qu'une telle somme de travail s'accumule pour son retour qu'elle ne pourra plus jamais en venir à bout. Tout semble s'écrouler autour d'elle ; elle n'est plus capable de faire face. La pression à laquelle elle est soumise la laisse encore plus désarmée. Finalement, elle parvient à se ressaisir et à se dire que ce n'est quand même pas la fin du monde : ce n'est qu'une crise passagère, voilà tout, et elle ne tardera pas à reprendre le dessus.

L'atmosphère tendue a sérieusement perturbé Amy. À sept mois, elle était déjà capable de rester assise à jouer toute seule pendant d'assez longues périodes, mais à présent voilà qu'elle commence à se laisser tomber sur le côté chaque fois que Carla veut quitter la pièce. Elle demande à être tenue dans les bras ou portée la plus grande partie de la journée. À mesure que la nervosité de Carla croît, sa fille devient de plus en plus exigeante. Par moments, la mère a envie de se mettre à hurler de rage avec son bébé. Les repas ne sont qu'une épreuve de plus. Amy touche à tout : à sa cuillère, à sa tasse, à sa bouillie qu'elle s'étale dans les cheveux. Carla a l'impression d'avoir devant elle un bébé qu'elle n'a jamais vu auparavant. Quand elle donne le sein à sa fille, elle est tendue et nerveuse ; Amy le sent et se débat, si bien que les tétées n'ont plus rien d'un moment de chaude intimité partagée. La mère et la fille ne s'adressent plus la parole. Amy paraît bien décidée à se rendre insupportable.

La nuit, elle se réveille en hurlant. Jim se précipite auprès d'elle, convaincu qu'elle a mal. Il la prend dans ses bras et la laisse sangloter contre son épaule. Elle passe parfois une bonne trentaine de minutes à hoqueter tout contre lui. Chacun de ses hoquets fait à Carla l'effet d'un coup de poignard. Jim tente de consoler sa fille : « Ma chérie, qu'est-ce qui ne va pas ? Qu'est-ce qui t'est arrivé ? Vous avez donc eu une si mauvaise journée, avec Maman ? » Au bout d'une demi-heure de cette sérénade, il s'en prend à sa femme qu'il accuse de traumatiser Amy par ses propres angoisses. Carla finit par se réfugier sur le canapé de la salle de séjour et met son oreiller sur sa tête pour ne plus entendre ni son mari ni sa fille. Elle a une envie folle de les plaquer, tous les deux.

Les journées se succèdent péniblement. Pas de nouvelles de Mme Warren. Impossible de lui trouver une remplaçante. Jim a tenu sa promesse. Il s'arrange pour que sa femme puisse travailler à mi-temps, pendant qu'il reste à la maison.

Cette solution marche pendant quelque temps, mais elle est très compliquée pour tout le monde. Afin de rattraper le temps perdu, Carla et Jim rajoutent chacun deux heures à leur demi-journée de présence au bureau, si bien qu'ils ne se voient pratiquement plus. Jim commence à travailler à six heures du matin de façon à pouvoir rentrer un peu après midi et le soir, quand Carla rentre, deux heures plus tard que d'habitude, Jim et Amy ont déjà fini de dîner et la petite est couchée. Cette situation ne satisfait ni Carla ni Jim, mais ils ne parviennent pas à s'aider mutuellement à s'y adapter. Amy continue à se réveiller la nuit. Ils ont du mal à la faire manger et à la persuader de s'endormir. Elle a l'air aussi perturbée qu'eux. Aucun des trois n'est capable de redresser la barre.

GRAND-MÈRE À LA RESCOUSSE !

À la fin de la deuxième semaine, Carla, en désespoir de cause, appelle sa mère. Mme Hunt laisse tout tomber pour venir au secours de sa fille. Elle parvient à faire manger Amy convenablement, en lui permettant de jouer avec ses aliments et d'essayer de se nourrir seule. La nuit, c'est elle qui se lève pour l'apaiser. Elle lui montre comment s'amuser toute seule, comme elle le faisait auparavant. Elle se met à la disposition du bébé et veille en outre à materner Carla et Jim. Elle apaise les tensions, prête l'oreille à leurs doléances et les renvoie au travail. Quand ils rentrent le soir, tout est en ordre.

Une fois que l'état d'urgence sera passé, cependant, Carla se sentira peut-être coupable de n'avoir pas su s'en sortir toute seule et Jim d'avoir été incapable de prendre les décisions qui s'imposaient. Tous deux ont néanmoins besoin de cette période de répit pour se réorganiser. Ils avaient pris l'habitude de trop compter sur Mme Warren à qui ils avaient bel et bien confié la tâche de materner toute la famille. Il est temps pour eux d'assumer un peu plus sérieusement leurs responsabilités vis-à-vis d'Amy et l'un vis-à-vis de l'autre. S'ils parviennent à en tirer d'utiles leçons, ce bouleversement va peut-être se révéler bénéfique pour leur vie de famille, mais il risque aussi de devenir entre eux une source de frictions. Chacun a besoin de jouer un rôle plus actif au foyer et, pour le bien d'Amy, de se rendre compte que c'est à eux d'élever leur enfant et non à Mme Warren ou à quiconque. La redistribution des rôles est la partie la plus périlleuse du retour au travail. La mère court le risque de renoncer à son image de mère de famille et de se sentir, de ce fait, exclue et perdue. Il se peut alors qu'elle se fasse l'effet d'une mère dénaturée et se sente incapable de remplir convenablement son rôle quand une crise comme celle que vient de traverser Carla l'oblige à le reprendre.

La mère de Carla suggère à sa fille et à son gendre de rentrer bien à l'heure du bureau afin de « refaire la connaissance » de leur fille. « Après tout, leur dit-elle, c'est votre enfant et elle a dû supporter des tas de changements. Vous avez besoin de passer ensemble quelques moments de détente. » Sa franchise aurait pu irriter le jeune couple, mais ils savent qu'elle a raison, si bien qu'ils acceptent de l'écouter et observent la façon dont elle s'y prend avec Amy. Carla se rend compte que cela fait bien longtemps qu'elle ne s'est plus occupée de guetter les progrès de sa fille. Elle la traite toujours comme le poupon de trois mois qu'elle a confié à Mme Warren. Or Amy est à présent une petite personne très différente et elle a bien l'intention de se faire respecter. Elle veut manger seule dans la mesure du possible. Elle insiste pour tenir un biscuit et une cuillère quand on lui fait ingurgiter ses aliments solides et elle cherche aussi à participer à l'allaitement et veut que sa mère communique avec elle durant la tétée. Une nuit, elle se réveille et Mme Hunt dit à Jim : « Viens lui parler, mais il n'y a aucun besoin de la prendre dans tes bras.

Elle a simplement envie de savoir que tu es là. » Jim éprouve de nouveau l'impression que l'on a besoin de lui. Tous les jours, il rentre chez lui en trombe pour voir ce qu'Amy a appris de nouveau. Les deux parents et leur bébé commencent à se remettre de leurs épreuves et à avoir une fois de plus l'impression de former une famille unie. Mais que se passera-t-il quand la mère de Carla devra repartir ?

Un des problèmes que soulèvent les solutions « sans bavures » qu'ont su trouver les parents qui travaillent au-dehors, c'est qu'en cas de crise elles ne fonctionneront peut-être pas. L'équilibre si soigneusement établi pour la routine quotidienne n'est pas suffisamment stable pour supporter les crises qui ne peuvent manquer de survenir un jour ou l'autre. Quand l'enfant est malade, quand une partie du système, quelle qu'elle soit, se détraque, le parent doit être disponible. Or ce n'est pas toujours possible, si bien que des problèmes d'importance secondaire vont faire figure de catastrophes. Les couples comme Carla et Jim ont sans cesse l'impression de faire de la corde raide. C'est qu'il n'est vraiment pas facile d'élever une famille, tout en poursuivant chacun une carrière accaparante.

LA CRÈCHE

Carla se rend compte qu'il faut trouver une solution plus durable. Mme Warren était une personne de toute confiance, mais dans la vie il y a parfois des urgences. Quant à la présence d'une grand-mère, c'est un luxe. À présent, il est temps de trouver une crèche. Elle téléphone à ses amies, mères de petits bébés, pour leur demander conseil, mais sans résultat. Les bonnes crèches collectives ont de longues listes d'attente. Carla a le dos au mur.

Quelle que soit la situation matérielle des parents, il est difficile de trouver à faire garder son bébé, car le nombre de crèches est largement insuffisant (à l'heure actuelle, 10 pour cent des jeunes enfants, environ, peuvent espérer les fréquenter) et leur qualité est

très inégale. La plupart des enfants des classes défavorisées sont
confiés à des voisines ou à d'autres personnes qui proposent de les
accueillir chez elles. Or ces personnes ne sont ni qualifiées ni
surveillées. Dans beaucoup de crèches subventionnées, le person-
nel est mal payé, surmené et s'intéresse assez peu aux enfants. Et
même pour les couples des classes moyennes, qui sont en mesure
de payer les sommes voulues, les possibilités laissent à désirer.
Carla devra visiter plusieurs établissements avant de prendre une
décision. Étant donné le nombre très limité de places disponibles,
elle ne trouvera peut-être pas l'environnement idéal pour sa fille.

Jim téléphone à l'Associated Day Care Association (Association des crèches) afin qu'on lui communique la liste des
établissements qualifiés. Accompagné de sa belle-mère et
d'Amy, il va visiter trois de ceux qui, sur le papier, leur
paraissent susceptibles de faire l'affaire. L'un d'eux est déjà
surpeuplé. Le rapport bébé-adulte est de cinq pour un et
Mme Hunt le déclare inacceptable.

La deuxième crèche qu'ils visitent les émerveille. Il y a dans la
nurserie six bébés qu'Amy contemple avec ravissement. Les
deux puéricultrices ont l'air tout à fait compétentes et sensibles
aux besoins de chaque nourrisson. Dès que l'un d'eux pleure, on
s'occupe de lui. Les bébés sont assis dans des chaises qui se font
face et encouragés à communiquer les uns avec les autres.
L'atmosphère est chaleureuse. Jim et sa belle-mère n'ont aucune
réserve à formuler. Le personnel qui a fait la connaissance
d'Amy la trouve irrésistible et tout le monde est intrigué par ce
jeune père qui joue un rôle si actif auprès de son bébé. La
directrice accepte donc la candidature des Snow. C'est alors que
Mme Hunt demande si elle peut poser une question. Tout le
monde se tait pour l'écouter. « Je sais que je réagis en vraie
grand-mère, dit-elle, et d'avance je vous demande de m'en
excuser, mais je m'inquiète pour l'évolution de ma fille en tant
que mère de famille. C'est une avocate fort compétente, mais
elle n'a pas encore beaucoup d'expérience maternelle. J'ai peur
qu'elle ne vous laisse le soin d'élever Amy et que, dans son
esprit, elle n'abdique tout sens de ses responsabilités. N'y a-t-il
rien à faire ici même, à la crèche, pour s'assurer que Carla
continuera à se sentir concernée ? »

Jim en reste médusé, mais en même temps il comprend où sa

belle-mère veut en venir. Il se rappelle à quel point Carla et lui s'en étaient remis à Mme Warren, si bien qu'ils s'étaient littéralement effondrés quand elle avait été obligée de les quitter. La directrice de la crèche explique aussitôt qu'elle encourage vivement les jeunes parents à venir passer une journée par semaine à la nursery. Jim se déclare volontaire et promet que sa femme viendra aussi.

Il est absolument essentiel que les parents continuent à être responsables. Il n'est que trop facile d'abandonner à quelqu'un d'autre le soin de surveiller le développement de son bébé. Comme tous les jeunes parents inexpérimentés, Carla et Jim ont besoin qu'on les secoue un peu. Le fait que cette crèche soit prête à, et même désireuse de, voir les parents participer est fort bon signe. Cela veut dire qu'on y pourvoira aux besoins de toute la famille.

La mère de Carla peut à présent rentrer chez elle, forte de la certitude que sa fille et son gendre sont sur la bonne voie. Elle leur a rendu un fier service et ils en sont parfaitement conscients.

Les grand-mères concernées ne sont que trop rares. À un moment critique, Mme Hunt est venue apporter à Carla et à Jim l'aide dont elle savait qu'ils avaient besoin. À présent, ils vont pouvoir repartir du bon pied et poursuivre tous ensemble leur développement familial.

La crèche est une réussite. Carla passe un jour par semaine à la nursery avec Amy. Jim et elle constatent tous les deux que c'est une expérience très enrichissante et tout à fait bénéfique pour leur fille. À mesure qu'ils observent les puéricultrices compétentes s'occuper de sept bébés différents, les difficultés qu'ils ont eues à faire manger et jouer Amy commencent à s'estomper. Carla et Jim apprennent à s'occuper aussi des autres nourrissons. D'ailleurs, plus ils sont mêlés à la vie de tous ces enfants et à leur développement, plus ils ont l'impression de devenir de véritables « experts » en la matière. Ils lisent des ouvrages spécialisés, regardent les émissions de télévision sur les tout-petits et en parlent à tous les repas. Ils débordent du zèle que suscite généralement une nouvelle passion.

Amy s'épanouit dans cette atmosphère. Elle rit aux éclats toute la soirée et dort à poings fermés. Pourtant, elle déteste que ses parents la laissent à la crèche, tous les matins. Carla et Jim l'y conduisent à tour de rôle et ils savent fort bien qu'elle va faire des histoires et pleurnicher quand ils s'en iront. Ils ont un peu l'impression de l'abandonner, mais les deux responsables leur assurent que la petite se calme dès qu'ils ont disparu. Au bout de quelques semaines, elle commence à trépigner de joie en arrivant à la crèche. Aussitôt, ses parents éprouvent un pincement de jalousie. Elle ne pleure plus quand ils s'en vont et elle commence même à rechigner quand ils viennent la chercher en fin de journée. Carla a l'impression qu'Amy est désolée de quitter la crèche. Jim lui, pense plutôt qu'elle cherche à leur manifester son ressentiment d'avoir été abandonnée. (La question sera abordée plus longuement au chapitre suivant.)

Un soir où Carla est en train d'habiller Amy pour la ramener à la maison, la petite fille se met à hurler comme si elle avait mal. Carla manque la laisser tomber. L'une des puéricultrices s'approche pour voir ce qui ne va pas. Dès qu'elle la voit, Amy cesse de geindre, sourit et lui tend les bras, comme pour dire : « Sauve-moi donc du monstre que j'ai pour mère. » Carla accuse le coup et la responsable comprend aussitôt ce qu'il en est. « Vous savez, s'empresse-t-elle de dire, je crois qu'Amy est tout simplement fâchée contre vous. C'est pour vous faire enrager qu'elle me fait des grâces. Vous allez voir. Je vais la reprendre, comme si j'avais l'intention de la garder ici, et je vous parie qu'elle va changer d'avis sans demander son reste ! » Et, en effet, tandis que la puéricultrice l'emmène, Amy jette un regard horrifié à sa mère et pousse un cri déchirant. Elle tend les bras à Carla et semble dire : « Non, c'est toi que je veux. » Carla rentre chez elle avec sa fille en sifflotant un air guilleret.

Les mères qui travaillent ont constamment besoin de la confirmation que leur bébé a vraiment besoin d'elles. Elles se sentent si déchirées, si désolées à l'idée de perdre une si grande partie de la journée de leur enfant qu'elles ont l'impression de ne pas être à la hauteur de leur tâche. Lorsque le nourrisson semble les réprimander lui aussi par son comportement, elles en sont si profondément atteintes qu'elles risquent de réagir de façon excessive et de s'éloigner encore plus de lui. Il est donc très important que les personnes qui s'occupent de l'enfant dans la journée aient conscience de cet état de choses et expliquent à la mère le comportement de son bébé. La mission la plus importante d'une crèche devrait être de souder les familles. Sinon, elles risquent fort de les diviser sans le vouloir.

Carla et Jim savent maintenant combien d'énergie et de temps ils doivent garder pour leur fille en fin de journée. L'un et l'autre ont retenu leur leçon. Ils planifient leur journée de travail en fonction de la soirée. Jim veut avoir assez d'énergie pour jouer avec sa fille, pour la faire sauter dans ses bras et la faire rire aux éclats, en dépit des objurgations de Carla qui assure qu' « il n'y aura pas moyen de la faire dormir ».

6

Les Thompson

Lors de sa visite suivante avec Tina, un mois plus tard, Alice me déclare : « Écoutez, à présent, il faut absolument que vous m'aidiez. Je dois retourner à l'atelier. Ça fait des semaines que je remets la décision parce que je n'arrive pas à m'y résoudre, mais je suis à peu près sûre que je suis désormais prête à partager Tina. J'ai besoin de travailler, pour conserver mon équilibre tout autant que mon respect de moi-même. Avant la naissance de Tina, j'avais projeté de monter une exposition, mais depuis je n'ai strictement rien fait. Et puis, de toute façon, il faut aussi que je reprenne mes cours pour arriver à joindre les deux bouts. Vous ne pensez pas que ce sera mieux, pour la petite comme pour moi, si je m'habitue dès maintenant à la confier à d'autres personnes ? Je sais que vous me parlerez franchement. Vous ne m'avez pas fait de cadeau jusqu'ici. »

J'ai l'impression qu'Alice aimerait bien que je lui conseille de rester encore avec sa fille, mais je sais qu'elle a besoin d'être poussée sur la voie de l'indépendance et je me rends compte que ce sera là le plus important de mes devoirs vis-à-vis de ma cliente et de son enfant. Nous faisons donc un bon tour d'horizon : De quelle espèce d'aide aura-t-elle besoin pour Tina ? Où la trouver ? Comment s'assurer qu'il s'agit d'un endroit de bonne qualité et non pas d'un simple « garage » où parquer Tina pour la journée, chose qu'Alice ne pourrait supporter ? Je lui signale qu'elle a tout intérêt à chercher une solution qui lui permettra à elle aussi de se sentir protégée et soutenue. Elle me regarde, stupéfaite : « Vous voulez dire que je pourrais y passer moi aussi un certain temps ? » Je m'aperçois que, pour Alice, la crèche est bel et bien un endroit où elle a l'intention de déposer Tina avant de s'éclipser au plus vite. Je lui fais admettre qu'en raison du chagrin que lui cause l'idée de laisser Tina où que ce soit, elle préfère sans doute ne même pas aborder la question de la séparation. Or cette espèce de démission n'est pas nécessaire et risque d'être nocive pour Tina. Une séparation progressive aura le double avantage de lui permettre de reprendre son travail tout en laissant au bébé le temps d'apprendre à s'habituer aux autres, aussi bien adultes qu'enfants. Je lui signale que, pour une petite fille comme Tina, il est plus important de trouver à la crèche une atmosphère « familiale » que pour un bébé appartenant à une famille nombreuse. « Cela dit, ajouté-je, il faut que vous ayez, vous aussi, l'impression d'être un des membres de cette famille au sens large. Avez-vous donc oublié à quel point il vous a été utile de connaître d'autres parents célibataires. » Elle acquiesce avec ferveur.

Nous étudions les diverses possibilités de faire garder Tina et finissons par tomber d'accord sur une nourrice qui habite non loin de chez elle, et avec laquelle l'une de ses nouvelles amies — célibataire, elle aussi — a déjà fait une expérience très positive.

Les nourrices sont souvent l'un des meilleurs environnements qui soient. Une femme prend chez elle deux ou trois petits bébés dont elle s'occupe en plus du sien. Les soins personnalisés que permet cette formule, ainsi que le contact étroit qui s'établit entre la nourrice et le parent, peuvent être extrêmement bénéfiques. À l'heure actuelle, on estime que 75 pour cent des enfants américains confiés à d'autres personnes durant la journée le sont à des nourrices. On trouvera une bonne description du système dans l'ouvrage d'E. Galinsky et W. A. Hooks, The New Extended Family : Day Care That Works. *Ce genre d'environnement peut aussi être sinistre : notamment, si la nourrice est dépassée par la situation, parce qu'elle a accepté trop de petits pensionnaires ou si elle ne s'intéresse pas vraiment à leur développement. L'endroit peut n'être ni plus ni moins qu'un véritable parking, où les enfants passent leur journée devant un téléviseur. Il peut aussi, en revanche, offrir une véritable vie de famille. Les mères sont libres d'apporter leur aide généralement fort efficace : elles vont et viennent à volonté. La solution de la nourrice est moins onéreuse, mais il est probable que la qualité des soins y sera moins strictement contrôlée. La National Association for Education of Young Children (Association nationale pour l'éducation des jeunes enfants), dont le siège est à Washington, s'efforce à l'heure qu'il est d'établir un niveau de qualification minimal pour les personnes qui prennent chez elles les enfants des autres et de faire nommer des surveillants chargés de maintenir ce niveau. Il est important que les parents restent très concernés afin de veiller à ce que leur enfant bénéficie du meilleur environnement possible.*

COMMENT RESTER CONCERNÉ

Je presse vivement Alice de contacter la personne en question et je lui rappelle que, même si elle choisit cette solution, elle sera toujours, en dernier ressort, responsable du bien-être de sa fille : elle devra donc absolument rester concernée. Elle aura besoin à tout moment d'exercer ses facultés de jugement pour décider si c'est bien « ce qu'il faut » à Tina.

Lorsqu'un enfant est gardé par une nourrice, l'un des problèmes les plus sérieux c'est que les parents renoncent souvent à participer. Ils lui abandonnent tout simplement leur enfant et ce non pas parce qu'ils s'en désintéressent, mais au contraire parce qu'ils y sont trop attachés et souffrent de la situation. Une mère obligée de partager son petit bébé avec quelqu'un d'autre trouvera forcément cette épreuve pénible. Elle se sentira coupable, incompétente, impuissante, désespérée et même furieuse de devoir renoncer à s'occuper elle-même de son enfant. « Pourquoi moi ? » se demandera-t-elle. Même si elle s'est longuement préparée à cette séparation en la rationalisant et même si la chose est inévitable, elle ne pourra s'empêcher d'éprouver les sentiments dont je viens de parler. Or il existe trois façons de se défendre contre l'impuissance et la culpabilité : 1. La négation : nier que cette séparation vous importe, à vous ou à l'enfant; 2. La projection : projeter tous les bons instinct maternels sur la personne qui s'occupe de votre enfant et tous les mauvais sur vous-même, ou vice versa, manifester une jalousie et une rivalité inutiles vis-à-vis de cette personne ; 3. Le détachement : renoncer à votre bébé pour le laisser aux soins de quelqu'un d'autre, non pas parce que vous vous en fichez, mais parce que le partage vous est trop pénible. Ces moyens de défense sont nécessaires et inéluctables, même si votre enfant fréquente une excellente crèche. Plus le nouvel environnement sera plaisant pour votre enfant, plus votre instinct de compétition sera vif et plus ces moyens de défense vous seront indispensables. Comme il est impossible d'y échapper, il est essentiel de savoir qu'ils existent et qu'ils domineront votre comportement. Autrement, vous risquez de contrecarrer les soins tout à fait satisfaisants que reçoit votre enfant. Savoir garder le contact et participer à la vie de votre enfant chez la nourrice sera peut-être la plus dure de vos tâches, justement parce que vous lui êtes si attachée.

Alice et moi discutons toutes ces questions. Je sais qu'elle aura besoin de m'entendre lui répéter les mêmes conseils à d'innombrables reprises. Si elle parvient à prendre conscience de la profondeur de ses sentiments et à les partager avec moi, elle n'aura plus besoin d'être à leur merci, car je sais déjà à quel point elle tient à Tina et à être une bonne mère pour elle. La personnalité d'Alice s'affirme chaque fois que je la vois.

COMMENT SURMONTER LES PRÉJUGÉS

« Comment puis-je savoir quel endroit conviendra le mieux à Tina ? me demande Alice. Vaut-il mieux expliquer que je suis mère célibataire ou bien est-ce que cela risque de prévenir les gens contre moi… et contre elle ? » Je veux savoir ce qui lui fait penser qu'elle doit taire sa situation et elle me confie une nouvelle fois qu'elle se sent parfaitement à l'aise dans son rôle de mère célibataire. Je lui rappelle que, lors de sa première visite, elle s'était montrée presque agressive à ce sujet, alors que maintenant elle semble tout à fait bien dans sa peau.

« En ce qui me concerne, moi, c'est vrai, mais pour Tina je

n'en suis pas si sûre. Il y a des moments où brusquement je donnerais n'importe quoi pour lui éviter d'avoir à payer pour des histoires qui ne regardent que moi. Je ne veux pas qu'on se moque d'elle parce qu'elle n'a pas de papa et parce qu'elle a une mère qui défie le qu'en dira-t-on. »

Nous en parlons assez longuement. Inévitablement, Tina sera un jour en butte aux préjugés des adultes et aux taquineries des enfants de son âge. Alice n'a aucun moyen de lui éviter cela, mais ce qu'elle peut faire, en revanche, c'est se montrer parfaitement ouverte et franche avec sa fille, de façon que celle-ci sache qu'elle pourra toujours aller trouver sa mère si elle se sent harcelée. Par ailleurs, et c'est très important, si Alice se sent bien dans sa peau en ce qui concerne sa propre situation et la place qu'elles occupent dans la société, sa fille et elle, elle ne redoutera pas d'en parler et ne risquera pas de transmettre à Tina le sentiment de ne pas être un membre valable de cette société. Lorsque la petite fille atteindra l'âge de quatre ou cinq ans et que ses petits camarades la taquineront, comme le font toujours les enfants de cet âge, Alice sera prête à lui dire : « Toi, tu vis avec ta maman et non avec ton papa. Il y a des tas de gosses dans ton cas et nous nous débrouillons parfaitement toutes les deux. Tous les enfants taquinent les autres et aiment être taquinés. Alors fais-les enrager toi aussi. Tu n'es pas obligée de les croire, s'ils te disent que tu n'es pas normale. »

Je me suis aperçu que tous les enfants en bas âge passent par ces périodes d'incertitude. Qui ne se rappelle pas les questions qu'il se posait étant petit : « Est-ce que je suis un enfant adopté ou non ? Est-ce que je suis un garçon ou une fille ? Est-ce que je suis normal ou non ? » Quelle que soit votre situation, il y aura toujours quelqu'un pour mettre en question votre intégrité. Les enfants de cet âge ont besoin de sonder toutes les possibilités. Si leurs parents veulent les aider — et pour Alice, c'est une nécessité —, ils doivent être prêts à intervenir avec leur propre sens très affirmé de leur compétence et de la valeur de leur existence. Il n'est jamais trop tôt pour se préparer à être ainsi questionné par son enfant : c'est toujours un choc pour le parent.

Ces incertitudes n'épargneront personne : si l'enfant est blond, il se demandera pourquoi il n'est pas brun ; s'il est noir ou arabe, pourquoi il n'est pas blanc ; s'il est blanc, pourquoi pas autre

chose ; si c'est une fille, elle voudrait être un garçon, et ainsi de
suite. S'il existe un véritable *problème — comme c'est le cas pour*
Tina —, il est d'autant plus important que le parent soit préparé.
Un enfant que distingue une particularité physique — une tache de
vin par exemple — aura besoin d'être tout spécialement rassuré
entre quatre et six ans, l'âge auquel les enfants s'efforcent à tout
prix de prendre conscience de leur identité.

COMMENT JUGER UNE NOURRICE ?

Je n'ai pas encore répondu aux questions d'Alice concernant
les nourrices, car j'ai préféré profiter de l'occasion qui s'offrait
pour discuter avec elle ses sentiments de mère célibataire. Nous
en revenons donc à ce problème. Je lui suggère d'aller rendre
visite à certaines des personnes auxquelles elle envisage de
confier sa fille. Elle devra se renseigner auprès d'elles sur les
mesures d'hygiène et de sécurité. L'endroit est-il propre ? Y a-t-
il des cache-prise sur les prises électriques ?

Elle pourra observer tout cela sans même poser de questions. Si
elle décide de pousser plus loin son examen, elle est parfaitement
en droit de demander : « Que feriez-vous en cas d'urgence ?
Comment vous arrangeriez-vous pour laisser trois petits enfants,
afin de vous occuper du quatrième blessé ? » Elle a le droit et le
devoir de mettre à l'épreuve les mesures prévues par la personne
responsable et son aptitude à faire face en cas d'urgence. Alice
devrait en outre se demander : Est-ce que ça me plairait de passer
la journée ici ? Les enfants ont-ils l'air d'avoir faim ou sont-ils
trop agités ? Ont-ils l'air de se trouver dans un environnement
intéressant et empreint de sollicitude ? Ou bien, le regard vide et
plein d'ennui, pleurent-ils pour que quelqu'un fasse attention à
eux ? Les mères qui travaillent doivent tâcher de se rendre compte
si la personne à qui elles songent à confier leur enfant est sensible
aux indications que lui fournit celui-ci. S'intéresse-t-elle à la
personnalité de chaque bébé ou bien possède-t-elle un arsenal
d'idées toutes faites concernant ce dont les « enfants », en vrac,
ont besoin ? Votre bébé est-il attiré vers elle ou semble-t-il encore

plus méfiant que d'habitude? Demandez à la personne si elle conseille une séparation progressive ou brutale. Si elle trouve inutile que vous-même et votre bébé ou petit enfant preniez tout votre temps pour vous séparer, vous n'avez rien à faire chez elle. Il s'agit d'une transition très difficile, pour la mère comme pour l'enfant, et il faut que les mères en aient pleinement conscience. Sinon elles se sentent culpabilisées et inévitablement se replient sur elles-mêmes. Assurez-vous que celle qui va vous remplacer s'intéresse à vous tout autant qu'à votre nourrisson, sans quoi vos sentiments de rivalité et de rancœur naturels risquent de menacer vos rapports avec elle, ce qui aurait pour résultat de traumatiser votre bébé.

Lorsque vous visitez une crèche, ou que vous contactez une nourrice, arrangez-vous pour assister à un repas ou à une période de jeux intensifs. La responsable parvient-elle à s'adapter à toutes les personnalités différentes et à les respecter? Ou bien est-elle dépassée par les événements? Se montre-t-elle rigide et impersonnelle, dès qu'elle a beaucoup à faire? Une journée passée avec plusieurs enfants comportera forcément quelques petites crises: face à trois ou quatre bébés, la personne qui s'en occupe a besoin de s'armer de patience, de souplesse et d'humour. Les différents cycles des divers enfants sont-ils suffisamment respectés ou bien chacun est-il noyé dans la masse? Lorsqu'une crèche accueille des enfants d'âges différents, le problème se complique encore. Enfin, la responsable a-t-elle quelqu'un pour l'aider à s'occuper des bébés ou bien cherche-t-elle à tout faire toute seule? Est-elle en mesure de faire appel à une autre paire de bras ou un autre cœur chaleureux? Si ce n'est pas le cas, méfiez-vous des établissements où le rapport de trois bébés pour un adulte est dépassé. En cas de difficultés, le traitement individualisé sera le premier à disparaître.

Pouvez-vous vous permettre de payer à votre enfant un environnement de qualité? Personnellement, j'estime que vous ne pouvez pas ne pas vous le permettre. Financièrement, Alice va avoir du mal à faire face, mais si elle laisse sa fille dans une situation qui ne soit pas optimale, elle ne pourra pas le supporter et son travail s'en ressentira. Si, plus tard, Tina a des problèmes, Alice s'en voudra de l'avoir confiée à quelqu'un qui n'était pas à la hauteur. Étant donné que la plupart des enfants finissent par avoir des problèmes, un jour ou l'autre, Alice a tout intérêt à être sûre d'avoir fait tout ce qu'elle pouvait pour sa fille.

Pendant que nous passons en revue tous ces problèmes délicats, je remarque que Tina est allongée sur les genoux de sa mère, les yeux fixés sur son visage soucieux. Sa petite figure est rembrunie. Tout en parlant, Alice caresse le corps de son bébé avec une vigueur croissante, comme pous s'assurer que Tina est toujours là. Finalement, elle baisse les yeux vers la petite. « Maman prendra soin de toi, ma chérie. Ce ne sera pas facile, mais nous y parviendrons. » Elle sourit et le visage de Tina se fend aussitôt d'un large sourire. Il y a comme une impression de soulagement dans l'air. De ses menottes, Tina agrippe les doigts de sa mère et serre fort.

LA PREMIÈRE SÉPARATION

Lorsque je revois Tina, pour la visite des six mois, les problèmes sont déjà en bonne voie de règlement. Alice a trouvé un poste d'enseignante, mais ses cours ne commencent pas dans l'immédiat et son travail purement créateur lui permet des horaires relativement souples. Tout en commençant à préparer sa fille au changement, elle se rend compte que c'est une aubaine inespérée. Il est beaucoup plus facile de se séparer ainsi, en douceur : au début, elle ne laisse Tina que quelques heures et revient la faire déjeuner. Le tout premier jour, elle a quand même l'impression de pénétrer dans une prison. Elle a rêvé plusieurs fois qu'elle abandonnait sa fille ou qu'elle la laissait sur une route déserte, mais dangereuse. Le jour de la séparation, elle a la gorge tellement nouée qu'elle est incapable d'avaler quoi que ce soit. Elle serre Tina contre elle si fort que la petite se met à pleurer. Lorsqu'elle se rend compte à quel point sa fille est perturbée, elle appelle deux amies mères célibataires pour les consulter. Toutes deux lui assurent qu'elle s'en sortira très bien et qu'elles aussi ont eu le plus grand mal à sauter le pas.

Lorsqu'elle arrive devant la maison où elle va laisser Tina, Alice a envie de partir en courant et de rentrer chez elle. Heureusement, Mme Marlin leur fait un accueil si chaleureux qu'elle a tôt fait de dissiper les craintes de la jeune maman.

« Que diriez-vous de passer la matinée avec moi, à faire avec Tina tout ce que je ferai quand vous ne serez pas là ? Comme ça, quand elle vous manquera, vous pourrez au moins vous imaginer où elle est et ce qu'elle est en train de faire. De toute façon, j'aimerais mieux qu'elle vous ait avec elle pour s'habituer à son nouvel environnement. »

Ce genre de considération pour les sentiments d'Alice et pour la personnalité de Tina, bien qu'elle n'ait que six mois, est un merveilleux rempart contre l'angoisse qui étreint ma cliente. En lui montrant ainsi qu'elle est la bienvenue et en la pressant de rester avec elle, Mme Marlin lui laisse voir qu'elle sait toute l'importance du lien qui unit la mère et la fille. Alice a en outre le sentiment que Mme Marlin n'a rien à lui cacher. Je lui ai conseillé, pour ma part, de s'arranger, pendant les premiers jours, pour arriver assez tôt chez la nourrice avec Tina, de façon qu'elles aient tout leur temps pour s'y habituer ensemble.

PREMIERS CONTACTS AVEC UNE INCONNUE

Alice est donc présente lorsque Mme Marlin prend le relais auprès de Tina qui a fait un petit somme. De toute évidence, la petite fille se rend compte qu'elle a affaire à une étrangère, mais elle consent à se laisser pouponner sous le regard de sa mère. Tout semble donc se passer pour le mieux et, à midi, Alice part pour son atelier, tout à fait rassérénée.

Il est imbécile de croire que les petits bébés ne « savent » pas qu'ils sont entre les mains d'une personne qu'ils ne connaissent pas. Nous pensons, au contraire, qu'ils manifestent leur conscience d'avoir affaire à des inconnus dès la quatrième à la sixième semaine. Il y a dans les rapports avec les étrangers et les inquiétudes qu'ils suscitent certains passages délicats dont il convient de tenir compte lorsqu'on prépare une transition, comme par exemple de confier l'enfant à une crèche ou à quelqu'un de nouveau. À quatre mois et demi à peu près, les bébés ont une conscience très aiguë des objets et des gens. C'est un âge où il arrive souvent qu'ils manifestent une certaine méfiance envers les personnes et les endroits inusités. Je le constate souvent dans mon cabinet, lorsqu'une mère pose son bébé tout nu sur ma table d'examen. Si je ne veille pas à ce qu'il ait le visage de sa mère constamment sous les yeux, le poupon fondra en larmes devant ma figure inconnue.

À huit mois, la plupart des enfants se montrent vraiment apeurés lorsqu'un inconnu leur tombe dessus ou tente d'avoir avec eux des rapports un peu trop poussés. C'est une période associée à l'indépendance accrue qu'apporte la faculté de se déplacer. La permanence des objets, telle que l'a décrite Piaget, y est également associée. C'est-à-dire que les bébés se rendent compte désormais que leur mère ou père ne sont pas loin, même s'ils ne les voient pas. Comme le dit Harriet Rheingold, il ne faut pas envahir l'espace vital d'un enfant de huit mois. Il faut attendre que ce soit lui qui vienne vers vous. C'est le seul moyen d'éviter qu'il manifeste cette peur des étrangers.

À un an, avec les premiers pas, accroché aux meubles ou tout seul, vient la véritable indépendance, accompagnée d'un sens accru de l'autonomie, et les petits enfants manifesteront souvent une vive appréhension vis-à-vis des situations nouvelles. Lorsqu'il s'agit de modifier l'entourage d'un bébé, il vaut donc mieux éviter, dans la mesure du possible, ces trois périodes.

Les enfants sont toujours très sensibles aux séparations et il faut respecter leur besoin d'amortir les transitions; cependant, en dehors des trois âges cités ci-dessus, ils seront sans doute moins traumatisés.

L'ADAPTATION

Les cours d'Alice, son travail de sculpteur et la crèche semblent tous s'imbriquer de façon fort satisfaisante. Alice se sent comme libérée. Le cœur léger et plein d'insouciance, elle éprouve néanmoins une vague culpabilité de se sentir si heureuse. Ses collègues sont ravis de la revoir. Ils ont l'air très fiers d'elle et lui posent une foule de questions sur Tina. Même si les plus conventionnels d'entre eux semblent guetter la faille, ils sentent bien à quel point Alice est épanouie par sa maternité. Dès qu'elle parle de sa fille, elle rayonne et tout le monde est sensible à la joie que lui procure son bébé. Un des jeunes sculpteurs de l'atelier donne l'impression de vouloir s'immiscer dans ces rapports si réussis et la bombarde quotidiennement de questions sur les progrès de Tina. Alice s'aperçoit qu'elle a atteint un nouveau palier dans ses rapports avec autrui et qu'elle peut se permettre désormais de se montrer maternelle et généreuse envers des gens qu'elle avait l'habitude de fuir.

La semaine se passe fort bien et le week-end est le temps des retrouvailles. Tina est ravie d'avoir de nouveau sa mère avec elle toute la journée. Le dimanche, cependant, elle se montre surexcitée. Elle refuse de dormir durant la journée, si bien qu'elle est fort grognon quand arrive la soirée. À l'heure du coucher, la petite est épuisée et sa mère à bout de nerfs. Pourquoi Tina a-t-elle craqué ainsi ? Et pourquoi, elle, n'a-t-elle pas su quoi faire pour l'aider à se ressaisir ? Alice est soulagée à l'idée que lundi et Mme Marlin seront bientôt là. Elle dort mal cependant, car elle s'attend à chaque instant que Tina se réveille et ait besoin d'elle.

Il s'agit peut-être d'une réaction à retardement au bouleverse-ment que vient de subir le bébé. Les enfants ont d'étonnantes facultés d'adaptation, mais il leur en coûte quand même quelque chose. Ils peuvent fort bien ne pas réagir sur le moment et s'effondrer un peu plus tard. Le problème c'est que la crise de sa fille vient renforcer le sentiment d'incompétence d'Alice, ce qui l'incite à avoir envie de prendre le large. Les mères telles qu'Alice ont constamment besoin d'être rassurées. Elles sont sans cesse obligées de réévaluer leurs sentiments concernant le fait de confier leur bébé à quelqu'un d'autre.

Chez Mme Marlin, Tina retrouve très vite son calme. Chaque semaine, elle se réadapte à la routine de sa nouvelle existence comme si c'était pour elle un véritable soulagement. Alice s'en rend compte et se sent personnellement visée. En fin de journée, quand sa mère arrive chez Mme Marlin pour la récupérer, Tina se met à pleurnicher. Affolée, Alice me téléphone pour me demander mon avis. « Tina aime mieux Mme Marlin que moi. Ou bien elle m'en veut de l'avoir quittée, si bien qu'elle pleurniche quand je viens la chercher, ou alors elle préfère réellement rester chez la nourrice. Mme Marlin me dit qu'elle n'a jamais de crise de larmes, durant la journée. J'ai peur de l'avoir déjà perdue. »

Des chercheurs de notre Child Development Unit (Unité pour le développement infantile), au Children's Hospital de Boston, ont observé des bébés qui passaient huit heures par jour à la crèche. Ceux-ci semblaient fonctionner un peu en demi-teinte toute la journée — jamais ils ne devenaient surexcités ni particulièrement grincheux et jamais ils ne se laissaient aller profondément au sommeil, un peu comme s'ils veillaient à ne pas s'investir à fond dans leurs activités de la journée — jusqu'au moment où leurs parents venaient les chercher. Alors, brusquement, c'était le raz de marée ! Ils pleuraient toutes les larmes de leur corps, presque avec rage, ayant mis toutes leurs émotions en réserve pour l'arrivée de ceux qui comptaient vraiment dans leur vie. Les parents fatigués et désarçonnés se trouvaient donc soumis à un véritable concert de pleurs et de grincements de dents. Ils se sentaient coupables, s'en voulaient et prenaient les larmes de leur bébé pour un signe de reproche contre leur abandon. Sur ces entrefaites, une des puéricultrices trouvait toujours le moyen de lancer au coupable : « Allons, bon, elle (ou lui) qui n'a pas pleuré de la journée ! » Sous-entendu : « Ce doit être vous qui la faites pleurer. Avec nous, ça n'arrive jamais. » Or les parents ne sont que trop vulnérables et ce genre de réflexion a tendance à les éloigner de leur enfant. En revanche, si on veille à leur faire comprendre que, toute la journée, leur bébé a gardé pour lui tous ses messages et sentiments importants afin de les leur réserver, ils rentreront chez eux convaincus qu'ils comptent plus que tout à ses yeux. Et ils seront donc prêts à profiter au maximum de ce qui suivra la crise de larmes : une longue période d'interaction vive et soutenue. Cela aussi le nourrisson l'a gardé pour lui toute la journée.

Je parviens à faire comprendre tout cela à Alice par téléphone. Son soulagement est évident, car sa nouvelle existence pleine de satisfactions s'est accompagnée d'un sentiment de culpabilité croissant vis-à-vis de sa fille. Je lui explique que les problèmes de ce genre se poseront périodiquement et qu'elle aura sans doute besoin de me téléphoner pour l'aider à faire le point.

LES BESOINS PRIORITAIRES

Une nouvelle question surgit : celle des « moments privilégiés » avec Tina et nous l'évoquons au cours d'une nouvelle conversation. Alice se rend compte qu'à présent qu'elle s'est replongée dans le travail, il lui reste moins d'énergie à consacrer à sa fille en fin de journée. Je lui fais remarquer que ce n'est pas juste pour la petite. Elle *doit* absolument se ménager en prévision de la soirée. Et elle *doit* aussi se lever suffisamment tôt le matin pour avoir le temps de communiquer tout à son aise avec son bébé. Dernièrement, elle a pris l'habitude de laisser Tina dormir le plus tard possible, avant de la précipiter chez Mme Marlin pour lui faire avaler son petit déjeuner et de filer donner ses cours à la dernière minute.

Je lui rappelle qu'il y a à peine un mois, elle se lamentait à l'idée de quitter son bébé fût-ce une heure par jour. À présent, elle semble se détacher de Tina pour consacrer toute son énergie à son travail. Est-ce vraiment ainsi qu'elle envisage l'avenir ? Elle proteste qu'elle travaille très dur et qu'elle a besoin d'avoir une vie sociale. Je reconnais volontiers qu'elle doit se sentir sous pression : elle a donc besoin de trouver un rythme équilibré et elle serait bien avisée de le faire au plus vite. En tout cas, sa fille *doit* passer en premier, avant même ses propres besoins. Sinon, Alice se sentira responsable de tous les problèmes qui risquent de surgir plus tard. « Vous vous moquez bien de mes problèmes, me rétorque-t-elle. Vous ne songez qu'à Tina ! » J'ai suffisamment d'expérience pour ne pas me sentir personnellement visé et je lui réponds : « Je m'intéresse à vous deux, Alice, et vous le savez parfaitement. Seulement, pour moi c'est Tina qui a priorité et un jour vous m'en remercierez. » Je l'entends pousser un profond soupir avant de raccrocher.

Voici un nouvel exemple de ce qui risque de n'être qu'une longue série d'épisodes pour un parent célibataire. Presque tous passent par des moments où ils ont l'impression que la vie n'est pas équitable envers eux et qu'ils sont sans cesse injustement obligés de donner, donner, donner. La vérité, c'est qu'il n'est pas facile du tout d'élever un enfant, même lorsqu'on n'est pas seul pour le faire. Lorsqu'on l'est, l'épreuve frise parfois l'intolérable. C'est justement à de tels moments qu'il faut vous assurer que les besoins de votre bébé passent effectivement en premier. Ça ne servira à rien de vous lamenter plus tard sur vos regrets.

Alice a besoin d'un véritable exutoire pour certains des sentiments qui l'agitent. N'ayant pas de conjoint, elle doit trouver quelqu'un dans le giron de qui s'épancher, quelqu'un qui saura se mettre à sa place. En ma qualité de pédiatre, je reste cependant l'avocat du bébé. Dieu merci, il y a aussi des moments de grande joie et ces vagues de tension finissent toujours par passer.

Ma prochaine entrevue avec Alice a lieu lorsqu'elle m'amène une Tina fiévreuse, qui souffre pour la première fois d'une infection des voies respiratoires. Lorsque j'ai examiné la petite et prescrit un traitement, Alice me déclare : « Bon, eh bien, j'imagine que tout ça est ma faute. Si je ne la laissais pas avec tous ces gosses enchifrenés, elle n'attraperait pas ce genre de saleté. » Je m'insurge : « Je sais bien que vous ne pouvez pas vous empêcher de penser que tout ce qui lui arrive dépend entièrement de vous, mais tous les enfants attrapent des rhumes et ils ont besoin de se fabriquer un système de défenses immunitaires pour lutter contre ces infections. Tina aura besoin du sien un peu plus tôt, voilà tout. — En tout cas, je suis aux petits soins pour elle, me réplique Alice, alors ni vous ni moi ne pouvons imputer ces rhumes au fait qu'elle est négligée ! »

Ces brusques flambées de colère, lorsque la jeune femme se sent acculée par les pressions de son double rôle, sont inévitables et compréhensibles. Cette colère lui insufflera d'ailleurs l'énergie nécessaire pour faire face aux demandes de sa carrière et de sa maternité. L'important, c'est que ce ne soit pas Tina qui en fasse les frais.

7

Les McNamara

Lorsque Ann est obligée de retourner travailler, son bébé commence à peine à lui faire l'effet d'une véritable personne. Elle n'ose, cependant, prolonger son congé au-delà des six semaines qu'on lui a accordées. En effet, une de ses collègues à la banque, qu'elle a contactée pour savoir si elle peut risquer de tirer un peu sur la corde en demandant quelques semaines de plus, l'avertit que leur patron est passablement énervé et parle de supprimer « certains emplois ». À son avis, Ann a donc tout intérêt à revenir à la date prévue. Ann est affolée à l'idée de perdre sa place. John et elle tirent déjà le diable par la queue avec un seul enfant, alors que va-t-il se passer maintenant qu'ils en ont deux ? Si elle était licenciée, ils seraient vraiment dans de mauvais draps.

Le petit Danny passe de bien difficiles moments au jardin d'enfants de la crèche. Sa maîtresse dit à Ann qu'il passe le plus clair de son temps assis dans un coin à sucer son pouce et ne participe aux jeux de ses petits camarades que si on l'y incite activement. Ann pense qu'il est encore perturbé par l'arrivée de son frère. La maîtresse demande aux McNamara de le soutenir tout particulièrement, afin de l'aider à surmonter ses difficultés. Lorsque Ann en parle à son mari, il perd sa patience habituelle : « Qu'est-ce que tu veux que je fasse de plus que ce que je fais ? Bien sûr qu'il passe par une mauvaise période. Et il n'est pas le seul. Nous n'avions vraiment pas besoin d'un autre enfant ! »

Certains jours, Ann a tant de peine pour son fils aîné qu'elle le garde avec elle à la maison. Chaque fois qu'elle s'assoit quelque part, il vient aussitôt se blottir contre elle et suce son pouce, en la regardant avec de grands yeux implorants. Il semble reprendre du poil de la bête quand son père est avec eux ou quand sa mère le félicite de l'avoir si bien aidée, mais elle ne parvient pas à repousser le sentiment de l'avoir trahi.

Timothy, heureusement, est un bébé modèle. Il passe son temps à dormir et à téter, si bien qu'Ann a parfois tendance à l'oublier un peu. Elle le laisse dans sa chambre la plus grande partie de la journée et ne l'amène dans la salle de séjour que le temps de lui faire avaler son biberon. Il tète sans se faire prier et elle a l'impression qu'il profite bien. À la fin du premier mois, cependant, il ne s'est pas vraiment imposé à son attention… sinon en tant que fardeau supplémentaire dans un foyer déjà harcelé par les difficultés. Les trois petites pièces paraissent bondées de vêtements, de lits et de gens. Elle a beau essayer désespérément de refouler de telles pensées, elle ne peut s'empêcher de se demander ce que leur réserve l'avenir. Les pressions vont-elles diminuer un jour?

Si elle avait pu allaiter son nouveau-né, cela aurait peut-être créé entre eux un lien un peu plus fort, mais elle n'a pas eu le courage de s'y résoudre. Elle sait bien qu'elle va devoir très vite retourner au travail et qu'elle a tout intérêt à ménager ses forces pour tenir le coup sur les deux fronts : professionnel et familial. De toute façon, se dit-elle, l'allaitement aurait risqué de créer une trop grande intimité. Quand on sait qu'on va devoir quitter son bébé pour retourner au travail, on ne peut pas se permettre de forger des liens trop étroits, car cela l'inciterait à attendre de la vie plus qu'elle ne peut lui donner. Sans compter que pour elle aussi, la coupure serait pénible.

Je suis convaincu que de nombreux parents travaillant au-dehors se prémunissent d'instinct contre une intimité avec leurs enfants, qui risquerait de se révéler douloureuse à l'heure trop vite venue de la séparation. John est obligé de travailler comme un damné, six jours par semaine, dix à douze heures par jour. Comment oserait-il envisager des rapports véritablement intimes avec ses deux fils? Quant à Ann, elle aussi doit faire passer son rôle de bête de somme avant celui de mère. Si nous voulons que les enfants et la vie de famille soient des considérations de première importance, nous devons réviser certaines de nos valeurs. Comment, m'objectera-t-on ? Les McNamara sont bien obligés de travailler. Ils sont trop fiers et bardés de principes pour accepter de vivre des allocations familiales. Pour ce jeune couple intègre et admirable, les allocations font, à juste titre, figure de dernier ressort. Nos programmes d'assurance sociale exigent que le bénéficiaire soit « économiquement faible ». Il faut se reconnaître « nécessiteux » ou « chômeur » si l'on veut avoir droit à la moindre prime. Or comment un tel constat d'échec risque-t-il d'affecter l'image que l'on se fait de soi-même ? Comment donner à nos concitoyens davantage de raisons de lutter pour le bien de la famille. Notre société dit, en substance, aux couples tels que les McNamara : « Laissez donc tomber » ou : « Vous êtes irresponsables de vouloir un autre enfant et, de toute façon, vous ne vous en sortirez sans doute pas. » Voilà ce que ces jeunes s'entendent dire, à un moment où ils ont besoin d'être rassurés et soutenus. L'une des réactions les plus naturelles est d'en vouloir à ce bébé, de lui transmettre le sentiment qu'il est un fardeau et déjà, de par sa seule existence, un raté. Les Américains ne peuvent plus se permettre ce genre d'attitude !

Étant donné que la crèche n'accepte de prendre Tim qu'à l'âge de quatre mois, Ann demande à sa mère de l'aider jusque-là. Cette dernière, cependant, a son propre emploi et de lourdes responsabilités chez elle, si bien qu'elle n'est vraiment pas en mesure de venir au secours de sa fille. Elle lui suggère de voir si sa sœur, la tante d'Ann, ne pourrait pas garder le bébé chez elle, avec ses deux petits-enfants de deux et quatre ans dont elle s'occupe. Peut-être que, si Ann et John proposent en échange une aide pécuniaire, elle acceptera. Il faudra aussi lui amener Tim et revenir le chercher. Il y a une demi-heure de métro, mais Ann sait bien qu'elle n'a pas d'autre solution. Sa tante n'est pas la personne qu'elle aurait choisie le plus volontiers, mais enfin elle est disponible et, pourvu qu'elle veuille bien s'en charger, le bébé sera physiquement bien soigné. Ann a l'impression de solliciter une grande faveur. Elle aurait préféré pouvoir choisir à qui confier son précieux poupon.

Sa tante lui réserve un accueil mitigé : « Je me doutais bien que tu allais me faire signe avant longtemps ; je savais qu'un deuxième enfant serait trop dur pour toi. » Et elle commence à se plaindre de la vie pénible qu'elle est obligée de mener elle aussi ; elle ne se rassérène que lorsque sa nièce lui offre cent dollars par mois pour s'occuper de Tim et s'engage à fournir en sus la nourriture du petit et ses couches.

Il doit être très désagréable d'avoir à marchander l'avenir de son fils. Le fossé entre les classes sociales n'est nulle part aussi évident que dans les mesures que notre société a prévues en faveur des enfants des classes moyennes et laborieuses. Même si l'on peut payer, il est difficile de faire garder son enfant dans d'excellentes conditions, mais du moins les couples « aisés » ont-ils un certain choix. Les familles des classes plus défavorisées en sont réduites à prendre ce qui se présente : le plus souvent une personne mal payée et peu ou pas qualifiée, qui n'aime ni son travail ni les bébés, si bien que ceux-ci passent le plus clair de leur temps alignés devant un téléviseur. Est-ce là un bon départ dans la vie, pour ces enfants et pour leur famille ?

UN EMPLOI DU TEMPS SANS RÉPIT

Ann commence sa journée dès l'aube. Elle doit se lever assez tôt pour faire déjeuner ses deux petits, emmener Tim chez sa tante, Danny à la crèche et arriver à l'heure à la banque. Il faut aussi préparer ce que Tim va manger et porter ce jour-là et prévoir le dîner du soir pour tous les trois. Lorsqu'elle arrive à son travail, elle a déjà plusieurs heures de dur labeur derrière elle et n'a pas le loisir de s'apitoyer sur elle-même, de se sentir épuisée ou de broyer du noir. Tout cela, cependant, ne lui laisse guère de temps pour se pencher sur la façon dont ses deux petits garçons s'adaptent à leurs situations respectives et c'est une pensée qui l'attriste énormément. Elle passe la plus grande partie de la journée à s'inquiéter pour eux et n'arrive pas à se concentrer pleinement sur son travail. Elle se demande ce qu'elle pourrait faire pour mieux les aider. Que ne donnerait-elle pas pour avoir le temps de s'asseoir tranquillement avec Tim dans les bras, le temps de câliner Danny ? Le luxe d'une véritable vie de famille semble confiné à la seule journée de samedi. Seulement, lorsque le samedi arrive enfin, il y a tellement de choses à faire dans la maison qu'elle n'a toujours pas le temps de se consacrer suffisamment à ses fils. C'est le seul jour qu'elle a pour préparer toute sa semaine : pour prévoir les repas, pour faire les courses, le ménage, la lessive et, en dernier lieu, pour s'occuper un peu des deux garçons. Tout semble conspirer pour les empêcher de passer de bons moments ensemble. Sa mère lui suggère une méthode : « Pourquoi ne pas te fixer pour le week-end un horaire aussi strict que durant la semaine ? Prévois une demi-heure avec Tim toutes les quatre heures, une heure avec Danny, le matin et en fin de journée, et une heure avec John dans la soirée. » Le reste du temps, elle pourra répartir ses diverses tâches. Ann fait la grimace à cette idée. Que peut-il y avoir de pire que d'être obligée de réglementer ses week-ends exactement comme les jours de semaine ? Cela donne l'impression que la vie n'est qu'une longue corvée, une suite ininterrompue de devoirs à remplir. Elle se sent de plus en plus déprimée.

Ce sont les enfants qui lui viennent en aide. Danny est si content d'avoir sa mère avec lui le week-end qu'il semble deviner intuitivement ce dont elle a besoin et retrouve un peu de sa bonne humeur. Il essaie même de lui jouer des tours et de faire le clown pour l'amuser. Elle lui sait gré de sa sensibilité et répond à ses efforts. Et son fils cadet, lui aussi, commence à sourire et à gazouiller quand elle joue avec lui. Il semble si prompt à réagir dès qu'on s'occupe de lui qu'elle montre à Danny comment s'amuser avec « son bébé ». Très vite, le garçonnet apprend à faire rire son petit frère mieux que quiconque.

Je suis toujours fasciné et comblé de voir à quel point les nourrissons sont sensibles à l'intérêt de frères ou sœurs à peine plus âgés qu'eux. Ils ont l'air tout spécialement « branchés » sur le comportement enfantin et semblent avoir moins de peine à se mettre au diapason que lorsqu'il s'agit d'un adulte. C'est une très bonne chose lorsqu'il existe une certaine jalousie entre frères et sœurs.

Ann s'aperçoit qu'elle peut très bien survivre en réduisant les travaux ménagers au strict minimum. Si elle réserve la majeure partie de son temps à ses fils, c'est autant de gagné pour tout le monde. Ce qui marche le mieux, c'est de commencer chaque partie de leur journée en se consacrant exclusivement à eux, quitte à différer les tâches plus prosaïques jusqu'au moment où les petits seront en train de jouer ou de dormir. D'ordinaire, ils ont besoin de toute son attention pendant un certain temps, relativement bref, après quoi elle peut se permettre de faire autre chose tout en continuant à communiquer avec eux. En revanche, si elle essaie d'expédier d'abord ses corvées, avant d'aller les trouver, rien ne va plus. Elle se rend compte de ce que c'est que de réserver des « instants privilégiés » à ses enfants : il faut être entièrement attentive à leurs besoins, se mettre sur la même longueur d'ondes et combler le vide initial. Ensuite, ils acceptent très bien qu'elle se partage entre eux et ses devoirs ménagers. Ils sont même tout à fait prêts à jouer à ses côtés pendant qu'elle s'active. Périodiquement, leur besoin d'elle revient à la surface et ils pleurnichent ou piquent même une vraie crise de larmes. Si elle s'arrête aussitôt pour les prendre dans ses bras et les câliner, le gros chagrin passe assez vite et elle peut reprendre la besogne interrompue. Elle apprend à connaître le rythme de chacun de ses fils et parvient presque à deviner à quel moment ils vont avoir besoin d'elle. Les week-ends s'améliorent sensiblement.

John aussi a besoin d'aide pour s'adapter à sa nouvelle famille. Ses heures de travail sont si longues et il rentre chez lui si fatigué qu'il a besoin de faire appel à toute son énergie pour prendre part à la vie familiale. Ann se résigne à le solliciter le moins possible, afin qu'il puisse se consacrer davantage à leurs fils. En fin de journée, une fois qu'il a dîné, elle le fait asseoir dans son fauteuil avec une bière et lui amène les deux petits garçons l'un après l'autre. La démarche est assez artificielle et elle doit tout calculer soigneusement, de façon que Tim et Danny ne se mettent pas à grincher juste au moment où leur père est disponible ; mais, quand tout marche bien, John se détend et prend énormément de plaisir à s'occuper de ses fils. Pendant le week-end, il commence lui aussi, sur les instances de sa femme, à réserver à chacun d'eux certaines plages de son temps.

Le rôle nourricier d'Ann l'oblige-t-il à régler ainsi le moindre détail de leur vie de famille ? John ne devrait-il pas se charger

*d'une partie de la planification? Dans les familles traditiona-
listes, telles que celle-ci, on s'attend encore à ce que ce soit la mère
qui assure le bien-être de tous les membres, même si elle a, elle
aussi, un métier. Sa propre satisfaction, Ann la tirera du fait que
tout son petit monde est heureux. Telles que sont les choses, John
se sent déjà acculé et il est très important pour ses petits garçons
qu'il établisse dès à présent des rapports positifs avec eux. Ann fait
donc preuve d'une grande sagesse en assumant cette responsabilité, même si les tâches ne sont pas également réparties.*

PROBLÈMES À LA CRÈCHE

Lorsque le bébé atteint ses quatre mois, la crèche que
fréquente déjà Daniel accepte de s'en charger. C'est un soulagement pour Ann que de ne plus avoir chaque jour cette heure
supplémentaire de métro jusque chez sa tante et cette dernière
n'est pas fâchée d'être libérée de cette responsabilité. Ann sait
qu'il y a une pouponnière à la crèche, mais elle ne l'a encore
jamais visitée. Le jardin d'enfants où Daniel passe ses journées
semble tout à fait à la hauteur et le petit garçon y est désormais
beaucoup plus heureux.

Il est enchanté à l'idée que son petit frère va venir avec lui.
Lorsque Ann amène Tim pour sa première journée, elle
remarque que la pouponnière est très sombre et qu'il n'y a
qu'une seule employée. Le long du mur sont alignés huit petits
lits dans lesquels elle aperçoit des bébés d'âges différents. Tous
se tournent pour la regarder lorsqu'elle entre avec son fils. Elle
ne trouve pas l'accueil qu'on lui avait promis. Elle avait espéré
faire le point sur la journée qui attendait Tim avec la responsable, mais celle-ci semble débordée et s'active à changer les
couches, si bien qu'Ann est finalement obligée de partir sans
avoir échangé deux mots, pour ne pas être en retard à son
travail.

*Le personnel des crèches devrait respecter le déchirement
qu'éprouve une mère attachée à son enfant, lorsqu'elle le leur*

laisse. Il faut l'encourager à expliquer l'horaire du bébé, la façon dont elle organiserait sa journée si elle en avait le loisir et même accepter qu'elle donne ses instructions. Pour la mère c'est un moyen de garder le contact avec son nourrisson. Ann aurait dû deviner que quelque chose n'allait pas en voyant que la responsable de la pouponnière n'avait même pas le temps de lui parler. Mais les mères qui travaillent ont une telle quantité de choses à faire et leurs tentatives de maintenir des liens étroits avec leur bébé sont si peu considérées que beaucoup d'entre elles se résignent à abdiquer en partie leurs responsabilités, ce qui est mauvais, à long terme, pour les rapports mère-enfant. Le personnel des crèches doit être sensibilisé à ce problème. Ann se fait du souci à l'idée qu'une seule personne doit s'occuper de huit bébés, mais son jugement est faussé par son sentiment d'impuissance.

La responsable continue à éviter Ann. Après avoir vainement passé toute la première semaine à tenter d'établir le dialogue, Ann commence à se sentir très mal à l'aise. Elle remarque que Timothy a le derrière tout gercé à force de rester dans des couches mouillées et pourtant la femme semble passer son temps à changer les enfants. Le petit garçon est de plus en plus éteint. Lorsque Ann le ramène à la maison, il se met à fuir son regard et ses étreintes qui ont l'air de le désarçonner. Pendant le trajet du retour, elle essaye de jouer avec lui, mais il se fatigue très vite. Lorsque Daniel parle trop fort ou trépigne, elle remarque que Timothy a un mouvement de recul, fronce les sourcils et se tourne vers le mur. Chaque jour, il paraît devenu un peu plus sensible et facile à décontenancer. Il est tout pâlot et mange du bout des lèvres. Elle essaie de lui parler pendant le biberon, mais aussitôt il se rembrunit, détourne le regard et, si elle persiste, se met à vomir. En voyant à quel point il est sensible aux bruits extérieurs, elle a tendance à le laisser dans sa chambre. Si elle tente de jouer avec lui, il porte son pouce à sa bouche, se protège les yeux de son autre main et tente de se détourner d'elle. Elle impute ce comportement au fait qu'il est perturbé par la nécessité de s'adapter à sa nouvelle situation. Mais, à mesure que les jours passent, l'état de Timothy empire · il est de plus en plus lointain, facilement affolé et triste. Ann se sent envahie par l'angoisse. Tim n'avale plus que la moitié de son biberon, alors qu'il le finissait d'une traite quinze jours auparavant. Elle se demande s'il est malade.

Lorsqu'il rentre à la maison, John assure à sa femme que ce n'est pas ce manque d'appétit passager qui va faire du mal à leur fils. Ann est de plus en plus inquiète, cependant, et finit par emmener Tim au dispensaire le plus proche de chez eux. Non seulement il n'a pas pris de poids, mais il a perdu environ deux cents grammes. Elle demande à l'infirmière qui la reçoit si elle pense que le bébé pourrait souffrir de quelque chose. L'infirmière préfère le montrer au pédiatre. Tous deux prennent les symptômes de Tim très au sérieux et font une prise de sang à des fins d'analyse. Les résultats sont normaux. Physiquement, tout a l'air d'aller, mais ils trouvent, eux aussi, que le bébé paraît déprimé. Tandis qu'ils reviennent sur son cas avec Ann, elle leur parle de la mauvaise impression que lui a fait la pouponnière. Ils se demandent si ce n'est pas la raison de l'état de Timothy.

Un bébé peut souffrir de dépression au même titre qu'un adulte. Lorsque la personnalité d'un nourrisson se modifie du tout au tout, lorsqu'il commence à éviter les contacts personnels plutôt qu'à les rechercher, à manifester une sorte d'hypersensibilité aux bruits, aux visages et aux échanges, il faut peut-être y voir un signe que son environnement n'est pas suffisamment nourricier. S'il perd en outre du poids, on le classe parmi les bébés qui ne « profitent » pas. C'est un syndrome qui affecte les bébés insuffisamment stimulés, privés de stimulation personnelle ou parfois, au contraire, trop stimulés. Ou bien Tim ne reçoit pas toute l'attention dont il a besoin, ou il la reçoit sous une forme qui le dépasse. On voit de ces bébés dans les garderies où personne n'a le temps d'apprendre à connaître chaque enfant et d'établir avec lui des rapports individualisés. René Spitz a décrit certains orphelinats où les nourrissons passent la journée dans leurs berceaux sans que quiconque se donne la peine de communiquer avec eux, sauf au moment des tétées. Il a appelé leur état « dépression anacliti-

que », *caractérisé par un retrait du monde de la part de l'enfant qui n'espère plus recevoir l'attention dont il a besoin pour sa croissance. Il va non seulement cesser de prendre du poids, mais en perdre, et cela en dépit d'un apport calorique tout à fait suffisant. Son corps n'utilise plus correctement la nourriture. Ses systèmes immunitaires finissent par être touchés et nombre de ces bébés confiés à l'assistance publique meurent de simples affections concomitantes qui n'auraient jamais pu avoir un tel effet si les nourrissons n'avaient pas été minés par la dépression.*

Comment Timmy a-t-il pu sombrer aussi vite ? À son âge on n'a guère de moyens de se défendre contre un environnement insuffisamment nourricier. Tim peut protester, en pleurant longuement pour obtenir ce qu'il voudrait et qu'il n'a pas. Si ces pleurs restent sans résultat, il risque tout simplement d'abandonner la lutte. Nous voyons parfois cela arriver à des petits bébés hospitalisés qui ne sont pas assez entourés sur le plan affectif. Ensuite, le stade ultime de cette adaptation au « manque » est de se tourner vers l'intérieur et de restreindre toutes les réactions extériorisées, de se contenter d'exister à l'état végétatif. C'est la forme la plus aiguë de la dépression. Il est probable que Tim passe la journée entière quasiment sans le moindre contact. Le contraste est tellement flagrant par rapport à l'environnement qu'il a connu chez lui auparavant et qu'il retrouve encore le soir en rentrant qu'il en est profondément perturbé.

ANN PASSE À L'ACTION

Ann, affolée et furieuse, ne se sent plus du tout impuissante. Elle décide d'aller constater par elle-même comment se passent les journées de Tim à la crèche. Ayant demandé un jour de congé pour urgence familiale, elle rend plusieurs visites à son fils, à différentes heures. Pas une seule fois elle ne voit la responsable s'occuper de faire jouer les bébés. Certains, allongés dans leur petit lit, contemplent le plafond ; les autres, en position assise, regardent l'unique source de stimulation de la pièce, un téléviseur tonitruant, devant lequel est aussi installée l'employée surmenée qui, avec des gestes d'automate, fait téter les enfants dont elle a la charge, l'un après l'autre. Pendant qu'elle les nourrit ainsi, elle leur accorde à peine un coup d'œil et il n'est pas question qu'elle leur parle ou joue avec eux. Et bien sûr, dans ses bras, aucun des nourrissons n'essaie de lever la main pour lui toucher la figure ou tenter de lui fourrer les doigts dans la bouche. Ils n'espèrent visiblement pas la moindre réaction de sa part, car elle est aussi déprimée qu'eux. Ann regarde autour d'elle et tente quelques ouvertures auprès des sept autres poupons qui l'entourent ; elle obtient aussi peu de résultats qu'avec Tim. Chaque bébé, l'air à la fois hébété et dépassé, se détourne d'elle. Seule une petite fille toute bouclée parvient à se ressaisir suffisamment pour lui adresser un semblant de sourire.

Ann est catastrophée par cette expérience. Sa première réaction est de se rendre séance tenante chez la directrice de l'établissement pour faire un scandale, mais presque aussitôt, elle réfléchit qu'elle risque de passer pour une « enquiquineuse » et d'être priée de confier ses enfants à une autre crèche. Pourtant, elle se sent responsable envers les sept autres nourrissons et leurs parents qui sont peut-être aussi crédules qu'elle pour avoir laissé une pareille situation se prolonger. Elle pense en outre à Danny et décide d'aller voir si le reste de la crèche fonctionne de façon aussi déplorable que la pouponnière. Dans ce cas, il faudra qu'elle trouve un moyen de contacter les autres parents, afin que les protestations soient générales et, partant, plus efficaces.

Mais non : les autres salles sont fort différentes. La garderie des tout-petits est pleine de rires et de gaieté. Les douze bambins rient aux éclats en jouant à « Dansons la capucine » avec les trois puéricultrices. Ann passe ensuite le nez au jardin d'enfants, où se trouve Daniel : là aussi l'atmosphère est joyeuse et détendue. Il y a deux grands groupes de quatorze enfants de trois ans. Les deux maîtresses et leurs trois jeunes assistantes réussissent à merveille, semble-t-il, à distraire leurs petits élèves. Chacune des assistantes a quelques chouchous avec qui elle joue. Ann est soulagée d'apercevoir Daniel au milieu d'un groupe particulièrement actif. Une petite fille se tient toute seule dans son coin, l'air triste. Ann voit l'une des assistantes et deux enfants s'efforcer de rompre son isolement. Dans l'autre pièce, deux petites filles assises à l'écart semblent bouder le grand groupe tapageur que forment leurs camarades. L'une des maîtresses les surveille du coin de l'œil et leur demande de temps en temps si elles ne veulent pas venir se joindre aux autres. Ann est aussitôt frappée par l'atmosphère très différente qui règne dans toutes ces pièces où les enfants s'intéressent à leurs jeux et les uns aux autres et s'amusent comme des petits fous. Pour un peu, elle prendrait volontiers part à l'allégresse générale. Il fait bon voir ces adultes protéger activement l'individualité de chaque enfant. Ici, il ne reste plus trace du climat débilitant de la pouponnière.

Ann se fait un tel souci à ce sujet qu'elle trouve au fond d'elle-même des ressources et des capacités insoupçonnées. Avant d'alerter les autres parents, elle décide de voir ce que l'on peut faire. Elle sait qu'il y a plusieurs choses qui clochent dans la situation actuelle : 1. Une personne seule ne saurait suffire à la tâche ; 2. L'actuelle responsable est elle-même déprimée et ne s'intéresse pas aux bébés ; 3. Enfin aucun véritable emploi du temps ou programme n'a été prévu pour ces nourrissons. Ann va voir la directrice. Elle a déjà décidé que, en se montrant agressive, elle risque de mettre son interlocutrice en colère et sur la défensive ; elle se force donc à rester calme et terre à terre.

Elle commence par faire l'éloge des autres pièces qu'elle a visitées. Elle explique combien elle est satisfaite de voir un personnel aussi nombreux et respectueux de la personnalité des enfants. Elle est très reconnaissante à toutes ces personnes de ce qu'elles font pour Daniel. Il lui est si pénible de se séparer de ses deux fils qu'elle est d'autant plus heureuse d'avoir trouvé une crèche où l'on s'intéresse de si près à chaque enfant.

Puis elle demande à la directrice si elle n'est pas un peu troublée de savoir qu'il n'y a, dans la pouponnière, qu'une seule puéricultrice pour s'occuper de huit bébés. La directrice répond par un flot inattendu de paroles : « Nous n'arrivons pas à trouver qui que ce soit pour cette pouponnière ! Nous ne pouvons offrir qu'un salaire de misère et personne n'accepte de se charger pour si peu d'un travail aussi ingrat. C'est une telle corvée de faire téter et de changer des bébés ! De toute façon, je ne dis pas ça pour vous, évidemment, mais quelle mère laisserait son enfant pour aller travailler, à moins de mourir littéralement de faim ? Je crains bien que la plupart des gens que je pourrais engager ont le sentiment que les mères devraient être chez elles en train de s'occuper de leurs gosses. La pauvre femme que nous avons à présent a absolument besoin de cet emploi ; son mari est en train

de mourir. Nous l'avons eue au rabais, si j'ose m'exprimer ainsi ;
mais elle a huit bébés sur les bras, la malheureuse. Je sais bien
qu'elle est déprimée, mais les petits, eux, n'en savent rien, pas
vrai ? Ça n'a pas marché du tout avec les enfants plus âgés : ils ne
l'aimaient pas. C'est pour cela que nous l'avons affectée à la
pouponnière. Vous pensez bien que j'aimerais mieux avoir au
moins une autre personne, pour que les bébés aient davantage
l'occasion de sortir de leurs lits et de jouer. Mais nous faisons du
mieux que nous pouvons, avec les moyens du bord. »

*Les partis pris de ce genre contre les mères qui travaillent,
quoique habituellement moins conscients que dans le cas présenté
ici, affectent la façon dont les bébés sont traités. « Les petits n'en
savent rien » est une idée si dangereuse et si démodée qu'on se
pose des questions sur les facultés de jugement de la directrice.
Cela dit le personnel des crèches, même au niveau directorial, est
si mal payé et si peu considéré que la profession n'attire
évidemment pas les meilleurs éléments. C'est une chose qu'il faut
changer si nous voulons protéger le développement futur de nos
bébés. Un adulte sous-payé et surmené n'est pas apte à offrir aux
tout-petits ce dont ils ont besoin. Il s'agit d'une période critique,
durant laquelle les nourrissons apprennent les schémas d'interaction et acquièrent la « confiance fondamentale » nécessaire à leur
future croissance cognitive et émotionnelle. Un bébé aussi privé
d'attention que l'est Tim à la crèche risque d'en conserver une
grande fragilité sur le plan du développement social.*

Ann quitte le bureau de la directrice, bien décidée à faire
quelque chose. Elle éprouve une conviction et une assurance
dont elle n'est pas coutumière. Elle se procure une liste des
parents de tous les bébés et va voir la maîtresse de Daniel, pour
laquelle elle a le plus grand respect. Elle préfère présenter
d'abord son projet à une personne concernée qui connaît bien la
crèche, pour connaître sa réaction. Lorsque Ann lui explique la
situation à la pouponnière, son interlocutrice est bien entendu
consternée. Elle aussi estime qu'il faut agir. Ann déclare : « Si
c'est une question d'argent et de trouver une autre personne à
engager, pourquoi ne pas consulter les parents ? Dieu sait que
nous ne pouvons pas nous permettre de payer des sommes folles,
John et moi, mais il nous est impossible de laisser Timmy ici

telles que sont les choses. Si tous les parents se réunissaient, croyez-vous que la directrice accepterait notre aide ? Elle donne l'impression de se désintéresser de la pouponnière. » La puéricultrice pense que cela pourrait marcher et encourage Ann à organiser une réunion des parents. Elle promet d'en expliquer la raison à ses collègues ainsi qu'à la directrice.

Ann téléphone à chacun des parents qui se trouvent sur sa liste pour demander si récemment le comportement de leur bébé ne les a pas inquiétés. Tout le monde paraît surpris. Les réponses varient : « Je pensais simplement qu'en prenant de l'âge, elle devenait plus calme. » « Vous savez, pour moi c'est un soulagement qu'il se soit assagi. Depuis qu'il est né, c'est un vrai râleur. » En tout cas, tous lui assurent qu'ils ne peuvent absolument pas se débrouiller sans la crèche et qu'ils ne voient vraiment pas ce qu'ils pourraient faire. La majorité n'a aucune envie de « faire de vagues » de peur que la directrice ne décide de fermer la pouponnière. « Et alors, nous serions dans de beaux draps ! »

Ann propose de mettre sur pied une rencontre avec la directrice et tout son personnel : « Pas du tout pour se plaindre, mais pour essayer de voir ensemble ce qu'on peut faire. » Certains se montrent enthousiastes, d'autres résignés. Cela inquiète beaucoup Ann. Elle n'a pas l'impression que les autres se sentent solidaires ni même qu'ils comprennent ce qu'une telle situation peut signifier pour l'avenir de leurs enfants.

John lui-même est d'avis qu'elle est en train de se fourvoyer dans un vrai guêpier. Un mot de trop et ils risquent de se faire éjecter comme des malpropres. Ann n'est pas rassurée, mais elle se fait trop de souci pour Tim pour accepter ce qui se passe sans protester. En attendant, elle redouble d'efforts auprès de son petit garçon. Elle apprend à reconnaître quand il est dépassé par ses tentatives et quand il est capable d'y répondre. Si elle le berce doucement, en chantonnant d'une voix douce et sans le regarder, il finit par se détendre et par savourer l'intermède. Si elle y met trop d'intensité ou le regarde pendant qu'elle chante, il se raidit et se détourne. Quand il en a assez, il bâille et hoquette, ses bras et ses jambes s'amollissent et il détourne la tête. Chaque jour, elle obtient des résultats un peu plus encourageants et il commence à avoir meilleure mine. Il reprend des couleurs, retrouve doucement le sourire et se remet à regarder sa mère et à se tourner vers son grand frère quand celui-ci lui parle. À la maison, les forces et l'intérêt commencent à lui revenir.

Les recherches que nous avons faites auprès des prématurés et des bébés malades et fragiles nous ont permis de constater qu'il est très facile de les surmener en leur proposant une stimulation excessive ou trop brusque. Ils font savoir quand ils en ont assez. On peut communiquer avec eux à un niveau donné — par le toucher, la voix, le regard ou en les berçant — mais pas plus d'un à la fois. Ces bébés préféreront une approche en douceur et, s'ils sont tout de suite trop sollicités, ils risquent de « décrocher » ou même de vomir. Pour nous, c'est le signe d'un système nerveux fragile, certes, mais néanmoins ouvert à l'information et à l'apprentissage. Seulement, si la nouvelle expérience doit être positive, l'enfant doit être à même d'avancer à son propre rythme. Chez un nourrisson déprimé ou insuffisamment stimulé, les systèmes digestif, cardiaque, respiratoire et nerveux sont tous très facilement débordés. Le fait que Timothy soit capable de se remettre si vite témoigne de la solidité foncière de l'organisme humain ; et, en comprenant si vite de quoi il avait besoin, Ann a fait la preuve de sa sensibilité et de ses qualités de mère.

La réunion entre les parents et les employées de la crèche aurait pu tourner au désastre, car, au début, ces dernières semblent être sur la défensive. C'est Ann qui assume le rôle de porte-parole. Elle sait, dit-elle, qu'ils désirent tous que les enfants soient heureux. Elle est très consciente de tout ce que fait le personnel et de la difficulté de sa tâche. Les enfants plus âgés font une expérience très réussie à la crèche, mais il semble que la pouponnière ne bénéficie pas de tout le soutien voulu de la part des parents. Pourraient-ils, tous autant qu'ils sont, aider à trouver une deuxième employée qualifiée et sensible et participer eux-mêmes à la vie de la pouponnière ? Chaque couple pourrait prévoir une demi-journée de présence. John et elle sont prêts à venir y passer une demi-journée chacun. Cela l'obligera à demander un aménagement de son horaire à la banque qui l'emploie, mais elle est prête à courir ce risque. Plusieurs autres parents finissent par suivre son exemple. Puis une des puéricul-trices suggère de faire appel à un conseiller qui établirait un emploi du temps pour les nourrissons. Elle cite Bruno Bettel-heim : « L'amour ne suffit pas » et reconnaît qu'il faut absolu-ment structurer davantage leur journée à la crèche. Ann fait alors remarquer que le fait d'engager une seconde employée risque fort de coûter plus cher aux parents concernés, à moins de pouvoir compter sur une subvention extérieure. La directrice a-t-elle des suggestions à faire dans ce domaine ? Pour que le projet réussisse, il faut que chacun y mette du sien, mais les bébés en valent la peine, n'est-ce pas ? Elle se montre si éloquente que le personnel l'applaudit et que les autres parents commencent à se sentir moins impuissants. Lorsque la réunion prend fin, tout le monde se propose de mettre la main à la pâte. Ann a l'impression de s'être découvert une nouvelle personnalité durant cette crise.

La directrice de la crèche se lève : « C'est exactement le genre d'aide dont nous avons besoin de votre part. Mme McNamara est venue visiter notre pouponnière et elle a pu se rendre compte des problèmes auxquels nous devons faire face. Nous avons besoin d'un surcroît de personnel et de fonds et nous tenons beaucoup à ce que vous participiez tous. J'ai calculé que nous pourrions répartir les frais encourus sur l'ensemble de nos frais de fonctionnement. Pour la pouponnière, il nous faudra dix dollars de plus par semaine pour chaque bébé, mais peut-être pourrons-nous les trouver par ailleurs. Si chaque parent peut venir aider une demi-journée par semaine, nous devrions arriver à nous débrouil-ler jusqu'à ce que nous puissions engager deux personnes valables et qualifiées, je vous le promets. » Cette solution se révèle tout à fait praticable et la pouponnière fait très vite figure de modèle du genre. Une autre puéricultrice a eu l'idée d'engager une étudiante de l'université locale, spécialisée dans le développement infantile, et les parents se concertent pour trouver la meilleure façon d'aider. Ils unissent leurs efforts à ceux du personnel de la crèche pour atteindre un objectif commun.

L'une des grandes difficultés dans le système de la crèche est d'obtenir que les parents restent concernés. À force d'avoir affaire à des parents passifs et distants, les responsables finissent par être découragés et par abandonner la lutte. Une certaine rivalité entre le personnel de la crèche et les parents est inévitable, mais elle peut très facilement se transformer en coopération enrichissante.

Cette réunion va changer la vie de la crèche. La pouponnière suscite assez vite un tel intérêt que des familles et des puéricultrices de l'extérieur viennent voir ce qui s'y passe. Ann se fait un peu l'effet d'une héroïne.

PARTICIPER À LA VIE DE LA CRÈCHE

À sa vive surprise, Ann apprend que la direction de sa banque est disposée à lui octroyer une demi-journée par semaine pour aider à la crèche. C'est une véritable fête pour elle. Non seulement elle est ainsi en mesure de se consacrer à Timmy et à deux ou trois autres bébés, mais elle a en outre l'occasion de voir Danny, qui est tout fier de la présence de sa maman dans « son école ». Ann s'installe au milieu de trois bébés assis dans des chaises pour jouer avec eux. Ils agrémentent les chansons qu'elle leur chante de glapissements de leur cru et bientôt tous quatre roucoulent à qui mieux mieux. Puis elle leur propose un joujou qu'ils apprennent à saisir et à faire passer d'une main à l'autre, une fois qu'Ann leur a montré comment faire. Très vite, elle parvient à les faire communiquer. Ils regardent Ann, se regardent les uns les autres, puis ils se mettent à échanger des petits rires et des roucoulades. Par terre, les bébés de huit mois s'approchent à quatre pattes les uns des autres pour se toucher les bras, la figure, les cheveux. Ann doit bien souvent détacher un petit poing crispé sur une partie quelconque d'un autre enfant. Tout en les contemplant, elle se rend compte du plaisir qu'elle prend à les observer et à apprendre à les connaître, libre de toute autre espèce de responsabilité. À l'heure de la sieste, ou à la fin de sa demi-journée, elle a l'occasion de passer un moment avec les puéricultrices pour discuter du comportement des nourrissons et de tous les événements dont elle a été témoin. Cette faculté de participer à la vie des enfants lui permet d'accumuler toutes sortes d'expériences passionnantes.

LE BÉBÉ EST UNE PERSONNE

Peu de temps après, Ann laisse pour la première fois Tim à Mme Kahn, qui vient d'être engagée pour s'occuper de la pouponnière. Elles s'asseyent toutes les deux. « Dites-moi donc un peu quel genre de personne est Tim. Quel est son caractère ? À quelle heure aime-t-il manger et dormir ? Quels sont ses joujoux préférés ? » Mme Kahn, le crayon à la main, se dispose à prendre des notes. Ann est prise de court. Pour elle Tim n'est pas encore vraiment une « personne ». Elle le considère comme un « bébé » dont elle doit satisfaire les besoins. Jusqu'à présent, elle n'a jamais vraiment eu le temps — ni le désir — de voir en lui autre chose qu'un nourrisson.

C'est un des problèmes sérieux qui se posent quand on est obligé de confier trop tôt son enfant à d'autres personnes. Accablée par ses multiples responsabilités, Ann n'a pas eu le temps de s'intéresser à son cadet en tant qu'individu. Certes, elle a bien dû pressentir chez lui certains traits de caractère, mais elle n'a pas eu l'énergie nécessaire pour concentrer son attention sur lui de ce point de vue. Peut-être inconsciemment la certitude d'être très vite obligée de le partager l'a-t-elle dissuadée de voir en lui une petite personne bien particulière qui risquerait d'éprouver certaines émotions en se retrouvant confié à quelqu'un d'autre. Six semaines de congé de maternité, ce n'est vraiment pas suffisant. Si Ann avait pu passer quatre mois chez elle, peut-être aurait-elle osé faire la connaissance de Tim et aider Danny à s'adapter à la nouvelle situation avant de le renvoyer à la crèche à sa propre convenance. Si elle avait pu franchir le cap des crises de larmes, de la réadaptation physique et psychologique, toute la famille ne s'en serait que mieux trouvée. Et si John avait pu se permettre de prendre environ deux mois de congé chez lui, pour s'habituer à sa nouvelle famille, combien leur avenir à tous eût été différent !

Tandis qu'elle confie à Mme Kahn un maximum de détails concernant Tim, les yeux d'Ann s'embuent et sa voix s'étrangle Elle a si bien veillé à se dominer tout au long de la crise qu'elle ne s'est pas rendu compte de la profondeur de ses sentiments. Elle explique que c'est un petit bonhomme costaud et facile à vivre, qui aime avoir son biberon bien à l'heure. Instinctivement, elle le serre contre elle, désolée de ne pas mieux le connaître. La responsable lui assure qu'elle prendra tout spécialement soin de lui et qu'il sera prêt pour le retour de sa maman en fin de journée. Ann sent qu'elle le laisse entre de bonnes mains, mais elle se rend compte une nouvelle fois qu'elle a à peine eu le temps de l'avoir à elle avant d'être obligée de le confier à une autre. Elle repense à l'année entière qu'elle a pu passer chez elle avec Danny, après sa naissance, et regrette de ne pouvoir en faire autant pour son second fils.

Sa journée à la banque lui fait l'effet d'être la plus longue de sa vie. Toutes les deux minutes, elle est sur le point de téléphoner à la crèche, mais elle parvient à se maîtriser. Enfin, l'heure est venue d'aller chercher ses deux garçons. Les mains tremblantes, elle n'arrive pas à boutonner son manteau et ne sait plus où elle a mis sa carte d'autobus. Durant le trajet, elle a l'impression que le conducteur ne se sortira jamais des embouteillages. Dès son arrivée à la crèche, elle se précipite d'abord auprès de Danny. Il se cramponne à elle : « Je t'ai cherchée, pleurniche-t-il. Où étais-tu ? » Elle lui explique qu'elle est juste un peu en retard, mais elle voit bien qu'il a l'esprit ailleurs. Il a eu peur qu'elle ne soit partie avec son petit frère. Devinant la raison de son angoisse, elle s'empresse de lui préciser qu'elle n'était pas non plus avec le bébé. « Je sais bien, répond-il. Je suis allé voir Timmy. » La maîtresse confirme à Ann qu'il a absolument voulu voir ce que devenait son frère et qu'on a dû l'emmener jusqu'à la pouponnière. Elle l'a même félicité de veiller ainsi sur son cadet. Ann sait bien que cette sollicitude cache la véritable hantise de Danny : que sa mère ramène Tim à la maison sans lui.

Lorsqu'ils arrivent dans la pouponnière pour récupérer le bébé, elle a la présence d'esprit de le mettre aussitôt dans les bras de son frère. Puis elle les serre tous les deux contre elle, en s'écriant : « À présent, nous voilà tous réunis ! » Dan se tortille pour lui échapper et aller jouer un peu plus loin, ce qui permet à sa mère de câliner un instant le plus jeune de ses fils. Il lui paraît un peu trop placide et elle s'aperçoit qu'elle cherche instinctivement tout ce qui peut clocher. Mme Kahn lui assure que c'est un vrai petit ange, qu'il n'a pas pleuré un seul instant et qu'il a fini tous ses biberons, mais Ann s'interroge : Mme Kahn l'avertirait-elle si quelque chose n'allait pas ?

Lorsque Mme Kahn déclare que Tim est un « petit ange », Ann se demande si elle ne cherche pas tout simplement à la rassurer. La vérité, c'est que, dès l'âge de quatre à six semaines, les bébés savent clairement faire la différence entre les personnes qui s'occupent d'eux. Grâce à la sensibilité de sa mère et à l'attitude plus motivée de la nouvelle puéricultrice, le petit garçon va probablement très vite reprendre le dessus.

FIN DE JOURNÉE

À peine Ann est-elle installée dans l'autobus avec ses deux fils qu'ils commencent à faire des leurs. Dan se montre négatif, maussade, insupportable. Timmy oscille à tout instant entre l'apathie et les pleurnicheries. Le retour à la maison se termine en catastrophe et ils ont tout juste le temps de franchir le seuil de leur appartement avant que les enfants ne se mettent à hurler tous les deux : Danny pour que sa mère s'occupe de lui et Tim pour avoir son biberon. Épuisée, Ann fond en larmes à son tour et Danny, horrifié, se tait instantanément pour la regarder. Au bout de quelques secondes, il va jusqu'au réfrigérateur d'où il sort le biberon préparé à l'avance pour son petit frère et le rapporte à sa mère. Elle s'assoit dans un grand fauteuil à bascule, attire Danny sur ses genoux et le serre contre elle. Lui aussi se cramponne et elle reste là un long moment, à se balancer, avec ses deux fils dans les bras. Finalement, sans cesser ce mouvement apaisant, elle commence à donner son biberon à Timmy. Le lait est froid, mais il l'avale sans protester et elle commence à reprendre son calme. Tandis qu'elle se ressaisit, Dan et Tim s'installent pour un délicieux câlin, nichés au creux de ses bras.

Le véritable problème, quand on doit travailler toute la journée, c'est qu'il ne vous reste plus assez d'énergie pour la soirée. Quand elle rentre enfin chez elle, Ann doit se sentir passablement vidée et lessivée. Or il faut beaucoup d'endurance pour tâcher de compenser toute une journée d'absence auprès de ses enfants. Cette fois-ci, le petit Dan lui a sauvé la mise par son geste de soutien. Ann avait besoin que quelqu'un s'occupe un peu d'elle. Tout est évidemment plus facile quand le père est à la maison pour aider sa famille durant ces périodes de transition, souvent assez rudes. Au fur et à mesure, Ann devra apprendre à se ménager, à garder suffisamment d'énergie pour pouvoir combler les besoins de ses enfants qui ne l'ont pas vue de la journée. Même s'ils se sont bien adaptés à la crèche ou au jardin d'enfants, ces lieux ne sauraient rivaliser, à leurs yeux, avec le plaisir d'être à la maison en compagnie de maman et papa. Par conséquent, il faut que la fin de journée soit, pour toute la famille, une période de réunion et de retrouvailles.

Un soir, quelques semaines plus tard, Ann est en train de faire dîner Danny, dans le plus grand calme, lorsque Tim se met à geindre. Elle se précipite pour voir ce qui ne va pas. Elle le change, lui présente un biberon, mais il le refuse, sans cesser de rouspéter. Incapable de supporter ses pleurs, elle en cherche frénétiquement la raison. Elle a tout simplement oublié qu'il a l'habitude de piquer une crise de larmes tous les soirs et que cet éclat en fait probablement partie.

Si une mère a dû laisser son bébé toute la journée, chaque imperfection, chaque contrariété prend des proportions démesurées. Je suis sûr que cela est dû à un mélange d'émotions : elle se sent coupable de devoir s'absenter, désorientée parce qu'elle ne sait pas tout ce qui s'est passé à la crèche et ne peut donc le contrôler, et enfin follement désireuse de pouvoir combler à nouveau tous les besoins de son bébé. Par conséquent, par sa façon quelque peu échevelée de chercher ce qui fait pleurer Tim, Ann s'efforce surtout de se remettre dans la peau de son rôle de mère et de sentir que Timothy a besoin d'elle.

Elle s'aperçoit que quand elle le porte dans ses bras, il paraît tout à fait rasséréné. Sa mère lui a fait cadeau d'un de ces sacs porte-bébé, qui vous laissent les mains libres, et elle y installe Tim avant de continuer à préparer le dîner de Daniel et le sien. Le gros chagrin se calme comme par miracle : niché contre sa mère, les yeux ronds, il la regarde s'activer. Chaque fois qu'elle baisse les yeux vers lui, il sourit et se tortille. S'il essaie de parler, elle parvient à renforcer sa tentative en imitant le bruit qu'il vient de faire. Jamais elle ne l'a vu aussi communicatif.

Nouvel exemple de la façon dont un bébé « met de côté » ses messages importants pour les communiquer à sa mère.

Ann a le sentiment qu'ils sont repartis du bon pied tous les deux et que Timmy a vraiment surmonté ses difficultés. Une fois qu'elle a installé son fils aîné devant son dîner, elle s'assoit à la table avec le bébé, en paix avec elle-même et avec le monde.

Ce soir-là, cependant, Tim se réveille et pleure à nouveau, de façon inconsolable, pendant une bonne heure. Ann se sent au bout du rouleau. Sa mère téléphone pour savoir comment s'est passée la journée. Elle lui parle de la crise de larmes de Timmy et sa mère lui assure que celle-ci n'est pas nécessairement liée au fait qu'elle l'a laissé toute la journée à la crèche. Elle se rappelle très bien que, pendant les deux semaines qu'elle a passées chez sa fille, il pleurait presque tous les soirs. Comme par magie, ces paroles dissipent les scrupules d'Ann qui se rend brusquement compte que ces pleurs ne sont pas, chez son fils cadet, un phénomène nouveau ni même inattendu.

Quand une mère doit se séparer d'un petit bébé, tout ce qui arrive à celui-ci semble éveiller son sentiment de culpabilité, son impression d'être responsable si son enfant est victime de la moindre mésaventure. Elle risque fort d'oublier quelles sont les étapes normales du développement et de se reprocher la plus infime vétille.

Dès qu'Ann a repris son calme, Tim en fait autant et, une fois qu'il a accompli le cycle normal de sa crise de larmes, elle le met au lit et il s'endort aussitôt. Elle a ensuite le temps de lire une histoire à Daniel, de le câliner et de le coucher, sans avoir le bébé au milieu.

Lorsqu'elle peut enfin se préoccuper de son propre dîner, elle est trop épuisée pour manger et s'écroule dans son lit dès 9 heures du soir. Elle n'entend pas le téléphone. C'est John qui l'appelle d'une ville voisine. Après avoir laissé longtemps sonner, il comprend qu'elle doit dormir à poings fermés. Avec un soupir, il réprime son désir d'être à ses côtés pour l'aider. N'ayant jamais connu une vie de famille chaleureuse, il ne rêve que de se retrouver chez lui avec sa femme et ses fils.

8

Faire garder son enfant

Lorsqu'on se trouve confronté à la nécessité de confier son précieux bébé aux soins de quelqu'un d'autre, il y a de multiples facteurs à considérer. Or, en raison du déchirement même qu'occasionne cette séparation, il est bien difficile de prendre des décisions claires et objectives.

UNE GARDE À LA MAISON

Dans bien des cas, l'idéal sera d'engager une personne qui viendra garder l'enfant chez vous. Pour un petit bébé, il sera sans doute plus facile de n'apprendre à connaître qu'un seul environnement. Les repères familiers rendront le bouleversement nettement moindre. L'enfant n'aura besoin de s'habituer qu'à une seule routine quotidienne. En contrepartie, il faut savoir que les gardes de ce genre coûtent cher, sont souvent difficiles à trouver, dépourvues de qualifications et que leur motivation ne coule pas toujours de source. On n'a que trop entendu raconter des histoires de gardes plantant le bébé dont elles ont la charge devant le téléviseur pour la journée, afin de pouvoir vaquer à leurs propres affaires. Il y a aussi le danger du « défilé », c'est-à-dire d'un trop grand nombre de personnes différentes se succédant à un rythme accéléré. Je recommande souvent aux mamans de chercher une garde qui ait des raisons valables de vouloir s'occuper de l'enfant d'une autre. Peut-être a-t-elle un petit bébé, elle aussi, ou bien d'autres raisons personnelles pour préférer ce genre d'emploi. Assurez-vous de sa tendresse et de son intelligence. Vérifiez *toujours* les références. Pour plus de précaution, passez chez vous sans prévenir, à divers moments de la journée, pour contrôler ce qui s'y passe. Ayez toujours un bon prétexte à fournir à la garde, de façon qu'elle n'ait pas l'impression d'être surveillée. Il est absolument essentiel que vous sachiez quel genre de soins reçoit votre enfant. Sinon, vous vous montrerez encore plus possessive et maniaque.

Comme je l'ai déjà signalé à plusieurs reprises, il est inévitable qu'un parent attaché à son bébé éprouve un sentiment de rivalité envers la personne qui s'en occupe. Il est tout à fait normal de répugner à partager son enfant et vos émotions se manifesteront de façon inattendue et souvent inconsciente. Rien de ce que fera la garde ne vous paraîtra jamais tout à fait satisfaisant. Elle portera le bébé maladroitement, ou lui donnera son bain de façon brouillonne. Ou bien elle sévira sur des points que vous jugerez mal choisis. Ou elle laissera traîner des vêtements sales. À moins que ses habitudes ne constituent un danger pour le petit, je vous incite vivement à ne pas intervenir. La garde éprouvera elle aussi envers vous des sentiments inconscients de rivalité et de ressentiment. Peut-être trouvera-t-elle de son côté que vous n'êtes pas faite pour vous occuper d'un nourrisson et qu'elle a intérêt à protéger le vôtre de vos curieuses méthodes d'éducation. Ou bien elle vous jugera paresseuse, ou elle estimera que vous gâtez votre enfant. Cette rivalité est exactement la même que celle qui surgit entre les deux parents. Bref, elle est normale et inévitable. Ne la laissez surtout pas envenimer vos rapports avec la garde.

Lorsque vous cherchez quelqu'un qui viendra garder votre bébé à la maison, tâchez de voir si elle respecte ou non la personnalité du nourrisson (attend-elle qu'il soit prêt pour lui faire des avances ?) et le stade de son développement (continue-t-elle à lui parler « bébé » alors qu'il a passé l'âge ?). Comprend-elle les besoins de l'enfant (répond-elle à ses questions avec sérieux ? Le prend-elle dans ses bras pour le consoler quand c'est nécessaire ? S'il cherche à attirer son attention, lui montre-t-elle qu'elle a reçu le message ?). Au Children's Hospital, certains responsables posent leur main sur celle de l'enfant lorsqu'il tente d'interrompre leur conversation avec sa maman. L'adulte n'a pas besoin de tout laisser tomber ni de s'interrompre, mais il est bon de laisser voir au petit qu'on ne l'oublie pas pour autant.

Dernier point, la candidate vous plaît-elle personnellement ? A-t-elle conscience de vos besoins à vous, lorsque vous lui abandonnez votre enfant, et les respecte-t-elle ? Est-elle prête à vous écouter lorsque vous voulez lui expliquer ce qui s'est passé durant la nuit ? Est-elle disposée à discuter avec vous le programme de la journée et la possibilité d'y faire figurer une longue sieste l'après-midi, afin que votre bébé soit frais et dispos lorsque vous rentrerez en fin d'après-midi ? Vous avez besoin de pouvoir passer quelques bons moments avec un enfant reposé et réceptif. Les « instants privilégiés » devraient être une récompense pour vous deux. S'il est épuisé et à bout de nerfs le soir venu, tous vos efforts pour ménager votre propre énergie auront été vains. Je me rappelle encore la remarque d'une mère que je questionnais à propos de la dame qui gardait sa petite fille. Elle s'est exclamée, sur un ton admiratif : « Oh ! C'est la générosité même ; elle me dit : " La petite est sur le point de faire ses premiers pas toute seule, j'espère qu'ils seront pour vous. " Or je sais que ma fille a déjà commencé à marcher en mon absence, mais je rêvais d'en être le témoin et cette femme le savait. Comme ça, quand ma fille fera quelques pas devant moi, j'aurais un peu l'impression que ce sont les premiers ! »

Si votre garde piaffe d'impatience lorsque vous rentrez chez vous le soir et ne prend même pas la peine de vous dire ce qui s'est passé dans la journée, méfiez-vous ! Je préférerais quelqu'un qui vous décrive les progrès de votre bébé avec autant d'enthousiasme que vous pourriez en mettre. Si elle est capable de vous expliquer de quelle façon l'enfant a maîtrisé une fonction donnée, vous pouvez être à peu près sûre qu'elle est profondément concernée et s'est totalement identifiée à votre bébé.

Cela dit, du point de vue de l'enfant, il n'est pas du tout impératif que la garde et vous-même fassiez les choses exactement de la même façon. Un bébé est capable de s'adapter à deux personnes radicalement différentes ; c'est d'ailleurs ce qu'il fait avec ses parents. Il apprendra très vite à vous réserver le comportement qui vous convient et à en faire autant pour l'autre personne. J'ai toujours eu le sentiment qu'il n'est pas nécessaire que les parents se concertent pour traiter leur enfant de façon identique. En tout état de cause, ce n'est même pas possible et le nourrisson perçoit très rapidement que cela sonne faux. Il en va de même pour une garde. Il faut absolument, en revanche, vous entendre suffisamment pour ne pas saper mutuellement votre travail auprès du bébé, car cela menacerait directement la confiance qu'il a en vous.

LA NOURRICE

Une autre solution est de confier votre bébé à une autre jeune maman qui prend plusieurs enfants en garde chez elle. Cela coûte généralement moins cher qu'une personne à domicile et il est en outre possible de contrôler un peu plus soigneusement la situation en vous mettant en rapport avec les autres familles qui utilisent les services de cette personne. Troisième avantage : votre bébé profitera de la compagnie d'autres enfants de son âge. S'il approche de son premier anniversaire, c'est un facteur très important. La deuxième année est celle où les enfants apprennent le plus au contact des autres, par le biais de l'imitation, des jeux parallèles et ainsi de suite. Votre enfant aura de bien meilleures chances de ne pas s'ennuyer. Si la personne responsable peut supporter de s'occuper de plusieurs bébés à la fois tout en se montrant sensible aux besoins de chacun, c'est sans aucun doute la meilleure méthode pour faire garder votre rejeton.

N'hésitez pas à discuter avec les autres parents. Essayez d'être présente pour les événements spéciaux de la journée, par exemple le départ des parents le matin et leur retour le soir. C'est à de tels moments que vous vous rendrez compte si la responsable est sensible à la personnalité de votre enfant et aux problèmes particuliers que soulèvent pour chaque parent cette séparation et ces retrouvailles. Jamais je ne laisserais mon bébé à quelqu'un qui me mettrait littéralement à la porte, sans nous donner la possibilité de nous séparer progressivement. Je voudrais aussi être sûr qu'elle s'attache à réconforter l'enfant désolé que sa mère vient de quitter, d'une manière adaptée au caractère du bambin. Les repas et les crises peuvent aussi être

des moments très révélateurs. La responsable a-t-elle conscience du niveau particulier de développement qu'a atteint chacun des petits dont elle s'occupe ? Donne-t-elle à l'enfant de dix mois le temps de manger avec ses doigts, à celui qui commence à marcher le temps de jouer avec ses aliments ? Étant donné que votre bébé se mettra très certainement à pleurnicher lorsque vous partirez, vous ne pourrez pas vraiment savoir comment il s'entend avec la personne qui s'occupe de lui, à moins de revenir à l'improviste un peu plus tard. Mais attention, ne laissez pas votre bébé vous voir, si vous n'avez pas le temps de rester. Ce serait trop demander à votre enfant que de vous voir partir deux fois.

LA CRÈCHE

Choisir une crèche pour votre enfant vous sera sans doute particulièrement pénible. Comment la perspective de l'y laisser vous remplirait-elle d'aise ? Même s'il est urgent que vous retourniez travailler, pour des raisons financières ou professionnelles, il est difficile de songer avec objectivité à arracher un petit bébé à l'atmosphère confortable et familière de son foyer.

Cependant, une bonne crèche peut vous offrir, à vous et à votre enfant, de multiples possibilités. Le bébé y trouvera de petits compagnons de jeu et votre conjoint et vous l'occasion de nouer des contacts avec d'autres jeunes couples qui travaillent. C'est souvent une excellente chose.

Les rapports qui se forment entre les familles fréquentant la même crèche font de celle-ci une communauté qui remplace, dans une certaine mesure, ce que nous avons perdu en renonçant à la vie de famille au sens large. Dans cette optique, il est évident que certaines conditions rapprochent des jeunes couples, des personnes plus âgées et de très jeunes enfants, qui n'ont aucun lien de parenté, mais à qui le fait d'appartenir à la même crèche donne un sentiment d'unité. Les avantages qu'en retirent les trois générations sont évidents. Cette solidarité les aide à résister aux pressions à double sens qui ont fait éclater tant de familles. En outre, dans les crèches où ces facteurs sont prioritaires, les

occasions de renforcer les bonnes méthodes d'éducation, de fournir de bons modèles et de bons conseils aux enfants et aux parents stressés sont considérables.

Les critères que je contrôle en premier sont : 1. La sécurité et la propreté ; 2. Un personnel qualifié, aimant les bébés et disposé à respecter leur personnalité ; 3. Des puéricultrices sachant de quelle espèce de stimulation et de moyens d'apprendre à connaître leur univers et à se connaître eux-mêmes les bébés ont besoin ; 4. Un personnel adepte des méthodes souples, prêt à s'adapter aux rythmes de sommeil et d'éveil de chaque bébé. Ce dernier point est une véritable fenêtre ouverte sur la qualité des soins. Dans une étude récemment faite au Children's Hospital de Boston, la nutrition, la sécurité et l'intérêt porté à la maladie semblaient tous être en corrélation avec lui.

Les problèmes d'hygiène et de sécurité sont évidemment *critiques*. Soyez sur le qui-vive en ce qui concerne les prises de courant accessibles, les « pièges » non signalés, les médicaments à portée des petites mains fouineuses et les détergents mal rangés dans la cuisine.

Ce qu'il y a de plus important, ce sont les rapports humains. Les responsables ont-ils l'air de s'apprécier et de se respecter mutuellement ? Lorsque vous êtes à la crèche, avez-vous le sentiment de faire partie de l'équique ou bien vous sentez-vous au contraire sur la défensive ? Y encourage-t-on les contacts et les réunions entre parents ?

Les bébés fréquentent-ils longtemps la crèche ? Les gens qui y travaillent semblent-ils heureux ? Ont-ils des moyens de faire connaître leurs sujets de mécontentement et leurs questions ?

Je cherche toujours à m'assurer que le personnel est qualifié et relativement bien payé. Ces conditions sont indispensables si l'on veut avoir un environnement de qualité. Si nous continuons à laisser les crèches engager des responsables dépourvus de formation et mal payés, nos enfants en souffriront forcément. Il ne suffit pas d'avoir bon cœur pour être puéricultrice. Il y a, durant une seule journée à la crèche, trop de demandes contradictoires émanant d'un grand nombre d'enfants. Une personne non qualifiée ne saura sans doute pas comment faire face à ses propres contrariétés, en plus des réclamations des enfants. Résultat : un enfant particulièrement exigeant risque d'être maltraité ou négligé.

Certaines questions que vous avez tout intérêt à vous poser lorsque vous recherchez une bonne crèche ont été répertoriées par Ellen Galinsky et W. A. Hooks dans un livre intitulé *The New Extended Family* :

Aimeriez-vous passer la journée avec la (ou les) personne(s) en question ?

Que se passe-t-il lorsqu'un visiteur pénètre dans la pièce ? Tous les enfants lèvent-ils le nez, avides de voir un nouveau visage, d'avoir une nouvelle distraction ? Ou bien lui jettent-ils un bref regard avant d'en revenir à ce qu'ils faisaient et qui leur paraît manifestement plus important ?

Les responsables écoutent-ils ce que leur disent les parents lorsqu'ils arrivent le matin et lorsqu'ils reviennent le soir chercher leur enfant, leur laissant le temps d'exprimer leurs inquiétudes, ou bien sont-ils surtout désireux de se débarrasser d'eux ? Accordent-ils à l'enfant assez de temps et d'intérêt pour adoucir le chagrin de la séparation ?

Comment les transitions sont-elles assurées ? Si les responsables aident avec sollicitude les enfants à passer d'une activité à une autre, vous êtes probablement entre de bonnes mains.

Comment le personnel organise-t-il les repas ? Les responsables ont-ils conscience du besoin qu'ont les enfants de faire des expériences alimentaires, d'apprendre à manger tout seuls, d'être l'objet d'une attention spéciale durant les repas ?

Tout le battage que l'on a fait récemment autour de divers cas de sévices sexuels dans des crèches terrorise les parents. Comment être sûr que votre petit enfant ne sera pas en butte à de telles menaces ? J'en ai parlé avec de nombreux parents. L'un des moyens de vous prémunir contre ce danger est de faire des visites surprises à la crèche, à différentes heures de la journée, afin de voir ce qui s'y passe. Lorsque j'émets cette suggestion, les parents me répondent souvent : « Mais on me demande justement de ne venir qu'à certaines heures bien précises. Je n'ose pas. Si je ne me plie pas à leur règlement, c'est peut-être mon bébé qui en pâtira. » Eh bien, pour ma part, je m'insurgerais contre un tel règlement. Vous avez le droit d'aller et de venir et une crèche qui ne vous est pas ouverte à toute heure du jour me paraît suspecte. Depuis toute la publicité dont il a été question plus haut, toute crèche digne de ce nom devrait être désireuse de solliciter la présence de parents loyaux et concernés afin de se protéger des accusations sans fondement qui risqueraient de donner lieu à des poursuites judiciaires.

Comment apprendre à votre enfant à se défendre, sans l'effrayer inutilement ? Certaines études à ce sujet sont en cours et personne ne détient encore de réponse valable. Pour ma part, je commencerais assez tôt à faire savoir à des petits de trois et quatre ans que leurs parties génitales sont « à eux » et sont tout à fait privées. Je les aiderais à comprendre que s'ils ne veulent pas que des personnes plus âgées les touchent ou les manipulent, ils doivent le dire... et même piquer des crises, s'il le faut ! Dans mon cabinet, d'ailleurs, je demande toujours à mes petits clients la permission de les examiner. Jamais je ne leur fais enlever complètement leur culotte, « parce que cette partie de ton corps est spéciale et que tu préfères peut-être qu'elle reste couverte ». J'ai songé à leur parler des grandes personnes trop curieuses, mais il me semble que c'est aux parents de le faire. Par conséquent, j'encourage ces derniers à prendre conscience du besoin d'expliquer à leurs jeunes enfants tout ce que leur corps a de spécial.

J'avoue que je ne sais pas très bien comment faire comprendre aux petits enfants qu'il existe une catégorie de grandes personnes auxquelles on ne peut pas faire confiance sans leur insuffler une peur panique de tous les gens qu'ils ne connaissent pas. On peut, en tout cas, leur apprendre à dire : « Il ne faut pas faire câlin comme ça. Lâche-moi », ou : « Ne touche pas à mon zizi, il est à moi. » Peut-être un parent peut-il faire remarquer que certains adultes sont trop fous ou trop puérils pour que l'on se fie à eux comme aux autres grandes personnes. À l'âge de cinq ans, une de mes filles a eu affaire à un homme de ce genre. Elle a senti aussitôt qu'il était « bizarre » et a éprouvé le besoin de le fuir. Elle est alors venue me trouver pour tout me raconter, comme si elle avait besoin que je lui assure qu'elle avait bien fait de s'insurger contre un adulte. Je me suis évidemment empressé de la rassurer sur ce point et aussi de la féliciter d'être venue m'en parler, car je savais que les enfants peuvent éprouver envers un événement de ce genre une espèce de culpabilité et de fascination qui risquent de les inciter à garder la chose pour eux. Si un parent parvient à établir des rapports suffisamment ouverts pour que l'enfant n'hésite pas à aborder de tels sujets, il aura par la suite de bien meilleures chances de l'aider en cas de problème. Il est possible d'y parvenir sans pour autant attacher trop d'importance à la sexualité. Il suffit de se montrer, dès le plus jeune âge, parfaitement honnête et franc dans vos rapports avec votre enfant.

Il y a bien sûr toutes sortes d'autres facteurs à étudier lorsque vous cherchez à faire garder votre enfant dans les meilleures conditions. Tout d'abord, comme je l'ai déjà fait remarquer, le nombre d'enfants par rapport au nombre d'adultes est crucial. La limite maximale est de quatre bébés ou petits enfants par adulte. Pour les nourrissons, le taux de trois pour un me paraît préférable. En ce qui concerne les enfants de deux à cinq ans, on peut accepter le chiffre de cinq bambins par adulte. Bien sûr, tout ce que vous pouvez apprendre sur les qualifications et l'expérience des adultes en question est important. Sont-ils au fait des diverses étapes du développement ? Respectent-ils les rythmes individuels de chaque enfant et son besoin de fantasmes et de jeux ? Une tendance en vogue à l'heure actuelle m'inquiète assez. C'est le sentiment qu'il faut apprendre au plus tôt aux petits enfants à faire des performances, à lire, à écrire. Le but n'est pas de s'instruire avant l'âge. Certes, il est tout à fait possible d'apprendre à lire et à écrire aux enfants beaucoup plus tôt qu'ils ne le font à présent, mais cela risque de se faire au détriment d'autres tâches plus importantes et mieux adaptées à l'âge en question : par exemple apprendre à connaître les autres et à se comporter vis-à-vis d'eux. En outre, j'ai vu des enfants qui avaient appris à lire et à écrire très tôt, mais qui n'étaient pas capables ensuite de généraliser ce savoir. Durant leurs études primaires, ils rétrogradaient complètement, parce que les techniques utilisées plus tôt ne fonctionnaient plus lorsqu'ils passaient à des sujets plus complexes.

Veillez bien à ce que les maîtresses et les puéricultrices soient sensibles à l'âge et aux intérêts de votre enfant, sur tous les plans à la fois : moteur, social et cognitif. Si elles le poussent trop dans un domaine, peut-être parviendront-elles à obtenir des résultats, mais qu'en coûtera-t-il aux autres aspects du développement ? Je choisirais personnellement une structure à maîtriser son jeux comme moyens pour un enfant d'... responsables à la fois univers. L'idéal serait de trouver c... qui permettrait aux un soutien et une disponibilité tr... apprentissage. On peut enfants de choisir leur propre les encourager, sans les pousser, à accomplir des tâches d'adultes. L'enfance est assez courte comme ça et c'est une période précieuse pour explorer et expérimenter librement. De nos jours, on court véritablement le danger de priver les enfants de leur ration normale de jeux et de rêves. Cherchez des puéricultrices qui aient elles-mêmes un côté « enfant » ou qui attachent le plus grand prix aux joies de l'enfance.

Pour conclure, j'aimerais insister sur le fait que les parents devraient toujours tenter de trouver des responsables qui s'intéressent de très près aux rapports qu'ils ont avec leur enfant. Si ces personnes peuvent en discuter avec vous, ou vous aider à reconnaître vos sentiments de solitude et d'abandon à l'idée de vous séparer de votre enfant, elles seront plus disposées à vous respecter et à vous soutenir dans la vie de tous les jours. Que ce soit dans une crèche ou chez vous, je vous encourage vivement à confier votre enfant à des personnes qui s'occuperont non seulement de lui, mais de vous. Et dans ce cas, je vous engage avec vigueur à leur faire savoir combien vous les estimez et vous appréciez tout ce qu'elles font pour votre famille. Si le père et la mère sont en mesure de féliciter leur garde, ou de participer à la vie de la crèche, c'est l'enfant qui en tirera tout le bénéfice.

9

Les Snow

Il faut savoir qu'à divers moments certains problèmes vont assaillir les parents qui travaillent. J'en ai fait à mainte reprise l'expérience et je crois être capable de prédire quand et pourquoi ils risquent de surgir. Étant donné qu'il s'agit de crises prévisibles qui mettent en jeu des forces universelles, nous devrions être en mesure de les éviter ou, pour le moins, de les atténuer. Elles sont liées aux poussées de développement du bébé ou à son apprentissage de l'indépendance. Ces périodes, délicates pour toutes les familles, épuisent les ressources des foyers où l'un des deux parents ne travaille pas au-dehors, si bien qu'on ne s'étonnera pas de savoir qu'elles sont encore plus pénibles pour les couples préoccupés par leurs carrières respectives. Les parents qui ne peuvent consacrer à leurs enfants qu'une énergie et un temps limités seront forcément soumis à de plus fortes pressions lorsque l'équilibre habituel sera rompu. Ils seront tout naturellement irrités, puis ils se sentiront coupables de cette irritation et de ne pas avoir assez d'énergie pour faire face à la crise.

Chez les petits enfants, le développement progresse de façon inégale. Dès qu'il y a une poussée dans un domaine (moteur, émotionnel, physique ou cognitif), les autres s'en ressentent. Toute l'énergie de l'enfant est mobilisée pour assurer ses progrès et les ressources de la famille vont également être sollicitées. L'enfant régressera et se montrera plus exigeant, la nuit comme le jour. Il sera mal dans sa peau et agressif envers tous ceux qui l'entourent. Les « supports » habituels ne lui suffiront plus, qu'il s'agisse de son pouce, de sa couverture ou de sa poupée. Même si vous le prenez dans vos bras pour le bercer ou le câliner, il risque de s'effondrer et de se mettre à hurler ou à pleurer inconsolablement. Vous non plus ne lui suffisez plus. Dans de telles conditions, tout parent digne de ce nom aura inévitablement le sentiment que tout est de sa faute. Qu'ai-je fait de mal? se demandera-t-il (ou elle). Ou encore : Pourquoi suis-je incapable de le soulager? Les parents qui travaillent auront tendance à accuser leur mode de vie. S'ils étaient plus souvent à la maison, s'ils étaient plus disponibles quand ils rentrent chez eux et s'ils avaient davantage d'énergie à offrir à leur bébé, jamais cette crise de désespoir n'aurait eu lieu. Je n'ai connu que très peu de parents qui travaillent capables de supporter de tels éclats sans se sentir coupables et responsables. Si la mère (ou le père) reste chez elle toute la journée, elle aura sans doute moins le sentiment d'être en cause, parce qu'elle aura déjà été témoin de ce schéma d'effondrement avant chaque grande poussée du développement. Il correspond chez l'enfant à une tentative de rassembler une somme inaccoutumée d'énergie pour apprendre une tâche inusitée. L'effondrement et la régression libèrent de l'intérieur une énergie réservée aux cas d'urgence, laquelle a besoin du soutien de l'entourage. Ce soutien donne alors à l'enfant la force nécessaire à la nouvelle poussée.

Lorsque toute la famille travaille, il est rare que quiconque ait suffisamment d'énergie en réserve pour faire face à ces demandes accrues. Les parents sont eux-mêmes trop stressés et irrités par les brusques sautes d'humeur de leur enfant pour comprendre ce qui se passe. Ils tentent donc de l'apaiser, mais comme ce n'est nullement ce dont il a besoin, il répond à leurs efforts en réitérant sa demande. Cela ne fait qu'énerver davantage les parents qui sont d'autant moins capables de tolérer l'autonomie qui pourrait mener à une véritable solution du problème et à une poussée du développement. Un conflit est en train de naître. Dans le présent chapitre et dans les deux suivants, je vais mettre l'accent sur certains de ces obstacles que le développement dresse sur le parcours de la famille, de façon que les parents déjà soumis à des tensions professionnelles apprennent à les reconnaître et puissent ainsi éviter d'être pris au piège d'un conflit insoluble avec leur enfant qui grandit.

COMMENT ÉVITER LES PROBLÈMES ALIMENTAIRES

Tout au long de sa journée au bureau, Carla attend avec impatience sa soirée en compagnie d'Amy. Sa fille et elle passent de longs moments à bavarder et à roucouler. Amy tente d'imiter les gestes de sa mère avec sa cuillère et sa tasse. Elle joue avec les petits morceaux que Carla lui laisse manger toute seule. C'est une façon délicieuse de terminer la journée. Carla observe la façon dont Amy utilise le mouvement de tenailles qu'elle vient tout juste de maîtriser et s'émerveille de la voir si adroite.

Cet accent mis sur les repas risque de causer des difficultés lorsque Amy tombera dans une période négative et que la pièce où elle mange deviendra un des champs de bataille sur lesquels elle décidera de défier sa mère. Cette dernière, comme beaucoup de femmes qui travaillent, éprouvera un besoin tout particulier d'assurer à sa fille des dîners joyeux et réussis, car ils symbolisent à ses yeux une période d'étroite communication après la séparation de la journée. C'est pour cette raison que les problèmes alimentaires sont plus fréquents dans les familles où les deux parents travaillent, à moins que les parents ne sachent reconnaître les forces qui se cachent derrière le négativisme de leur enfant, ainsi que leur propre désir de contrôler la situation. L'alimentation et le sommeil sont les deux grandes zones dans lesquelles le développement de l'indépendance chez l'enfant risque de se heurter au besoin qu'ont ses parents de prolonger sa dépendance. C'est pourquoi accorder au bébé son autonomie le plus tôt possible est la meilleure garantie contre les problèmes alimentaires de la deuxième année. Le plaisir que lui procure son adresse toute nouvelle consomme une grande quantité d'énergie qui pourrait autrement se transformer en comportement négatif et en caprices.

Lorsque Amy prend des morceaux de nourriture qu'elle écrase dans son poing fermé pour les regarder ressortir en purée à l'autre bout, Carla fait la grimace. La petite suce alors ce qui reste collé à sa main, en riant aux éclats, comme si elle savait que cela hérisse sa mère.

DE NOUVEAUX PROGRÈS

Amy commence à être passionnée par ses doigts. Toute la journée, elle montre du doigt ce qu'elle aperçoit, en criant : « Ça ! » Quand ses parents viennent la chercher à la crèche, en fin d'après-midi, ils ont droit à un véritable festival de nouveautés. Elle fourre ses doigts partout où elle peut. Les prises électriques l'intéressent vivement. Si la crèche ne les avait pas alertés, Carla et Jim n'auraient peut-être pas songé à répertorier tous les « pièges » que contient leur appartement. Ils s'aperçoivent soudain qu'ils se sont contentés de prendre plaisir à la voir se développer, sans prendre conscience que chaque nouvelle étape comportait pour eux de nouvelles responsabilités.

Les parents qui travaillent seront sans doute absents durant les longues heures que leur enfant passe à se familiariser avec une activité motrice nouvellement acquise, souvent fort ennuyeuse pour l'observateur. À la crèche, les puéricultrices auront remarqué qu'Amy passe son temps à explorer, à goûter, à expérimenter. Le danger de tout ceci, bien sûr, c'est qu'elle ne saura pas où s'arrêter. Elle voudra toucher et goûter à tout ce qui lui tombe sous la main : les bouilloires, les cordons électriques, les substances toxiques, les plantes. Les Snow, eux, n'assisteront qu'à la fin de la journée, durant laquelle leur fille sera occupée à faire son numéro devant eux, si bien qu'elle se trouvera constamment sous les regards d'au moins deux adultes. Ce n'est que durant le week-end qu'ils auront l'occasion d'apprendre combien les longues heures d'expérimentation peuvent être dangereuses.

LE SYNDROME DU SUPERBÉBÉ

Jim commence à apprendre à sa fille à montrer des animaux dans un livre. « Où il est, le chat ? », « Où il est, le chien ? »

Amy est si désireuse de faire plaisir à son père qu'elle reste parfois de longs moments sur ses genoux, très occupée à ingurgiter toutes ces informations. Au bout de quelques semaines, elle connaît le livre d'un bout à l'autre. Elle commence à répéter certains mots. Elle dit « le ça », « le sien », en s'efforçant d'imiter son père. Grisé par « leur » premier succès, Jim tente de lui apprendre à compter : « un, deux, trois ». Nouvelle réussite. Jim achète alors un livre qui s'intitule : « Apprenez à lire à votre bébé » et s'apprête à poursuivre le dressage, mais Carla s'interpose. « Amusez-vous, tous les deux, mais ne prends pas vos jeux trop au sérieux. Elle s'effondre quand tu as terminé. »

Les petits enfants ont tellement envie de faire plaisir à un parent qu'ils ne voient pas de la journée qu'ils feront souvent des efforts énormes. Carla a raison. Déjà, Amy fait l'impossible pour répondre à ce que son père attend d'elle. Elle se laisse persuader d'apprendre, mais pas à son propre rythme. Elle fait cela « pour papa ». Au fil des années, de nombreux spécialistes du développement de l'enfant ont laissé entendre qu'un apprentissage précoce ouvre la voie à une réussite ultérieure dans le domaine du développement cognitif. Je ne suis pas de cet avis. Dans les années soixante, on a appris à des enfants de deux et trois ans à lire et à taper à la machine des mots très longs et même des phrases. J'ai vu des petits bouts de chou lire et taper des mots qui semblaient bien au-delà de leurs capacités. Leurs petits visages tend[...] et leur expression anxieuse, lorsqu'ils levaient les yeux [pour] solliciter l'approbation des grandes personnes, leurs s[...] lorsqu'ils avaient bien répondu et recevaient le[...] cela était à mes yeux autant de preuves [...] l'acquisition de ce savoir. Ces enfants ét[...] onzième, mais dès les classes suiv[...] faiblir. Au cours préparatoire, leu[...] l'ampleur. Les modèles qu'ils [...] semblaient pas pouvoir se g[...] de l'apprentissage ultérie[...] en était venue à dér[...] adultes. Dès le m[...] commençait à [...] généralement développement global, par exemple le développement social ou émotionnel.

En ce qui concerne Jim, ce désir de voir sa fille se développer très tôt sur le plan cognitif est fondé sur un mélange d'orgueil, d'émerveillement devant ses aptitudes et de bonheur en constatant à quel point elle veut lui faire plaisir. Toutes ces émotions sont évidemment bien compréhensibles et fort encourageantes pour Amy. Bien sûr, il faut qu'un parent qui travaille trouve des moyens de communiquer et de jouer avec son enfant, en fin de journée. Apprendre des mots et des chiffres les amuse tous les deux. Le danger, c'est de se laisser entraîner dans une seule voie, à l'exclusion de toutes les autres. Un parent présent toute la journée aura probablement un meilleur sens de cet équilibre nécessaire à la vie d'un enfant, qu'il faut s'efforcer d'établir entre les différentes zones du développement : cognitif, moteur et émotionnel. Amy ne perdra rien si, pendant un certain temps, on la pousse plus vivement dans une voie donnée, mais il ne faut surtout pas négliger les autres.

L'une des raisons pour lesquelles ce « syndrome du super-bébé » a eu tant de succès auprès de l'actuelle génération, c'est qu'il existe une sorte de vide au niveau des valeurs culturelles des jeunes parents. L'activité cognitive est facile à mesurer et à faire briller devant les amis. Elle devient donc un moyen de se convaincre qu'on a réussi dans son rôle de parent. Ceux d'entre nous qui s'intéressent davantage au développement social et émotionnel des enfants n'ont pas su trouver dans ces deux domaines des points de repère suffisamment évidents pour que les parents puissent aisément constater qu'ils ont fait du beau travail.

Mon opinion sur la question est très tranchée. Le développement émotionnel acquiert une la base de la future réussite cognitive. Si l'enfant tous les domaines de son identité et de sa compétence dans cognitive. La sera prêt à acquérir ensuite la compétence lui viendront très l'attention soutenue et la joie du succès sur le plan émotio et à l'âge approprié. Un enfant épanoui pour s'intéresser au une assez bonne image de lui-même temps qu'il acquiert être prêt à leur donner en même d'une sérieuse réévalu notre société aurait-elle besoin devenir extrêmement in apprenons à nos enfants à tuel et égocentriques au rillants sur le plan intellec-
e pas s'intéresser à tous

ceux qui les entourent. Désirons-nous vraiment créer des monstres savants ?

Jim et Amy continuent à passer de bons moments ensemble, en fin de journée, pendant que Carla prépare le dîner. Ensuite, c'est Jim qui dessert et fait la vaisselle tandis que sa femme donne son bain à la petite et la prépare pour la nuit. De cette façon, chacun l'a pour lui tout seul pendant un certain temps. Inutile de dire que l'un comme l'autre tend l'oreille pour écouter ce qui se passe quand ce n'est pas son tour. Une fois qu'Amy est prête à aller au lit, ils s'asseyent tous les trois pour un dernier câlin, accompagné de bavardages et de lecture. Amy sait bien que ces instants lui sont entièrement réservés et elle en profite au maximum. Elle se pelotonne sur les genoux de son père jusqu'à ce que Carla commence à s'agiter ; aussitôt, elle va faire câlin avec sa mère. Et les allées et venues se répètent plusieurs fois, comme si la petite savait combien ils sont jaloux l'un de l'autre.

Cette jalousie naturelle et inévitable autour d'un premier né est d'ordinaire une force qui soude, mais qui pourrait aussi fort bien diviser, par exemple si Carla et Jim lui permettaient de devenir une cause de conflit. S'ils parviennent à voir dans la façon dont Amy les sollicite tour à tour un moyen de recueillir le plus d'amour possible, ils éviteront les sentiments d'hostilité. Un triangle est une entité fermée, très lourdement chargée, et les forces qu'il contient doivent être égales dans toutes les directions.

LES MALADIES

Amy se met soudain à enc... es rhumes. Tous les quinze jours, elle rechute. Une ... c'est Carla qui l'attrape, une autre semaine, c'est ... ont l'impression de se passer mutuellement le ... dans une sorte de mouvement perpétuel. A... haque rhume, un des deux parents doit rester à la ... eau perturbée : les Snow se demandent nelle ... s leurs employeurs respectifs vont supporter cet co... s. Désormais, ils s'arrangent pour se partager les absences, de façon que chacun ne manque qu'une demi-journée, mais leur travail se ressent de leurs propres rhumes répétés. En outre, Carla se fait du souci pour sa fille. Tous ces rhumes ne sont-ils pas dus au fait qu'elle est déprimée de devoir aller à la crèche? Ne risquent-ils pas de miner sa santé au point de la rendre vulnérable à une maladie plus grave? Combien de temps faut-il la garder à la maison au début de chaque rhume? Peut-être qu'ils la renvoient trop tôt à la crèche, n'écoutant que leur propre convenance? Toutes ces questions les tourmentent sans répit.

Les parents qui mettent leurs enfants à la crèche, avec d'autres petits camarades, doivent être avertis qu'ils attraperont tous les microbes qui traînent. Chaque infection fait le tour de l'établissement. Tant qu'un enfant n'aura pas contracté un nombre suffisant d'infections des voies respiratoires pour se forger son propre système immunitaire, il enchaînera probablement rhume sur rhume. J'ai observé le même phénomène dans une communauté universitaire. Lorsque les enfants s'établissent dans un lieu où évoluent de nombreux autres bambins, ils attraperont forcément toutes sortes de maladies, avant d'être immunisés contre tous ces nouveaux microbes. Après quoi, ils n'attraperont plus rien pendant des années; leur immunité sera excellente. Tous les quatre ou cinq ans, environ, ils traverseront une mauvaise période. Il vaut mieux ne pas prendre de médicaments pour les rhumes, à moins qu'il n'y ait des complications. Plus l'enfant pourra lutter sans aucune aide extérieure, plus ses défenses immunitaires se renforceront. Chaque prise d'antibiotique videra sa gorge de sa ju.. protectrice normale et il devra donc repartir de zéro pour la recon.. inter. Les premiers mois à la crèche créent un cycle inévitable d'infe.. Ce problème se corse du fait que les microbes des petits enfan.. st plus virulents pour les adultes que ceux d'un autre adulte, ... que les parents risquent fort d'attraper les rhumes de leu.. Au début, les parents qui travaillent auront tout intérêt à p.. la fois pour pouvoir isoler l'enfan.. nombreuses absences, à sa guérison et pour se soigner eux-m.. .gtemps pour assurer

Une nuit, Carla et Jim se réveillent en.. comme ils ne l'ont encore jamais entendue.. my pleure .. semble vraiment malade. Ils lui touchent le front : elle est brûlante et lève vers eux des yeux brillants de fièvre. Tout son petit corps est flasque et tremblant ; sa respiration brève et saccadée. Ils prennent sa température : elle a plus de quarante et un degrés de fièvre. Ils sont confondus, persuadés qu'elle va mourir avant qu'ils n'arrivent à la soulager. Ils ne savaient pas qu'on pouvait avoir autant de fièvre. Ils se précipitent sur le téléphone pour appeler le pédiatre qu'ils tirent manifestement du sommeil. Il ne paraît nullement affolé par ce qu'ils ont à lui dire. D'une voix lasse, il explique : « Quand les petits enfants ont de la fièvre, leur température est généralement très élevée. Avez-vous remarqué autre chose ? Les symptômes sérieux sont faciles à repérer : un torticolis qui l'empêche de pencher la tête en avant sur sa poitrine, une oreille très douloureuse qu'elle n'arrête pas de tripoter ou encore une respiration vraiment très difficile ? Si vous ne remarquez rien de pareil, nous attendrons demain matin pour la soigner, si c'est encore nécessaire. » Les Snow trouvent la respiration de leur fille inquiétante. Le médecin leur conseille de lui administrer un antithermique ne contenant pas d'aspirine * (en respectant bien la dose indiquée pour l'âge) et de la plonger dans un bain d'eau tiède pour la rafraîchir si elle semble trop mal à l'aise. Entre-temps, Amy a besoin de boire : pas de lait ni d'eau, mais des liquides sucrés ou salés tels que bouillon, jus de fruits très dilués et sucrés, eau sucrée. Si une heure après avoir pris son antithermique, elle paraît aller mieux, c'est bon signe. Si au contraire son état semble empirer, il vaudra mieux qu'il vienne l'examiner. Selon toute vraisemblance, cependant, cette fièvre n'est pas bien grave : elle indique tout simplement qu'Amy lutte contre une infection. En effet, les petits enfants se protègent souvent par des températures très élevées durant la nuit, qui tombent avant le matin. Il sera probablement temps de venir la voir à ce moment-là, si la fièvre persiste.

Carla et Jim se sentent aussi faibles que leur fille. Certes, les paroles du pédiatre sont rassurantes et ils s'empressent de suivre ses conseils, mais ils ne parviennent pas à croire qu'Amy n'est pas gravement malade. Lorsque sa température tombe, une

---

* En raison de ses rapports avec une maladie appelée syndrome de Reye, on préfère ne plus donner d'aspirine aux enfants qui ont beaucoup de fièvre.

heure plus tard, et qu'elle s'assoit dans son lit pour se mettre à jouer, ils ont l'impression d'être témoins d'un véritable miracle.

Les jeunes parents sont toujours désarçonnés par la première maladie et la première grosse fièvre. Neuf fois sur dix, il s'agira d'une simple infection virale, mais il faut toutefois prendre garde aux symptômes et apprendre à les reconnaître. La réaction immédiate des parents est de se sentir coupables et responsables de la maladie de leur enfant. Les parents qui travaillent se sentiront peut-être tout spécialement coupables et acculés. Obligés comme ils le sont d'imputer cette maladie au fait que leur enfant est exposé à la contagion parce qu'il fréquente la crèche, ils s'estiment d'autant plus responsables. S'ils pouvaient le garder à la maison, il ne serait pas exposé si tôt.

Toute la nuit, Jim et Carla se relaient au chevet d'Amy et ne dorment que d'un œil, car ils n'osent pas la laisser seule. Le lendemain matin, elle va mieux, mais elle leur paraît quand même plus éteinte que d'habitude. Carla consulte son agenda. Elle a un rendez-vous qu'elle ne peut absolument pas remettre. C'est donc Jim qui doit rester. Il se sent pris au piège et tenaillé par l'inquiétude : « Carla, qu'est-ce que je dois faire si elle rechute ? Sa température pourrait remonter. » Il n'a aucune envie d'être entièrement responsable.

Au cours des trois jours suivants, la température de la petite évolue en dents de scie, puis elle commence à se rétablir. Pour apaiser l'inquiétude des Snow, le pédiatre vient la voir. Il annonce qu'il s'agit d'une maladie virale, la roséole, et qu'il n'y a rien d'autre à faire qu'à attendre qu'elle passe, car il préfère ne rien prescrire. Carla et Jim ont l'impression qu'un couperet vient de tomber. Enfin, quand même, il doit bien y avoir moyen d'abréger. Il faut absolument qu'ils puissent retourner au travail et, pour cela, il faut qu'Amy aille mieux. Ils sont partagés entre la colère contre cette maladie, la crainte pour la santé de leur fille et les pressions professionnelles. Il est extrêmement pénible de ne pas se sentir libre de se consacrer sans arrière-pensée à son devoir prioritaire, qui est bien sûr celui de parent.

Lorsque c'est le tour de Carla d'aller travailler, elle s'aperçoit qu'elle a le plus grand mal à se concentrer. Son esprit est auprès de sa fille. Elle se fait un peu l'impression d'un sprinter qui attend le départ du cent mètres, en équilibre instable dans son starting-block. À tout moment, elle risque d'être obligée de tout laisser tomber pour se précipiter chez elle. Elle se sent plus déchirée entre ses deux univers familiers qu'elle ne l'a jamais été. Elle se rend compte à quel point elle a été protégée par Mme Warren, puis par sa mère et enfin par une crèche à la hauteur. Tout avait si bien marché jusqu'à cette maladie. Sa journée finie, elle rentre chez elle au pas de course et se rue dans la chambre de sa fille pour la serrer dans ses bras. Tranquillement assise dans son petit lit, Amy est occupée à se sucer les doigts. Carla en pleurerait presque de joie. Tous les fantasmes débridés, où son bébé lui apparaissait gravement malade, sont parfaitement ridicules. Et puis maintenant, elle est là, si jamais la petite a besoin d'elle.

CHANGEMENT D'OPTIQUE

Chaque nouvelle crise intensifie chez Carla le sentiment que sa place est chez elle, avec Amy. La séparation quotidienne lui est à présent presque intolérable, surtout s'il y a la moindre anicroche. Durant les premiers mois qui ont suivi son retour au travail, elle a pu faire abstraction de ces sentiments, mais, à présent, elle s'aperçoit qu'elle pense à sa fille la majeure partie du temps. Elle doit absolument réviser la situation. Doit-elle cesser momentanément de travailler ? Elle sait bien que cela nuira considérablement à sa carrière, mais d'un autre côté, elle se ronge les sangs à l'idée qu'elle est trop souvent séparée de sa fille et elle est convaincue que celle-ci ne serait pas aussi souvent malade, si elle pouvait rester à la maison. Jim s'efforce de la raisonner, mais cela ne sert qu'à la braquer. Elle téléphone à sa mère qui lui paraît brusquement beaucoup plus avisée qu'elle ne le pensait. Mme Hunt lui avoue que, à son avis, elle se prive de merveilleux moments en n'étant pas davantage avec sa fille. Ne pourrait-elle travailler à mi-temps, pendant deux ou trois ans ? « Après tout, c'est quand même la période la plus importante de la vie d'une femme : c'est ta seule chance de partager l'enfance de ton premier bébé. C'est si vite passé, tu sais, Carla. » La jeune femme est déchirée entre l'envie d'accepter les idées un peu démodées de sa mère et celle de s'écrier : « Mais enfin, maman, ces valeurs ne sont plus les nôtres ! » Lorsqu'elle en parle à Jim, il se range à l'avis de sa belle-mère. La question est de savoir si Carla peut se permettre de mettre ainsi sa carrière en veilleuse.

La voilà replongée dans les hésitations et les tiraillements. Doit-elle vraiment risquer tout son avenir professionnel ? Ne peut-elle donc apprendre à se partager entre ses deux rôles ? Elle se rend compte qu'elle n'a pas vraiment su remplir son rôle de mère jusqu'au moment où une crise a éclaté. N'est-elle pas mieux rodée maintenant ? Elle sait pertinemment que sa réussite professionnelle est essentielle pour qu'elle se sente bien dans sa peau, mais elle constate qu'à présent il en va de même pour sa réussite familiale. Sur un certain plan, elle redoute de donner davantage d'importance à son rôle de mère : elle a très peur de l'isolement, des efforts physiques et surtout de la constante remise en question qui l'accompagnent. Si seulement c'était une tâche clairement définie, comme celle d'avocat par exemple. Les avocats savent quand ils ont tort et quand ils ont raison, mais les parents, eux, ne savent jamais s'ils sont dans le vrai et personne ne semble capable de les renseigner sur ce point. Elle se sent en quelque sorte obligée de renoncer au sens bien établi de sa propre identité pour se livrer à de constantes expériences.

C'est Amy qui va l'aider à prendre sa décision. Après sa roséole, elle se montre très possessive. Lorsqu'elle est suffisamment rétablie pour retourner à la crèche, elle se cramponne désespérément à sa mère. Tous les jours, Carla est obligée de rester un long moment avec elle, avant de pouvoir la quitter, exactement comme aux premiers jours de crèche. Le personnel compatit aux états d'âme de la petite fille. Les responsables pressent Carla de rester avec elle aussi longtemps qu'Amy le désirera. « Ou bien que vous aurez, vous, besoin d'être avec elle », ajoute une des puéricultrices. Carla éprouve une sympathie immédiate et sa réserve fond : elle décide d'exposer son dilemme à cette personne si compréhensive. Cette dernière, Mme Thomas, hoche la tête en apprenant les sentiments contradictoires qui déchirent son interlocutrice. Elle lui explique que la majeure partie des jeunes mamans qui font appel aux services de la crèche ont le même problème. À un moment ou à un autre, chacune est obligée de l'affronter. Il lui semble que Carla a tout à fait raison d'avoir envie de rester un certain temps chez elle, tout spécialement à cette période de la vie d'Amy : « Juste avant qu'elle ne devienne trop indépendante. » Elle conforte la jeune femme dans sa décision de demander à son cabinet un emploi à mi-temps.

Une fois que le patron de Carla a donné — à contrecœur — son accord, Amy semble tous les matins transportée au septième ciel. Comme pour remercier sa mère, elle lui montre tout ce qu'elle sait faire : elle se promène cramponnée aux meubles, elle passe d'un jouet à l'autre pour lui donner la pleine mesure de son talent. Elle ne décolle pratiquement pas des jupes de Carla. Lorsque celle-ci essaie de téléphoner, elle l'interrompt ou bien elle va faire une bêtise dans la pièce à côté. Si Carla se lance dans les travaux ménagers, elle essaie de l'aider. La jeune femme est d'ordinaire rapide et efficace, mais avec le concours d'Amy tout prend deux fois plus de temps. Elle est sans arrêt obligée de se rappeler qu'elle a désormais tout son temps pour faire ce qu'il y a à faire et qu'elle est là pour se consacrer à sa fille. Elles commencent à apprendre des choses ensemble. Carla constate qu'elle est tout à fait capable de s'amuser, assise par terre, occupée à jouer avec des cubes ou à promener un camion sur le sol en faisant « vroum, vroum ». Au début, elle se sent toute bête, mais quand elle voit à quel point cela plaît à Amy, elle se laisse aller. Leurs jeux sont ponctués d'éclats de rire et Amy fait des progrès fulgurants dans toutes sortes de domaines. Sa petite figure est épanouie et on a l'impression que tous les bons moments qu'elle passe avec sa mère lui ont permis de refaire le plein d'énergie. L'après-midi, Carla la conduit à la crèche. La petite fille fait une moue désolée, mais elle agite courageusement la main pour lui dire au revoir. Sa mère la voit grandir et changer de jour en jour.

LE « LAISSÉ-POUR-COMPTE »

Jim a du mal à supporter que Carla lui raconte tout ce qu'elle a fait avec Amy. Chaque soir, c'est lui qui va chercher la petite à la crèche pour la ramener à la maison. Durant le trajet, elle se cramponne à lui, mais dès qu'ils sont chez eux, elle fait le tour de l'appartement, accrochée aux meubles, en cherchant « man-man ». Lorsque Carla récapitule tout ce qu'elles ont fait durant la matinée, son mari change de sujet. Il trouve cela trop pénible à entendre.

Nous avons filmé un jeune père qui s'occupe, chez lui, de son fils de quatre mois. Sa femme et lui ont décidé d'un commun accord qu'il se chargerait de la majeure partie des soins à donner, car son métier lui permet de travailler à la maison, alors que celui de son épouse (elle est sage-femme) l'oblige à être très souvent dehors. Ils semblent avoir atteint un bon équilibre dans la répartition des tâches. Dans notre film, lorsque la jeune femme rentre le soir, après une journée éprouvante, le mari se précipite avec le bébé, pour l'accueillir : « Ma chérie, regarde un peu ce que le petit a appris aujourd'hui ! » Or elle s'empresse de doucher son enthousiasme : « Non, je suis claquée. » Comme il insiste, elle fonce dans sa chambre, sans même un regard au bébé, et s'enferme à clef. Décontenancé par ce manque d'intérêt, il dépose l'enfant dans son berceau et part dans la cuisine préparer le dîner. Après s'être assuré qu'il est occupé ailleurs, la jeune femme ouvre précautionneusement sa porte et se rend à pas de loup auprès de son bébé pour constater par elle-même ses nouvelles prouesses. Elle veut en être le seul témoin, sans que son mari s'en mêle. Ce petit épisode nous a permis d'évaluer le degré de rivalité normal *entre deux parents attachés à leur enfant. Chacun veut être directement concerné par les progrès qu'il fait. Il est très pénible de devoir en laisser l'exclusivité à l'autre parent. Jim réagit donc de façon typique. Puisque la petite semble dorénavant se rappro-cher davantage de Carla, il réplique en affichant un complet désintérêt. Celui-ci sert en fait à masquer son désir d'être mêlé de plus près à la vie familiale. Cela fait beaucoup trop longtemps que les pères ont accepté d'être coupés de leurs enfants par ce mécanisme. Il est donc recommandé de les faire participer de façon qu'ils aient l'impression qu'ils sont aussi responsables que la mère des progrès de leur bébé.*

LE NÉGATIVISME

Peu après son premier anniversaire, Amy commence à se montrer négativement indépendante. Elle vient d'apprendre à marcher et se déplace à travers tout l'appartement. Avec cette nouvelle poussée d'indépendance, elle recommence à se réveiller la nuit, en appelant sa mère. Sans vouloir écouter les objurgations de sa femme, Jim se précipite auprès d'elle. Carla lui rappelle les problèmes qu'ils ont déjà connus dans ce domaine, mais le jeune père semble avoir « besoin » d'aller trouver Amy. Cette dernière se réveille bientôt régulièrement à 2 heures du matin. Lorsqu'elle se réveille une seconde fois à 6 heures, Jim l'amène carrément dans le lit conjugal. Carla, furieuse, proteste avec véhémence. La petite fille, blottie contre son père, est très consciente de leur antagonisme.

Cette espèce de rivalité latente autour d'un bébé est bien souvent la cause de ses réveils intempestifs. Carla et Jim feraient beaucoup mieux de régler le problème tous les deux, sans y mêler ~~Amy~~. Jim a besoin de se sentir plus concerné et nécessaire

L'indépendance d'Amy ne fait que ~~...~~ e et embellir. Elle parcourt tout l'appartement ~~...~~ éfléchit pour savoir si elle va Si sa mère lui demande ~~...~~ mière véritable colère un jour où par répondre « no~~...~~ c son joujou. préfère suivre Carla à la cuisine ou obéir ou non ~~...~~ re et hurle de rage. Incapable de trancher, elle ess~~...~~ clat. Qu'a-t-elle donc fait pour déchaîner une Il ne lui vient pas à l'idée que sa fille s'est coûte seule dans ce dilemme. Cet après-midi-là, en « Non! Non! » chose, elle commence Sa mère est affolée et confiant Amy à Mme Thomas, Carla lui demande si la petite donne des signes de négativisme à la crèche. Mme Thomas lui assure que non, pas pour le moment : « C'est encore trop important et nouveau pour elle. Il faut d'abord qu'elle en fasse l'expérience avec vous. Ici, elle ne se risquera pas à essayer tant qu'elle ne sera pas nettement plus sûre d'elle. Ce négativisme est une étape très importante dans son développement. »

Carla se rend bien compte que, si elle n'avait pas passé avec sa fille tout le temps qu'elle lui consacre en ce moment, jamais elle n'aurait été capable de faire face à cette nouvelle attitude. Elle aurait eu l'impression que c'était « sa faute » et non qu'il s'agissait d'une phase normale du développement d'Amy. À présent, elle peut accepter l'explication de Mme Thomas et comprendre à quoi correspond le comportement de sa fille, si bien qu'elle parvient à se réjouir de l'indépendance fraîchement acquise par cette petite personne volontaire.

Il est très difficile pour les parents qui travaillent et qui sont souvent débordés d'avoir assez de souplesse et d'énergie pour reconnaître et apprécier le négativisme que vient de découvrir leur bambin. Après la première grosse colère, les mères me demandent toujours : « Qu'est-ce que j'ai fait pour le fâcher ? » Quand je leur explique que cet éclat traduit en fait un conflit intérieur de l'enfant, elles sont aussitôt soulagées... à moins d'être accablées par un sentiment de culpabilité. Une mère qui travaille au-dehors toute la journée et qui ne se sent pas assez proche de son bébé a beaucoup de mal à tolérer cet état de chose, sans même parler de l'apprécier. La deuxième année peut être merveilleuse, si les parents parviennent à comprendre que l'anarchie et la résistance sont une phase importante du développement.

Lorsque Amy a ff... avoir moins besoin de s... des dix-huit mois, elle semble pour que Carla recommen... moment semble bien choisi elle éprouve l'impérieuse néc... à plein-temps, ce dont petits amis à l'« école » et M... et subjuguée par ses Snow à la remettre à la crèche... ite vivement les système semble leur convenir à tous... d'appre... entière. Le répit ont permis à Carla de prendre... mois de active à l'existence de sa fille et... ...lus développement en profondeur. À présent, Amy semble beaucoup mieux supporter la crèche. Quant à Jim, il est venu à bout de sa jalousie en s'occupant beaucoup plus de la petite le soir et il reprend son « après-midi » à la crèche.

S'il existe une période optimale pour placer les enfants au sein d'un groupe de petits camarades de leur âge, il semble bien que ce soit la deuxième année. Les enfants qui commencent à marcher se font mutuellement énormément de bien. Leur façon de jouer, imitative et parallèle, représente une véritable communication et ils apprennent tant de choses en s'observant simplement les uns les autres qu'il est à la fois fascinant et grisant de les voir faire. Un petit enfant de cet âge qui reste chez lui avec sa mère risque de se sentir bien seul s'il n'a ni frères et sœurs, ni petits camarades. J'ai longtemps eu dans mon cabinet une liste d'enfants en bas âge, de façon que les mamans un peu isolées de Cambridge puissent entrer en contact et se réunir avec leurs enfants, ce qui dissipait leur ennui à tous. À mesure que ces petits adoptaient un comportement plus complexe, au cours de leur deuxième et de leur troisième année, j'ai établi une liste supplémentaire de « tireurs de cheveux », « mordeurs » et « griffeurs », qui permettait d'organiser des rencontres entre eux. Un petit enfant commence à agir ainsi sans penser à mal et ne comprend pas pourquoi tout le monde autour de lui réagit de façon si virulente. Un excellent remède, bien supérieur à toutes les punitions, consiste à mettre en présence deux « mordeurs ». L'un va mordre l'autre qui, horrifié, va sans doute lui rendre la pareille. Ensuite, ils se dévisagent, d'un air de dire : « Comment as-tu pu me faire aussi mal ? » et il est fort probable qu'ils ne mordront plus jamais. À mes yeux, c'est un exemple type de tout ce que les petits enfants apprennent sur leur propre comportement au contact les uns des autres.

Carla reprend son travail avec un regain d'enthousiasme. Jamais elle ne s'est sentie aussi récompensée d'un effort qu'elle l'a été par cette occasion de consolider ses rapports avec Amy. Même les plus sceptiques parmi ses collègues ont conscience de la somme d'énergie et de dynamisme qu'elle déverse dans son travail. Elle semble savoir beaucoup plus clairement comment se plonger immédiatement dans ce qu'elle a à faire et comment terminer en fin de journée. Elle a appris quelque chose de très important : savoir compartimenter son énergie et son temps.

Voici un bon exemple de la souplesse que doivent manifester les employeurs, si nous voulons qu'ils constituent un véritable soutien pour la famille. Aux instants critiques, les femmes — et les hommes — doivent être en mesure de ralentir leur activité professionnelle pour se consacrer davantage à leur vie de famille. Jim aurait dû tenter une expérience analogue, afin de prendre part lui aussi à l'évolution familiale.

L'APPRENTISSAGE DE LA PROPRETÉ

Les responsables de la crèche contactent Carla pour qu'elle les autorise à apprendre la propreté à Amy : « Elle est en âge de comprendre. Tous ses petits camarades sont déjà propres. Nous nous chargeons de tout. »

Aussitôt Carla, culpabilisée, se hérisse. Est-on en train de lui faire comprendre qu'elle n'est pas « à la hauteur » ? Certes, elle a eu tendance à se laisser un peu vivre, durant cette deuxième année, persuadée que sa fille saurait la prévenir quand elle serait prête. Elle sait bien qu'il y a un moment où il faut songer à ce genre de choses et, d'ailleurs, elle l'appréhendait. Lorsque la crèche lui propose de s'en charger à sa place, elle éprouve un mélange de soulagement à l'idée de se débarrasser sur quelqu'un d'autre d'une corvée déplaisante et de culpabilité en constatant son propre désir d'abdiquer ses responsabilités.

Elle finit par répondre : « Je ne savais pas que le moment était venu de commencer. Vous qui la voyez toute la journée, peut-être discernez-vous chez elle certains signes que je n'ai pas su voir et qui indiquent qu'elle est prête. Si vous êtes de cet avis, je vais commencer tout de suite, mais je ne veux la solliciter dans ce domaine que lorsqu'elle sera vraiment apte à comprendre.

Alors j'espère que vous me laisserez lui expliquer moi-même
Je suis intimement persuadée que c'est aux parents de s'en
occuper. »

*Carla a tout à fait raison. Les parents connaissent leur enfant et
savent ce qu'ils souhaitent pour lui mieux que ne saurait le faire
n'importe quelle crèche, fût-ce la meilleure. Il s'agit d'un domaine
où l'on peut très facilement basculer dans le cauchemar et qui est
trop important pour être abordé en dehors du contexte familial. Et
pourtant, en ma qualité de conseiller de diverses crèches, j'ai pu
constater que la question de la propreté est une des plus constantes
sources de conflit entre le personnel de ces établissements et les
parents. Bien entendu, les personnes chargées de changer l'enfant
à longueur de journée souhaitent, et c'est tout naturel, que
l'apprentissage soit au plus tôt couronné de succès et elles
reprochent aux parents tout ce qui vient le retarder. C'est donc un
domaine qui se prête on ne peut mieux à l'expression des rivalités
latentes. Une puéricultrice qui adorait les petits enfants dont elle
s'occupait avec beaucoup de sensibilité et qui comprenait aussi
fort bien la difficile situation des parents qui travaillent, m'a
déclaré : « Vous savez, quand je change des couches sales, je ne
peux pas m'empêcher de me dire : " Pourquoi est-ce que ce n'est
pas la mère qui s'en charge ? Pourquoi est-ce moi qui dois faire
tout le sale boulot à sa place ? " Après coup, j'ai honte de cette
réaction, mais c'est comme ça. Je déteste changer les couches sales
et pourtant j'adore tous mes petits ! »*

*Il existe des crèches qui exigent que les enfants soient déjà
propres avant de les accepter. Peut-on imaginer un oukase qui
tienne moins compte du rythme individuel de chaque enfant et qui
soit plus susceptible d'entraîner l'échec dans ce domaine particulier ?*

Carla sent bien qu'elle se crispe en prévision de cet apprentissage. Elle sait qu'il va falloir l'inaugurer sous peu et elle veut
absolument le réussir vite et bien. Mais si elle rate son coup ?

*Le besoin pressant de mener à bien cette tâche dans les plus
courts délais, corollaire inévitable des ambitions de « supermaman » que nourrissent inconsciemment toutes les mères qui
travaillent, contribuera très certainement à compliquer les choses.*

Dans Écoutez votre enfant * *j'ai traité la manière de reconnaître les signes indiquant que l'enfant est prêt à apprendre et j'ai aussi indiqué les périodes à éviter pour commencer l'apprentissage. Les pressions, intérieures et extérieures, qui pèsent sur les parents qui travaillent, font qu'ils auront sans doute plus de mal à attendre que leur enfant soit prêt. Ils se sentent souvent tenus de commencer au plus vite, avant même que la crèche ou d'autres parents ne s'en mêlent. Ils ont toutes les peines du monde à se mettre à la place du petit, ce qui est pourtant la clef d'un apprentissage réussi. Amy doit arriver à être propre par elle-même.*

Une fois qu'ils ont couché leur fille, Carla et Jim évoquent ce nouveau problème. Ils décident que c'est à eux et à personne d'autre qu'il appartient de former Amy et qu'ils feront beaucoup mieux de suivre ses indications à elle plutôt que l'avis de la terre entière. Étant donné que Carla n'est pas détendue à ce sujet, peut-être l'intervention de Jim serait-elle plus efficace. Déjà, Amy a pris l'habitude de courir dans la salle de bains chaque fois qu'un de ses parents va aux toilettes. Jim, cependant, pense qu'il risque de créer une certaine confusion dans l'esprit de sa fille en la laissant le regarder uriner debout et il décide de lui apprendre à s'asseoir sur son pot pendant qu'il lui lit un livre. Comme toujours, ils passent ainsi de délicieux moments ensemble et la petite est si bien absorbée par les distractions que lui propose son père que Carla a l'impression qu'elle n'apprendra jamais pourquoi il l'a assise sur son pot.

« Et puis après ? proteste Jim. De toute façon, dans notre société il lui sera quasiment impossible de ne pas apprendre à être propre un jour ou l'autre. N'en fais donc pas une telle histoire ! » Sa femme se rend compte qu'elle se sent tenue d'aller vite parce qu'elle est gênée vis-à-vis du personnel de la crèche. « Mais enfin, elle est à qui notre fille ? À nous, ou à la crèche ? » lui rétorque Jim.

Jim remet à la place qui lui convient ce besoin qu'ont les parents de voir leur enfant se comporter « parfaitement » hors de chez lui Une mère qui travaille risque de souffrir d'un plus vif sentiment de

* Payot, 1985.

culpabilité et d'avoir besoin de se prouver à elle-même, et de prouver aux autres, qu'elle ne retarde pas le développement de son enfant. Voici un excellent exemple du cas où il est nettement plus facile d'avoir un conjoint pour faire le point de la situation.

En s'épaulant ainsi mutuellement, Carla et Jim parviennent à éveiller progressivement l'intérêt de leur fille envers la propreté. Elle est si fière de faire sa grosse commission dans les waters et de ne plus se mouiller, « comme manman », que tout se passe beaucoup plus facilement qu'ils ne l'auraient cru. Les jeunes parents en sont aussi fiers que la petite Amy.

APPRENDRE À PARLER

Entre-temps, Amy fait de rapides progrès dans le domaine de la parole. Elle est à présent capable de faire de véritables phrases. Certes, elle n'a pas encore tout à fait maîtrisé certaines consonnes, mais dans l'ensemble elle s'exprime de façon étonnamment claire. Elle ne fait plus du tout bébé. Carla et Jim sont très fiers de ses dons dans ce domaine. Elle est désormais en mesure de bavarder avec eux et d'exprimer ses propres idées. C'est une drôle de petite bonne femme !

Les enfants que l'on met à la crèche ont toutes les chances de parler tôt et clairement. Il y a tant d'adultes avec qui communiquer et tant de demandes à exprimer qu'ils sont bien obligés d'apprendre plus tôt que les autres. L'une des raisons les plus communes du retard dans le domaine de la parole — à savoir la situation où l'enfant est entièrement assisté — est peu vraisemblable dans une crèche. En outre, des parents qui travaillent pousseront leur bambin à leur raconter ce qu'il a fait lorsqu'ils le retrouveront en fin de journée.

S'il existe chez l'enfant une raison pour un tel retard — par exemple un tempérament timide et réservé, ou bien facilement dépassé par un environnement plein d'activité, ou encore un sentiment d'infériorité vis-à-vis des petits camarades — elle se remarquera d'autant plus facilement dans une crèche. La nécessité accrue de parler le plus tôt possible obligera peut-être un enfant de ce type à se défendre d'autant plus vivement.

ET TOUJOURS LES SUPERBÉBÉS

Durant la troisième année de leur fille, Carla et Jim s'entendent à nouveau demander par d'autres jeunes parents : « Comment ? Vous ne lui apprenez pas à lire ? Nous, nous utilisons un système de fiches et notre fils de trois ans connaît déjà toutes les lettres de l'alphabet sauf le x. Il est capable d'assembler certaines lettres à l'intérieur des mots. Il sait épeler PAPA et BÉBÉ. Vous devriez commencer avec Amy ! » Dans le milieu social où évoluent Carla et Jim, il existe une tendance très nette chez beaucoup de parents à « instruire » leurs petits enfants. Il y a par exemple la méthode Suzuki pour apprendre la musique ; une méthode renforcée pour apprendre aux enfants de trois ans à utiliser des mots de plusieurs syllabes ; un système de fiches pour leur apprendre l'alphabet et, ultérieurement, à lire. Il existe pour les parents des cours par correspondance, qui leur fournissent des programmes mensuels à faire suivre à leur enfant. Les responsables garantissent que ce dernier saura lire à quatre ans et « dépassera les enfants de son âge dans le domaine cognitif lorsqu'il commencera à fréquenter l'école ». Jim et Carla ont eu beau se refuser par le passé à soumettre leur fille à de telles tensions, toutes les questions qu'on leur pose leur font redouter d'avoir laissé passer un moment privilégié dans la vie d'Amy pour aiguiser ses facultés d'apprentissage. Ils recommencent à se tracasser à l'idée qu'en étant séparés d'elle toute la journée, ils n'ont peut-être pas su remarquer chez leur fille ces capacités si importantes pour son développement.

Comme je l'ai déjà dit plus haut, le besoin d'apprendre à lire ne vient pas de l'enfant lui-même. Certes, tous les enfants répondront positivement à un système de récompenses proposé par les grandes personnes, mais leur réussite ne s'accompagnera pas forcément d'une jubilation intérieure. Lorsque le moment sera venu d'acquérir et de perfectionner ces facultés, l'enfant sera peut-

être prisonnier d'un système trop rigide ou d'ores et déjà à court d'énergie. Si les enfants apprennent plus tard, à un âge mieux adapté à leurs capacités cognitives, où l'envie leur viendra davantage de l'intérieur d'eux-mêmes, il ne fait aucun doute que l'expérience sera beaucoup plus profitable. La précocité coûte trop cher.

Les remarques de leurs amis finissent par inquiéter les Snow. Ils mènent une vie si accaparante qu'ils sont d'autant plus vulnérables à la crainte de ne pas faire tout ce qu'il faut pour Amy. Heureusement, ils prennent la peine de consulter les spécialistes de la crèche avant de passer aux actes. Mme Thomas leur assure qu'à l'âge de leur fille, le plus important est d'apprendre à nouer des rapports avec les gens qui l'entourent et à se connaître elle-même. À trois ans, c'est déjà bien assez pour elle que de se retrouver cinq jours sur sept au milieu d'un groupe d'enfants avec qui elle doit parvenir à s'entendre, sous la surveillance de plusieurs adultes avec lesquels il faut se familiariser. À la fin de la journée, il vaut bien mieux que ses parents l'entourent de leur chaleur et la prennent telle qu'elle est plutôt que d'essayer de lui faire franchir toute une nouvelle série d'obstacles. Carla et Jim poussent un gros « ouf ! » de soulagement. Eux non plus n'ont pas envie de se lancer dans les exploits au bout d'une dure journée de travail. Amy est à présent une petite fille facile et agréable à vivre et ils veulent avant tout profiter du plaisir d'être avec elle. Mais que vont-ils pouvoir répondre à leurs amis ?

De nos jours, les parents sont en quête de valeurs à proposer à leurs enfants. Nos anciennes valeurs culturelles ont été anéanties. La menace nucléaire, la mauvaise utilisation de nos ressources, la faillite de la famille : tout cela contribue à créer une sorte de vide où évoluent les jeunes parents. Il leur manque un ensemble de valeurs solides à proposer à leurs enfants. Nous connaissons des tas de choses sur le développement de l'enfant, mais nous ne savons pas encore comment guider les parents dans leur quête de valeurs dignes de ce nom à transmettre à leur progéniture. Il n'est donc pas étonnant qu'ils se tournent vers une instruction précoce et des programmes de formation adultomorphique comme vers une sorte de religion. Ce dont les parents auraient plutôt besoin, c'est de respect pour l'importance de la personnalité de chaque enfant et de sa propre estime, ainsi que du sentiment qu'ils ont des valeurs à transmettre. Nous autres, experts, devons absolument les encourager à atteindre ces grands objectifs durant l'enfance, plutôt que ceux, beaucoup plus superficiels, de la réussite cognitive. Les parents qui travaillent risquent d'être plus vulnérables aux nouvelles modes dans le domaine de l'éducation. Cette constatation n'est nullement péjorative : c'est simplement qu'ils sont si concernés qu'ils veulent faire leur possible pour offrir à leurs enfants ce qu'il y a de mieux. Ils se sentent tenus de les préparer à affronter les pressions qu'ils subissent eux-mêmes, lorsqu'ils s'efforcent de réussir une existence surchargée de responsabilités. Si les parents parviennent à adopter une attitude plus détendue vis-à-vis de leur double rôle, leurs enfants seront sans doute soumis à de moindres pressions.

LA LUEUR AU BOUT DU TUNNEL

Désormais, Carla et Jim passent des moments merveilleux et sans nuage avec Amy. C'est une adorable petite fille et eux sont des parents réfléchis et tendres, qui savent prendre le temps de régler les questions à mesure qu'elles se posent. Il n'est pas toujours de tout repos d'élever ses enfants tout en exerçant un métier, mais ils y parviennent. Ils prennent plaisir à vivre avec leur fille et à vivre ensemble. Ce bien-être transparaîtra plus tard à travers le sens de l'humour d'Amy et l'excellente image qu'elle aura d'elle-même. Lorsque je ne suis pas sûr qu'un enfant possède de lui-même une image suffisamment souple, je cherche à voir s'il a de l'humour et s'intéresse aux autres. Est-il capable de rire, de venir en aide aux autres ? Amy en est capable. Ses petits camarades l'admirent et elle est déjà pleine de confiance en elle. Carla et Jim, pour leur part, ont appris à jouer sur les deux tableaux, familial et professionnel. Chacun de ces deux aspects de leur existence ne peut qu'enrichir l'autre. Il y aura bien d'autres obstacles à franchir, mais Amy et ses parents semblent bien armés pour le faire.

10

Les Thompson

Lorsqu'une femme qui travaille est en plus mère célibataire, tous les problèmes qui surgissent dans le cours normal des choses semblent multipliés par deux. Les parents dont toute l'énergie est disponible pour faire face aux problèmes normaux du développement possèdent la souplesse et le sens de l'humour nécessaires pour y parvenir sans tensions ni colère. Mais, lorsque vous êtes toute seule, éprouvée sur le plan physique et émotionnel par votre journée de travail, chaque nouvelle poussée dans le développement de votre enfant vous apparaît comme un obstacle insurmontable.

Le fait de devoir s'absenter pour aller travailler accroît les problèmes que cause la séparation à une mère célibataire. Non seulement elle est dévorée par le désir de rester avec son enfant, mais à son retour, si elle exerce un métier plein de satisfactions, elle se sentira coupable d'avoir pris plaisir à ses activités. La pensée qu'elle peut avoir « envie » de laisser un petit bébé qui n'a qu'elle pour partir exercer son métier lui fait peur. Par conséquent, tous les domaines liés à la séparation — l'alimentation, le sommeil, l'indépendance — deviennent doublement menaçants.

Dans le cas des parents célibataires qui travaillent, je me suis aperçu que je suis désormais capable de prédire à quel moment ils vont créer des problèmes qui risquent d'engendrer des tensions. Je peux prédire à quel moment les difficultés liées au sommeil, à l'indépendance et à l'alimentation vont surgir, parce qu'il s'agit de

tensions universelles. Toutefois, si je parviens à les expliquer au
parent, il sera peut-être en mesure d'éviter de les laisser dégénérer
en conflits. Tel est mon but en présentant ici les heurts qui
opposent Alice et Tina.

LE SOMMEIL

Dès trois mois et demi, Tina commence à dormir la nuit
entière sans se réveiller. Après une période grincheuse, entre
7 et 9 heures du soir, et une dernière tétée vers 9 heures et
demie, Alice la couche et elle est capable de rester sans bouger
jusqu'à 6 heures le lendemain matin. Aussitôt, la jeune maman a
l'impression d'être libérée. Ses devoirs de mère lui paraissent
nettement plus faciles et sa vie avec Tina vire au rose sans
nuage. Après huit heures de sommeil ininterrompu, elle se sent
vraiment reposée. À quatre mois, Tina dort de 9 heures du soir à
7 heures du matin, sans téter ni ouvrir l'œil.

Vers quatre mois et demi, cependant, elle prend l'habitude de
se réveiller en pleurant toutes les trois ou quatre heures et
aussitôt sa mère se précipite auprès d'elle. Elle trouve la petite
qui pleurniche, encore à moitié endormie ; elle essaie de porter
son pouce à sa bouche et se débat sous ses couvertures. Alice lui
propose à téter, mais Tina n'absorbe pas plus de soixante ou cent
grammes. Elle ne semble pas avoir faim, d'ailleurs, mais sa mère
se sent tenue de la faire téter, car elle ne voit pas pour quelle
autre raison elle se serait réveillée. Au bout de quelques nuits,
Tina se met à hurler jusqu'à ce qu'Alice vienne la retrouver. Dès
son arrivée, celle-ci prend le bébé tout somnolent pour lui
donner le sein et Tina se débat jusqu'à ce qu'elle finisse par se
réveiller complètement. Elle ouvre alors tout grand les yeux
pour regarder sa mère, puis elle se met à gazouiller et à vocaliser
comme pour la remercier d'être venue. Il n'y a en fait aucun
risque qu'Alice ne vienne pas, car elle est ravie de retrouver sa
fille. Elle est tenaillée par la crainte qu'il a pu se passer durant la
journée quelque chose qui fait que sa fille a besoin d'elle. Ayant
toutefois remarqué que la petite n'est qu'à moitié réveillée et
semble encore quelque peu hébétée de sommeil, elle se

demande si Tina n'était pas tout simplement en train de rêver et n'a pas pleuré dans son sommeil. Cependant, une fois que Tina se met à jouer et à répondre à ses mots d'amour, elle se dit que c'est toujours ça de gagné : voilà une bonne occasion de profiter de sa fille un peu plus longtemps. Ces instants privilégiés sont très précieux pour elle et comblent un besoin réel.

Malheureusement, ces visites nocturnes se prolongent. Au lieu de s'espacer, elles se transforment en événements réguliers : toutes les quatre heures, à 1 heure et demie et 5 heures du matin, Tina se manifeste. Alice commence à être épuisée. Par contrecoup, la petite fille dort plus tard le matin, ce qui gâche le petit déjeuner qu'elles avaient l'habitude de prendre ensemble. Par ailleurs, Mme Marlin signale à Alice que son bébé est beaucoup plus grognon durant la journée et s'écroule dans son petit lit à 10 heures du matin et 3 heures de l'après-midi pour faire de longs sommes. Elle est même obligée de la réveiller et elle se demande si Tina dort suffisamment la nuit. Elle presse Alice de consulter son médecin, ce que celle-ci fait, à contre-cœur. Elle en est venue à compter sur ces petits intermèdes nocturnes avec sa fille. Il semblerait presque que ces visites satisfont quelque besoin secret d'Alice et que ni son bébé ni elle n'ont envie d'y renoncer.

Le tableau que me peint Alice s'inscrit dans un schéma qui m'est familier. Cela fait d'ailleurs pas mal de temps que j'ai noté avec intérêt que ces réveils intempestifs commencent toujours vers quatre ou cinq mois. J'ai pu constater que de nombreux bébés qui avaient déjà prouvé qu'ils étaient capables de dormir huit heures d'affilée commencent à se réveiller quand ils atteignent cet âge. Ils ont besoin d'un petit coup de main pour reprendre l'habitude de dormir toute la nuit.

À mon avis, ces réveils sont imputables à la soudaine découverte du monde extérieur, qui survient à cet âge. Trois niveaux du développement sont ici en cause. 1. Le développement cognitif : Les bébés deviennent alors beaucoup plus conscients de tous les stimuli qui les entourent et apprennent à reconnaître les objets et les bruits. Eux qui étaient jusque-là capables de téter sans interruption, se laissent désormais distraire à la moindre occasion. 2. Le petit développement moteur : Les bébés tendent une ou les deux mains vers tous les objets qui les entourent et les attrapent; ils ont envie de tout. **3.** Le grand développement moteur : *Les bébés commencent à savoir se retourner pour mieux atteindre les objets qu'ils convoitent et aller où ils ont envie. Lorsqu'ils se retournent ainsi, dans un demi-sommeil, ils se réveillent et ont aussitôt le réflexe d'appeler leurs parents.*

En questionnant Alice, je constate que Tina connaît effectivement ces poussées du développement et qu'elle s'agite beaucoup dans son lit aux moments où elle appelle sa mère. Alice ferait-elle mieux de l'attacher pour ne pas qu'elle se réveille ? Je n'ai pas l'impression que ça fera de différence.

Il existe un autre facteur plus subtil, qui se conjugue peut-être aux poussées du développement pour entraîner chez les bébés ces réveils à intervalles réguliers. Toutes les trois ou quatre heures, la plupart d'entre nous connaissent une période de sommeil dit « paradoxal », durant laquelle nous passons à un état semi-conscient et nous « libérons » des événements survenus durant la journée. C'est durant ces périodes que les adultes rêvent. Les bébés, pour leur part, vont probablement se tortiller dans tous les sens, se livrer aux activités motrices qu'ils viennent de maîtriser et se mettre à pleurer ou à revivre les frustrations et les événements de la journée. Si toute cette activité ne les réveille pas complètement, ils ont toutes les chances de parvenir à se rendormir profondément tout seuls, chacun ayant sa propre « méthode » : sucer son pouce, se balancer dans son lit, faire rouler sa tête ou se cramponner à une « doudoune » bien-aimée. En grandissant, ils se mettront peut-être à babiller ou à relater certains événements de la journée. Si une grande personne intervient à ce moment-là, elle court le risque de devenir un des « supports » dont le bébé se sert pour repasser du sommeil paradoxal au sommeil « lent », plus profond. L'adulte sera très vite un des éléments nécessaires pour que l'enfant prolonge son schéma nocturne de trois ou quatre heures de sommeil en six ou huit ou même douze heures.

Il y a des enfants qui ont énormément de mal à « apprendre » à dormir plus longtemps que quatre heures d'affilée et à repasser du sommeil paradoxal au sommeil lent. Les systèmes nerveux immatures — que l'on trouve chez les prématurés et chez les petits bébés qui ont souffert très tôt de maladies et d'autres tensions — conservent le cycle de quatre heures beaucoup plus longtemps.

Les bébés qui possèdent un système nerveux hypersensible et hyperréactif et un tempérament volontaire et intense sont, eux aussi, le plus souvent très difficiles la nuit. Lorsque je me trouve face à un bébé de l'âge de Tina qui a des problèmes du sommeil, je m'efforce d'évaluer dans quelle mesure ils proviennent de l'enfant lui-même et dans quelle mesure ils sont dus à son environnement. Apprendre à dormir la nuit est une question d'indépendance. Jamais un bébé ne réussira à passer aux douze heures de sommeil propres au système nerveux déjà mûr, si on ne le laisse pas acquérir des méthodes indépendantes pour se replonger dans le sommeil lent après chaque cycle de sommeil paradoxal.

Lorsque Alice me demande quoi faire pour remédier aux insomnies de Tina, j'entreprends de sonder avec son aide ses propres sentiments au sujet de ces appels nocturnes. Je sais bien qu'une mère qui travaille se sentira tenue d'y répondre plus vite qu'une maman qui est restée à la maison toute la journée et qui sait que son enfant l'a suffisamment vue. Je sais que cette mère au foyer reconnaîtra peut-être plus aisément la poussée concomitante d'autonomie, qui a provoqué ce déséquilibre du sommeil. Dans le cas d'Alice, je soupçonne fort que tous les problèmes de Tina doivent saper sa confiance. En tant que mère célibataire, elle n'est probablement que trop prompte à s'accuser dès que sa fille connaît la moindre difficulté. Certes, si la petite avait un père au foyer, peut-être celui-ci aurait-il ses propres raisons pour se précipiter auprès d'elle à la première alerte, mais le fait qu'Alice élève seule son bébé la rend plus vulnérable à une sorte de remise en question quasi instinctive, qui risque fort de l'empêcher de laisser sa fille régler elle-même son agitation nocturne.

Après lui avoir exposé les raisons profondes qui la poussent à aller trouver Tina et celles qu'a cette dernière de se réveiller plus ou moins, je demande à Alice si elle tient à régler le problème. Je suis à peu près sûr que la crise ne se dénouera pas si Alice n'exerce pas une certaine pression sur sa fille. Nous évoquons d'abord les façons dont il ne faut pas procéder : « Je ne peux pas la regarder pleurer jusqu'à ce qu'elle n'en puisse plus. — Personne ne vous le demande ; d'ailleurs je ne le ferais pas moi-même. — Mais alors, vous voulez dire que je ne devrais pas aller la trouver du tout ? Moi, je préférerais dormir avec elle. —

Pourquoi ne l'avez-vous pas fait ? — Parce que j'ai peur qu'elle n'en vienne à trop dépendre de moi... et moi d'elle. » Je lui demande ensuite si Tina a déjà mis au point une méthode pour se réconforter et je lui conseille de ne pas la faire téter systématiquement. « D'après ce que vous dites, elle n'en a pas spécialement envie ni besoin. Allez la trouver au bout de quelques minutes, disons entre cinq et dix ; cela lui laissera le temps de se calmer toute seule, si elle en est capable. Si ça ne marche pas, allez la trouver, mais ne l'encouragez pas en la prenant dans vos bras. C'est peut-être vous qui la réveillez pour de bon, bien inutilement. Tapotez-la ou bercez-la dans son lit pour l'aider à se rendormir. Comme cela, vous ne l'abandonnerez en aucune façon et vous parviendrez peut-être à lui faire comprendre comment se débrouiller toute seule la nuit. Je sais bien que ça vous paraît dur, mais vous pourrez ainsi vous épargner de sérieux déboires à l'avenir. »

Lorsque j'ai fini de parler, je m'aperçois qu'Alice est soit abasourdie par mon sermon, soit occupée à le digérer. Je reste dans l'expectative, car elle garde un long moment le silence. Finalement, elle s'exclame : « À vous entendre, on a l'impression que c'est simple comme bonjour. Ce n'est pas si facile, figurez-vous ! Et je ne veux pas qu'elle cesse déjà d'être mon bébé ! »

Une semaine plus tard, Alice me rappelle pour m'annoncer qu'elle-même n'aurait pas cru à ce qui vient d'arriver si elle ne l'avait pas vu de ses propres yeux, mais qu'elle sait bien que moi, je la croirai sur parole. Il lui a fallu en tout et pour tout trois nuits et une seule période grincheuse d'une dizaine de minutes, tous les soirs, pour que Tina reprenne l'habitude de « faire » sa nuit sans interruption. « Et figurez-vous qu'elle m'a paru soulagée ! » Je félicite Alice d'avoir eu le courage de me consulter et de suivre mes conseils. Je lui redis — et je le crois sincèrement — que Tina est une petite fille qui a bien de la chance.

Il existe quelques autres techniques pour résoudre ce problème, auquel se heurtent un jour ou l'autre tous les parents célibataires et la plupart de ceux qui travaillent. On peut par exemple prolonger les câlins du coucher. Au lieu d'un rite assez bref, faites-en donc toute une cérémonie durant laquelle vous partagez avec l'enfant toutes les expériences de la journée. Avec un petit bébé, il n'est pas question évidemment de les partager verbalement, mais vous pouvez passer en revue les progrès moteurs et cognitifs. *Vous pouvez aider l'enfant à se redresser et à se rallonger dans son lit, en le félicitant chaque fois qu'il se rallonge. Une fois que vous avez constaté tous les progrès, veillez bien à le laisser dans une position et un état propices au sommeil. Restez assise auprès de lui, caressez-le ou même allongez-vous près de lui, mais laissez-le s'endormir tout seul ou avec sa « doudoune ». Il faut manifester beaucoup de fermeté et de résolution pour mettre fin aux caprices qui ne manqueront pas de résulter de votre présence.*

En réveillant le bébé juste avant de vous coucher, peut-être éviterez-vous qu'il ne s'éveille de nouveau un peu plus tard. Pour une raison que j'avoue ne pas comprendre, si c'est vous qui décidez d'interrompre son cycle de quatre heures avant qu'il ne le fasse lui-même, cela se révèle souvent très efficace. Il faut parachever ce succès en acceptant que le bébé pleurniche un peu en se réveillant. Dites-lui simplement que vous êtes là, mais qu'il n'a pas besoin de vous.

Aucune de ces « solutions » ne marchera, cependant, si vous n'êtes pas intimement convaincue que vous voulez que votre enfant soit indépendant la nuit. Quand vous serez prête, il le saura et suivra votre exemple.

À plusieurs reprises, durant sa première année, Tina souffrira de troubles du sommeil. Au premier appel, Alice court auprès d'elle, ce qui risque évidemment de renforcer ce schéma de réveil. Chaque nouvelle crise coïncide avec une importante poussée du développement. Au moment où Tina apprend à marcher à quatre pattes, durant chaque période de sommeil paradoxal, elle adopte cette position dans son lit, comme pour s'entraîner. Alice éprouve le besoin d'aller la retrouver pour l'aider à se rendormir en la caressant.

Lorsqu'elle passe à la station debout et commence à marcher cramponnée aux meubles, elle se tire en position debout en s'agrippant aux barreaux de son lit, puis elle s'affole et appelle sa mère à l'aide. Alice s'aperçoit qu'elles sont retombées dans le cycle de quatre heures. Nouvelle discussion entre Alice et moi, pour savoir si elle a raison d'aller ainsi trouver sa fille. Elle m'explique qu'elle ne peut pas supporter que Tina ait l'impression que sa mère n'est pas là pour la consoler la nuit. Chaque fois, nous en revenons à la grande question de l'indépendance et aux graves difficultés qu'elles éprouvent toutes les deux dans ce domaine.

Au fil de la conversation, je dois conforter ma cliente dans sa résolution : « Je sais bien qu'il faut y arriver, mais comment faire pour que nous n'en souffrions pas trop, ni l'une ni l'autre ? » Je lui suggère d'avoir recours à un jouet spécial durant la journée. Elle choisit une poupée de chiffon dont elle souligne l'importance. Dès que Tina est fatiguée ou frustrée, sa mère la câline avec sa poupée. Elle explique à la petite que « Bébé » est là pour la consoler. Et puis Bébé va dormir avec elle. Pour lui donner encore plus d'importance, Alice vide le lit de tous les autres joujoux. Lorsqu'elle chante une berceuse à sa fille, le soir, elle veille à ce que la petite ait Bébé à ses côtés ; comme cela, lorsque Tina se réveille la nuit, Alice lui remet sa poupée dans les bras pour la réconforter.

Comme Alice a constaté que la station debout que Tina vient de découvrir semble l'empêcher de se calmer suffisamment pour se rendormir, nous en discutons. La petite fille est tellement grisée par cette faculté de se lever et de s'asseoir que l'activité de la journée déborde sur la nuit. Seulement la nuit, elle n'arrive pas à se rasseoir. Elle se met debout, puis elle s'affole, comme si elle était « coincée » dans cette position et avait besoin de l'aide de sa mère pour se rasseoir. Alice m'explique : « Quand je l'entends, je vais la trouver ; elle est debout dans son lit, cramponnée aux barreaux, et elle hurle parce qu'elle ne sait plus comment se rasseoir. Je sais qu'elle a besoin que je l'aide, mais dès que je l'ai fait, elle bondit à nouveau sur ses pieds ! Elle dort à moitié, alors elle ne le fait pas pour me faire enrager. »

Je lui fais remarquer que sa fille sait parfaitement se rasseoir durant la journée ; alors qu'a donc la nuit de spécial, sinon que Tina ne veut pas essayer de le faire toute seule ? Si Alice se sent sûre d'elle la nuit, je lui conseille de montrer à la petite avec beaucoup de fermeté qu'elle est aussi capable de se rasseoir la nuit que le jour. Après lui avoir mis Bébé dans les bras, Alice n'aura qu'à s'asseoir un moment au chevet de sa fille pour la réconforter, jusqu'à ce qu'elle comprenne qu'elle peut se rendormir toute seule.

Ce schéma de dépendance va resurgir quand Tina apprendra à marcher, quand elle sera un peu dépassée par l'ambiance de la crèche et chaque fois que sa mère traversera une période de tensions. La nuit, elles se réconfortent mutuellement. Le besoin qu'elles ont l'une de l'autre paraît si réel que je me fais parfois l'effet d'une brute avec mes conseils qui visent à les séparer. Je suis obligé de me dire et de dire à Alice que l'on vise un objectif à long terme en cherchant à rendre un bébé indépendant la nuit. La question fondamentale, ce n'est pas le sommeil, mais l'indépendance et le sentiment de sa propre compétence.

À LA RECHERCHE DE LIMITES

Lorsque Tina commence à marcher à quatre pattes, puis debout, cramponnée aux meubles, Alice découvre une nouvelle complication dans leurs rapports, car elle se trouve à présent obligée de sévir en certaines occasions. Tina, en effet, profite de sa nouvelle mobilité pour explorer les lieux et tenter toutes sortes d'expériences. Partie à la découverte du mobilier, elle fait la connaissance du téléviseur et de la cuisinière, tous deux équipés de nombreux boutons qu'il est très amusant de tourner. Et, par-dessus le marché, c'est un moyen très sûr pour attirer l'attention de maman. Lorsque Alice arrive au pas de course, Tina se tord de rire et s'écroule si sa mère veut la prendre dans ses bras. Cette dernière tente de l'aiguiller plutôt vers ses joujoux ; elle construit autour des deux objets interdits de véritables remparts que Tina passe de longues heures à démanteler. Cela l'intéresse beaucoup plus que ses jouets. Alice s'aperçoit que, plus elle se donne de mal pour trouver une solution, plus Tina semble résolue à parvenir à ses fins. Elle paraît bien décidée à terminer chaque conflit par un affrontement. Alice a envie de pleurer, de baisser les bras. Pourquoi ne s'entendent-elles plus comme avant ? Elle a l'impression que sa fille sait parfaitement ce qui la hérisse et prend un malin plaisir à la mettre en colère.

C'est en voyant jusqu'où ses parents sont prêts à le laisser faire qu'un enfant prendra conscience des limites à ne pas franchir. Lorsqu'elle « cherche » ainsi sa mère, Tina s'efforce non seule-

ment de voir jusqu'où elle peut aller, mais sonde aussi un autre domaine très important : ses propres réactions face à la colère maternelle. À l'âge qu'elle a, la petite fille sait très bien que, même si sa mère quitte la pièce en claquant la porte, elle n'est pas bien loin et qu'il sera toujours possible de la faire revenir. Et pourtant, elle ne peut s'empêcher d'éprouver une sourde inquiétude à chaque fois que sa mère la laisse ou se fâche. C'est pour venir à bout de cette inquiétude qu'elle recommence indéfiniment les mêmes bêtises. Cela lui permet de saisir l'étendue de sa nouvelle indépendance.

Alice constate qu'elle a deux solutions pour mettre fin à ce genre d'épisode. Soit elle se désintéresse totalement de l'affaire et au bout d'un moment Tina en fait autant ; ou bien elle peut avoir recours à la sévérité. Si elle est suffisamment irritée ou résolue, Tina le sent et cesse de l'agacer.

Un enfant parvenu à ce stade apprend très vite quand il doit s'arrêter, quand le parent sera intraitable. Il joue sur l'ambivalence à laquelle il est extrêmement sensible. Si le parent se montre ferme, il sait qu'il vaut mieux laisser tomber.

Quelquefois, Alice est obligée de se rabattre sur les punitions corporelles, dont elle n'est pourtant pas fervente. Lorsque Tina tend la main vers la cuisinière, elle lui tape sur les doigts et, une fois où la petite persistait, pour la faire enrager, à s'exposer au danger, elle lui a même administré une fessée. Ce jour-là, Tina s'amusait à suivre le cordon électrique du téléviseur et Alice s'est affolée en la voyant s'approcher de la prise non protégée.

Un parent célibataire doit assurer tout seul la discipline, ce qui peut devenir très fastidieux. Lorsque l'enfant peut faire ses expériences auprès de ses deux parents, l'effet est en quelque sorte dilué. Dans les familles « classiques », où les deux parents travaillent, l'enfant prendra l'habitude de charger un de ses parents des fonctions disciplinaires pendant toute une semaine, puis de passer à l'autre et ainsi de suite. Si les parents s'en aperçoivent, ils comprendront que cela n'a rien de personnel et que ce n'est absolument pas « leur faute ». Du fait qu'elle est seule, Alice craint souvent d'avoir affreusement gâté sa fille. À la fin de la journée, il lui arrive d'être prête à fuir ses responsabilités ou à laisser éclater son irritation. Si le conflit tourne à l'aigre au point de déboucher sur une fessée, cela fait peur, et bien plus à l'adulte qu'à l'enfant. Pour ce dernier, il peut être momentanément douloureux et inquiétant qu'un parent soit aussi fâché, mais du moins sait-il à présent « jusqu'où » il peut aller, si bien que l'incident aura quand même servi à quelque chose. Chez l'adulte, en revanche, il risque de déclencher un raz de marée de remords et d'inquiétude. Et si je ne parviens pas à maîtriser ma colère? se demande Alice. Est-ce que je risque de faire mal à Tina? À notre époque, où les journaux sont pleins d'histoires d'enfants martyrs, tous les parents redoutent, en cédant à un mouvement de rage, de devenir eux-mêmes des bourreaux. Cela fait partie de l'amour que l'on porte à son enfant. Dans le cas d'Alice, elle n'a personne à ses côtés pour l'aider à prendre un peu de recul. En tant que seule éducatrice et responsable de la discipline, elle tâtonne, exactement comme Tina. Cela rend le côté disciplinaire un peu plus ardu et surtout plus crucial, car Tina doit apprendre quelles sont les limites tolérées et surtout apprendre à se connaître en tant que personne distincte de sa mère.

Tina met sa mère à l'épreuve de bien d'autres façons. Elle ne peut pas supporter que celle-ci parle au téléphone, essaie de lire ou s'absorbe dans quoi que ce soit d'autre qu'elle-même. Si Alice lui accorde une attention distraite, la petite fille sait qu'elle pourra facilement mobiliser tout son intérêt, mais dès qu'elle commence à se concentrer sur autre chose, Tina s'approche à quatre pattes et s'agrippe à ses jambes pour se mettre debout. Ou bien, si sa mère n'est pas dans la même pièce, elle se met à pleurnicher. Une fois, elle pousse carrément un cri comme si elle avait mal. Alice arrive au galop et quand elle constate que Tina la fait marcher, elle est furieuse. Elle me demande conseil, car elle sent bien qu'elle est en train de devenir extrêmement irritable.

J'annonce avec beaucoup de fermeté à ma cliente que le moment est venu de se détacher un peu de sa fille. Je lui explique que ce genre de comportement capricieux et crampon précède souvent une étape du développement menant à l'indépendance, par exemple la marche. En ce qui concerne Tina, si Alice parvient à ne pas la couver et à supporter de la voir frustrée, elle sautera probablement le pas.

La frustration (pourvu qu'elle ne soit pas écrasante) est souvent une puissante force pour apprendre.

Je presse Alice de laisser parfois sa fille grincher ou pleurnicher dans son coin. L'irritation que lui causeront ces criailleries sera largement compensée par le fait que Tina aura ainsi l'occasion d'apprendre à se débrouiller toute seule. Je lui assure aussi qu'il serait temps qu'elles sortent un peu toutes les deux et se mettent à fréquenter d'autres personnes. Tina s'ennuira moins en compagnie d'autres bambins. Auprès d'un enfant de son âge, elle pourra apprendre des tas de choses, tant par imitation que par esprit de compétition.

Les enfants de cet âge apprennent beaucoup les uns des autres. Il leur arrive d'imiter des « morceaux » entiers de comportement. La volonté de ne pas se laisser dépasser par un petit camarade est une force très puissante. C'est aussi l'âge où les enfants peuvent passer des heures à s'observer dans un miroir, fort intrigués, mais ils trouvent encore plus amusant de regarder faire un autre enfant qui maîtrise déjà la tâche qu'ils s'efforcent d'apprendre. Chez les jumeaux cela devient évident dès la fin de la première année. L'un des deux est l'observateur et l'autre l'acteur. L'observateur regarde l'acteur faire d'innombrables tentatives et lorsque ce dernier est sur le point d'atteindre le résultat désiré, son jumeau se lève et accomplit sans tâtonner l'acte en question. Il a tout compris par imitation visuelle.

Alice m'écoute attentivement. En fin de semaine, elle me rappelle pour me dire que sa « distanciation » volontaire réussit parfaitement. Chaque fois qu'elle se rend compte que les exigences de sa fille dépassent les bornes, elle laisse tomber, va s'assseoir un peu plus loin et « se fond dans le mobilier ». Très vite, Tina se rend compte qu'elle sera intraitable et se met à jouer de son côté, dans la plus complète bonne humeur. Alice se demande si la petite n'est pas la plus soulagée des deux.

J'en suis convaincu. L'établissement de limites bien nettes est un soulagement pour l'enfant comme pour le parent. Étant donné que la tâche à accomplir est la séparation, des limites clairement établies sont utiles à tout le monde.

Alice m'avoue qu'elle se sent un peu bête d'avoir recours à des subterfuges aussi enfantins, mais elle voit bien que ça marche. Tina se penche avec d'autant plus d'intérêt sur les nouvelles tâches qu'elle est en train d'apprendre : reconstituer des puzzles très simples, empiler des cubes en faisant coïncider les faces et marcher. À l'âge de onze mois, elle a déjà fait deux pas toute seule !

Beaucoup d'enfants ne vont pas aussi vite. Physiquement, ils sont prêts à marcher, mais n'osent pas se lancer. C'est parce que sa mère l'a encouragée à devenir indépendante que Tina a si bien progressé. Le sentiment de notre propre compétence nous vient du dedans tout autant que de l'extérieur. Les parents qui ont tendance à couver leur enfant risquent de contrarier cette force et son accomplissement.

À mesure qu'Alice peut lire la réussite de sa méthode sur le visage de sa fille, elle a de moins en moins de mal à lui fixer des limites. Elle m'annonce que Tina n'a plus cet air inquiet qui accompagnait ses caprices et sa désobéissance. Plus Alice est capable de lui fixer des limites, moins Tina semble possédée du démon de l'exploration. Je rassure ma cliente, en lui expliquant que ce besoin de sévir diminuera à mesure que Tina prendra une conscience plus aiguë de son indépendance en marchant, en parlant et en étant de plus en plus capable de se débrouiller toute seule.

Il est très fastidieux d'être seul pour « dresser » un enfant de cet âge et ce parce qu'une si grande partie de la journée du petit est consacrée à la découverte des limites permises.

Lorsque Tina a un an, Alice me raconte l'histoire suivante qu'elle m'offre comme un cadeau de remerciement pour l'avoir aidée à comprendre que sa fille avait besoin d'acquérir son indépendance : un jour où il pleuvait, après une semaine entière de temps exécrable, Tina et elle en avaient par-dessus la tête de l'appartement et de leur compagnie réciproque, et la petite s'est mise à asticoter sa mère pendant le repas. Assise dans sa chaise de bébé, elle a commencé par jeter son assiette en plastique par-dessus bord. Alice l'a ramassée et l'a remise sur le plateau. Tina a fait un geste « intempestif » et l'assiette est repartie en vol plané. Cette fois, Alice a averti sa fille que cela suffisait et a veillé à bien assujettir la ventouse qui permettait de fixer l'assiette au plateau. Profitant d'un moment où sa mère s'était éloignée pour aller chercher quelque chose, Tina s'est donné beaucoup de mal pour décoller son assiette et l'envoyer prome-ner. Alice était furieuse bien sûr, mais elle s'est contenue et a même trouvé le moyen de se dire que Tina était vraiment futée pour avoir compris ce qu'il fallait faire. La petite a dû le sentir, car elle a commencé à faire le pitre et s'est coiffée de son assiette dès que sa mère la lui a rendue. Alice n'a pu s'empêcher de rire. Elle a enlevé l'assiette et a posé ses aliments directement sur le plateau de la chaise. La petite fille les a fait tomber d'un revers de main. Alice lui a dit : « Non ! » et lui a donné un petit coup sur la main.

Alice aurait déjà pu mettre fin à cette comédie en descendant Tina de sa chaise et en arrêtant net le repas, mais à présent la lutte est engagée et chacune semble y prendre une espèce de plaisir pervers.

Alice a persisté. « Pour la dernière fois », a-t-elle averti, en menaçant Tina de la main. Elle a placé quelques savoureux morceaux sur une assiette bariolée et a tenté de détourner l'attention de sa fille en lui faisant admirer les jolies couleurs. Cette fois, la petite a expédié à travers la pièce l'assiette qui est allée se fracasser contre un placard vitré dans un bruit de verre brisé. Alice a aussitôt explosé. Folle de rage, elle a sorti sa fille de sa chaise et lui a frappé la main à plusieurs reprises.

Le résultat de cette flambée de colère a été inattendu : lorsque Alice a pris sa fille dans ses bras pour la consoler, Tina l'a dévisagée d'un air soulagé et a levé la main pour lui caresser la joue. Alice, inutile de le dire, s'est sentie encore plus coupable de s'être emportée de la sorte, jusqu'au moment où elle s'est rendu compte que la petite était en train de la remercier d'avoir su mettre fin à cet épisode par sa sévérité.

Je suis sûr que tous les parents sont stupéfaits ae voir qu'un enfant peut se montrer soulagé et reconnaissant d'avoir été puni. Il a fallu que je lise moi-même ces sentiments sur le visage de mes enfants pour y croire. Toutefois, leur besoin de limites fixées de l'extérieur coïncide avec leurs tentatives d'apprendre à les reconnaître par eux-mêmes. Pour moi, un « enfant gâté » est un enfant inquiet. Son angoisse découle directement de son besoin de limites et de la conviction inconsciente que ce n'est pas à l'intérieur de lui-même qu'il les trouvera. Ce qu'on appelle un comportement d'enfant « gâté » est plutôt une sorte de quête : l'enfant est à la recherche des limites que devraient lui fixer les adultes. Si vous les établissez clairement, l'enfant lève vers vous un regard empreint de soulagement et même de félicitation. J'incite vivement les parents qui ne savent pas trop quand sévir à guetter cette réaction.

Si personne ne se charge de « dresser » l'enfant, celui-ci se retrouve dans une sorte d'espace vide, à l'intérieur duquel il cherche vainement des moyens de lutter contre l'angoisse qu'engendre cette situation. Ses explorations se teintent d'une sorte de féroce détermination. Chaque tâche entreprise est vite abandonnée et il n'y a aucun signe de satisfaction intérieure à l'idée de l'avoir maîtrisée. L'enfant se contente de passer d'une chose à l'autre, en essayant de provoquer l'intérêt ou même l'irritation des adultes qui l'entourent. Il peut s'ensuivre un comportement vraiment autodestructeur, comme si n'importe quelle réaction de la part d'une grande personne était préférable à l'indifférence. Ce type de conduite est caractéristique de l'évolution de l'enfant « gâté ». Dans un certain sens, cet enfant est un enfant négligé. Étant donné qu'il est plus facile de céder que de sévir, beaucoup de parents ne savent pas ou ne veulent pas prendre leurs responsabilités. Or, pour que l'enfant acquière une nette image de lui-même, l'établissement de limites est tout aussi important que les autres formes de soutien parental. Un parent célibataire ou très occupé s'apercevra que ses devoirs disciplinaires sont les plus pénibles, car il craindra de ne pas avoir suffisamment de ressources pour assurer un bon équilibre entre la sévérité et la tendresse. Les parents font un grand pas en avant dans leur développement individuel lorsqu'ils parviennent à considérer la discipline comme un don qu'ils font à leurs enfants. Maintenant qu'Alice a appris à se montrer ferme, l'image que Tina a d'elle-même, autrement dit son caractère, sera d'autant mieux dessinée.

L'ALIMENTATION

L'alimentation peut aussi être un gros problème pour un parent célibataire qui travaille. Faire manger un enfant est un acte nourricier si profondément enraciné et si lourd de symboles qu'il peut contribuer puissamment à souder l'entité parent-enfant au début et à la fin de chaque journée. Tous les matins, Alice bâcle le petit déjeuner de sa fille et préfère la déposer — avec ce qu'elle doit manger — chez Mme Marlin, au pas de course, avant de filer à l'atelier. Mme Marlin remarque combien Tina en paraît désolée et attire là-dessus l'attention de la jeune mère : « Vous ne pourriez pas vous réveiller un tout petit peu plus tôt ? Tina a vraiment besoin de partager ces instants avec vous. Elle reste triste toute la matinée quand elle doit s'en passér. » Alice fait la grimace : elle s'en veut de son manque de sensibilité. Elle s'arrange désormais pour sacrifier à ce rite ô combien important, le petit déjeuner ensemble. Il amortit le chagrin de la séparation, pour sa fille comme pour elle.

Au bout de la journée, lorsqu'elle se sent elle aussi fatiguée et énervée, Alice redoute l'effondrement de Tina et les caprices qui ponctuent à présent son repas du soir. Elle demande à Mme Marlin si elle ne pourrait pas faire manger la petite avant qu'elle ne vienne la récupérer. Après avoir réfléchi, Mme Marlin refuse : « Je lui donnerai un petit goûter vers quatre heures, quand elle se réveille de sa sieste. Comme ça, elle n'aura pas trop faim le soir. Vous aurez largement le temps de vous organiser et de partager un bon petit dîner, toutes les deux. » Alice comprend que Mme Marlin prend sur elle de se conduire en véritable grand-mère et de « materner » le couple qu'elle forme avec sa fille. Malgré toute l'envie qu'elle éprouve de se soustraire en partie à la responsabilité de faire manger Tina, il lui est impossible de ne pas être reconnaissante d'une telle prévenance. Elle se rend bien compte que les repas font partie de ces « instants privilégiés » dont je lui ai parlé : « Ce n'est pas tant la *quantité* de temps qu'une mère qui travaille passe avec son bébé, mais la *qualité* de ces instants qui importe. » Alice se prend donc par la main, chaque jour, pour affronter cette épreuve. Elle constate que, lorsqu'elle n'est pas trop lasse, Tina se montre assez docile ; mais, lorsqu'elle est pressée ou tendue, la petite fille le sent aussitôt et se déchaîne.

Vers l'âge de neuf mois, Tina devient de plus en plus épouvantable à nourrir. Lorsque Alice porte des cuillerées de bouillie à sa bouche, elle agite la tête d'avant en arrière ; elle se met à sucer son pouce et de l'autre main attrape la main de sa mère et projette de la nourriture plein les vêtements de cette dernière et plein la table ; elle détourne la tête ; elle essaie de se mettre debout dans sa chaise. Alice sent monter sa colère. Elle est fatiguée ; elle vient de passer de longues heures à enseigner ou à son atelier. Elle aussi aurait bien besoin de son dîner, mais avant de pouvoir s'en occuper, elle est obligée de supporter ce comportement intolérable et négatif. En désespoir de cause, elle maintient les bras de sa fille et lui enfourne de force la cuillère dans la bouche. Tina s'étrangle et crache. Alice se met à pleurer. Aussitôt la petite fille se penche en avant, dans sa chaise, et, pleine de sollicitude, tend la main pour caresser le visage de sa mère. Alice craque complètement ; serrant Tina contre elle, elle sanglote : « Pourquoi est-ce que je n'arrive pas à te faire manger ? »

Lorsqu'elle m'appelle, je suis tout content de pouvoir lui proposer plusieurs « trucs » qui marcheront à coup sûr : « Donnez-lui un morceau de pain ou un biscuit à tenir dans une main et une cuillère dans l'autre. Comme ça, elle pourra vous imiter et ça lui donnera quelque chose à faire. Elle aura l'impression de participer au repas. Pour le moment, voyez-vous, vous la maintenez dans un rôle trop passif. Enfilez un ciré, s'il le faut, mais laissez-la s'exercer à manier sa cuillère. Autre élément très important de votre stratégie : laissez-la manger toute seule des petits morceaux d'aliments bien tendres. Son mouvement de tenailles entre le pouce et l'index commence à être vraiment au point et elle sera ravie de s'en servir. Donnez-lui ses petits morceaux par deux ou trois, de façon qu'elle ait le temps de bien s'exercer à les ramasser. Elle trouvera ça formidable et vous aurez tout loisir de lui faire avaler ce que vous voudrez pendant qu'elle sera occupée à faire la démonstration de son adresse. » Ces petites ruses font merveille et elles renforcent en outre chez Tina le sentiment qu'elle sera bientôt capable de manger toute seule.

À partir de l'âge de huit mois, l'objectif d'un bébé est d'apprendre à manger seul. Si le parent continue à le cantonner dans un rôle impuissant et passif, il finira par refuser de manger et tous les éléments d'un conflit grave se trouveront réunis... sans la moindre nécessité. Un parent célibataire qui travaille risque de ne pas savoir reconnaître ces marques d'indépendance, tant qu'elles restent relativement discrètes. Or personne n'est à ses côtés pour observer la lutte et dire en passant : « Pourquoi ne le laisses-tu pas manger tout seul ? » Quand on y réfléchit, cela semble évident, mais il ne viendra pas à l'idée d'une mère ou d'un père surmenés que cela suffira à régler le problème.

Dans le domaine alimentaire, le parent doit absolument rester en dehors, ce qui est bien sûr beaucoup plus facile à dire qu'à faire. L'enfant sera prêt à vous tourmenter, à vous défier et il gagnera à tous les coups. C'est un domaine où il est impossible de lui apprendre à respecter certaines limites. La seule et unique façon de circonscrire la lutte est donc de ne pas y prendre part et de garder votre sang-froid. L'alimentation compte beaucoup trop pour les parents et l'enfant le sait pertinemment.

« Mais comment voulez-vous que je reste en dehors ? proteste Alice. Je sais bien ce qu'elle mange chez Mme Marlin et je veux qu'elle en fasse autant pour moi. De toute façon, elle a besoin de manger. Elle est si menue. Je me sens d'autant plus responsable que nous sommes si souvent séparées, mais pendant le week-end, elle n'avale presque rien. »

Je m'efforce d'aider ma cliente à comprendre que sa fille est actuellement à la recherche de sa propre identité. Durant les repas, il est particulièrement important que Tina soit aux commandes. Nous évoquons les quatre éléments de base de l'alimentation d'un enfant en bas âge et les nombreuses possibilités de biaiser si jamais un conflit se déclenchait à leur sujet. Par exemple, il est important que l'enfant consomme quotidiennement un demi-litre de lait ou l'équivalent sous forme de fromage, yoghourt ou crème glacée. Cependant, quelquefois, il n'y aura pas moyen de faire avaler un seul de ces aliments à Tina. Dans ce cas, il sera possible de lui faire prendre du calcium liquide dans un jus de fruits ou toute autre boisson, afin de pourvoir à ses besoins en calcium jusqu'à ce qu'elle cesse de refuser tous les produits laitiers. Les besoins de fer et de protéines seront comblés par la consommation d'une protéine contenant du fer, par exemple un petit steak haché ou un œuf. Si elle les refuse, il faudra essayer de lui donner chaque jour un lait de poule ou bien de lui faire manger des légumes contenant beaucoup de fer, notamment des haricots secs, mais elle saura très vite reconnaître les aliments que vous tenez à lui voir manger. Une préparation multivitaminée satisfera ses besoins de légumes s'il survient une longue période de refus. Quant aux besoins de vitamine C, trente grammes de jus de fruits ou un morceau de fruit frais devraient suffire à les combler. Si vous parvenez à lui faire avaler d'une façon ou d'une autre ces quatre éléments de base — même sous forme d'ersatz — laissez donc l'enfant refuser tout le reste si cela lui chante.

« Mais, écoutez, je préférerais qu'elle aime manger et qu'elle suive une alimentation équilibrée. Le régime que vous me proposez me paraît tout à fait insuffisant ! » Je dois assurer à Alice que sa fille surmontera cette période de négativisme envers la nourriture, pourvu que cela ne devienne pas une source de tension entre elles. À l'âge de deux et trois ans, les plaisirs gastronomiques et la variété alimentaire ne figurent pas parmi les principaux objectifs. Pour le moment, Tina a mieux à faire : elle doit apprendre à devenir indépendante.

J'ai l'impression qu'Alice ne m'écoute que d'une oreille. Elle a les yeux mi-clos et ne tient pas en place. Finalement elle me dit : « Vous ne pouvez pas savoir combien c'est dur, toute seule. Il me semble que tout ce qui ne va pas est ma faute. Même quand vous m'assurez que non, comme vous le faites en ce moment, je n'arrive pas à vous croire. Je n'arrête pas de me dire que vous essayez simplement de me dorer la pilule. Parfois, je suis dans une telle colère contre Tina que j'ai peur de lui faire mal. Et le pire, ce sont ces repas. Je me rappelle encore ma propre mère en train de me gaver comme une oie et la flambée de haine que cela provoquait chez moi. J'étais à la fois folle de rage et impuissante. Je m'étais juré que jamais, au grand jamais, je ne ferais une chose pareille à Tina et pourtant, à présent, j'en meurs d'envie. Je voudrais la faire souffrir pour lui montrer à quel point j'ai mal, moi, quand elle refuse de manger ou joue avec sa nourriture ! Une fois de plus, je suis au-dessous de tout dans mon rôle de mère. Quelle vie épouvantable nous nous préparons toutes les deux ! »

Cette diatribe lui a jailli du fond du cœur et j'en suis parfaitement conscient. Je l'accepte donc sans commentaire et m'efforce doucement de la rassurer. Je sais qu'il est particulièrement dur d'être seule, mais la forte personnalité de la petite fille n'est-elle pas le vivant témoignage de la réussite d'Alice en tant que mère ? J'espère qu'elle saura prendre assez de recul, de temps en temps, pour s'en apercevoir. Peut-être à présent sa fille et elle ont-elles besoin de se réévaluer mutuellement. A-t-elle donc laissé tomber son groupe de jeunes mamans ? Dans ce cas, il lui serait sûrement d'un grand secours de reprendre contact et de partager avec les autres ses expériences. Ou bien peut-être pourrait-elle aller passer quelques heures chez Mme Marlin, pour observer Tina au milieu de ses petits camarades ? Je pense qu'elle constaterait ainsi à quel point sa fille est sûre d'elle parmi les enfants de son âge. Y en a-t-il suffisamment chez Mme Marlin ? C'est une période où il est spécialement important, pour l'apprentissage de Tina, qu'elle se trouve en contact avec des enfants ayant atteint le même stade qu'elle dans leur développement. Les tout-petits s'enseignent mutuellement des tas de choses. Ils peuvent rivaliser et observer la façon dont chacun apprend à reconnaître les limites autorisées. Il est vraiment trop pénible de lutter ainsi en solitaire. Je presse Alice de donner beaucoup plus d'importance à sa vie sociale et d'en faire autant pour sa fille. Ses amies et elle pourraient se charger à tour de rôle du baby-sitting. Chacune serait alors en mesure de se libérer périodiquement des constantes exigences de la maternité. Dans le domaine de l'indépendance, les deuxième et troisième années sont cruciales et, pour un parent célibataire, le plus pénible peut-être de tous ses devoirs est d'appuyer ce désir d'autonomie. C'est donc le moment de rechercher par ailleurs davantage de plaisir et de soutien. Même si l'on a l'impression que cela revient à courir non plus deux mais trois lièvres à la fois, la détente qu'apportera une vie sociale en vaut probablement la peine.

LES DOUTES D'UNE MÈRE CÉLIBATAIRE

À trois ans, Tina est irrésistible. Elle rayonne de santé, possède un merveilleux sens de l'humour et s'amuse avec les jouets qui se trouvent dans mon cabinet avec beaucoup d'entrain et de créativité. Un jour où je m'entretiens avec sa mère, elle s'affaire autour de la maison de poupée. Soudain, d'une voix forte, comme pour être sûre d'être entendue, elle annonce : « Cette petite fille a un papa et sa maman ne travaille pas ! » Alice rougit jusqu'au blanc des yeux : « Où va-t-elle chercher toutes ces idées ? On dirait qu'elle veut me reprocher tout ce que je ne fais pas pour elle. » Nous parlons de leur existence. Alice a recommencé à fréquenter des hommes. Chaque fois qu'elle en invite un chez elle, Tina fond sur lui, comme si elle était avide d'avoir enfin un homme dans sa vie, elle aussi. Alice commence à se demander si elle ne devrait pas se marier, pour Tina.

C'est une bien mauvaise raison de se marier. De toute façon, Tina recherchera un équivalent masculin de sa mère et il est plus que probable qu'elle le trouvera : dans son imagination, sinon dans la réalité. Alice devra bientôt lui parler de son père : le lui décrire physiquement, expliquer pourquoi il ne vit pas avec elles, pourquoi Tina ne le connaît même pas. Elle devra répondre à certaines questions que sa fille lui posera à de multiples reprises, à mesure qu'elle s'efforcera de démêler la situation de son propre point de vue. Est-elle différente des autres enfants parce qu'elle n'a qu'une maman ? Où se trouve son père ? Existe-t-il vraiment ? À quoi ressemble-t-il ? Est-ce qu'il aime sa petite fille ? Est-ce parce qu'elle n'a pas été sage qu'il est parti ? Si elle se donnait beaucoup de mal, est-ce qu'elle arriverait à le retrouver et à le ramener à la maison ? Pourquoi Alice a-t-elle besoin de travailler ? Elle ne pourrait pas essayer de rester à la maison (comme les autres mamans) pour s'occuper de Tina ? Si Alice savait s'y prendre, si elle était plus jolie, si c'était une bonne maman, est-ce qu'elle ne pourrait pas trouver un autre papa pour Tina ?

Il faut absolument se pencher sur toutes ces questions et Alice et moi nous arrangeons pour nous ménager un entretien en tête à

tête. Au cours de notre conversation, la jeune femme s'aperçoit
que ses sentiments de culpabilité coïncident avec les questions de
sa fille. Elle aussi pense, inconsciemment, qu'elle aurait dû
compléter leur famille en se mettant en ménage avec un homme.
Sur le plan personnel et en tant que chef de famille chargé de
fournir à Tina une existence normale, elle ne se sent pas à la
hauteur. Sans compter qu'elle est en outre déchirée entre son
métier de sculpteur et d'enseignante et son besoin de rester chez
elle avec sa fille. À peine ces mots sont-ils sortis de sa bouche
qu'elle ajoute : « Pourtant, j'adore mon travail. Je ne me
sentirais pas aussi épanouie si j'étais simplement mère au foyer.
Qu'est-ce que je vais devenir quand Tina s'en ira ? Je serai
vraiment toute seule. Et, de toute façon, même actuellement,
est-ce que je ne la couverais pas encore plus que je ne le fais, si je
ne travaillais pas ? Je lui rendrais vraiment la vie impossible.
Lorsque vous m'avez poussée à la laisser acquérir son indépendance, je n'ai pu m'y résoudre que parce que j'avais mon travail.
À vrai dire, je suppose que ce n'est pas là le fond du problème.
La grande question pour moi, c'est d'être une mère à la hauteur,
tout en restant fidèle à moi-même. Dès que Tina se montre
vulnérable ou manifeste un désir pour quelque chose que je ne
lui ai pas donné, je me sens coupable. Je suppose que je n'ai
jamais complètement accepté le fait d'être restée célibataire. »

J'assure à ma cliente que toutes les mères conscientes de leurs
responsabilités sont dans le même cas. Seulement le fait d'être
célibataire rend Alice plus vulnérable aux questions de sa fille et
aux problèmes du développement qui ne peuvent manquer de
surgir. Et je suis sûr que l'obligation dans laquelle elle se trouve
de travailler — et de rechercher dans son métier la satisfaction
de la réussite — déclenche un sentiment de culpabilité qui
aggrave la situation. Toutes les femmes qui s'efforcent de se
partager en deux se sentent parfois dépassées, même si elles y
parviennent très bien. Comment Alice peut-elle régler ce
problème ? À mon avis, elle devra apprendre à vivre avec ses
incertitudes et y faire face à chaque fois qu'elles resurgiront.
Tout va remarquablement bien pour Tina et elle, et je lui
demande si elle ne parvient pas à puiser un certain réconfort
dans le fait que sa fille est aussi équilibrée, pleine d'humour et
libérée. Tina se sent parfaitement libre d'exprimer ses fantasmes
et de critiquer sa mère. Elle se sent même suffisamment sûre

d'elle pour le faire devant moi, c'est-à-dire une personne étrangère, mais qui compte dans sa vie. Je conseille à Alice de faire ainsi, de temps en temps, le bilan de tout ce qu'elle a réussi.

Chaque fois qu'Alice invite un homme chez elle, Tina l'accapare. Elle lui grimpe sur les genoux, lui caresse le visage et les cheveux et lui fait un tel numéro de séduction qu'Alice a du mal à se contenir. Beaucoup d'hommes ne le supportent pas, d'ailleurs, et ne cherchent plus à revoir la jeune femme. Elle me consulte pour savoir comment apprendre à sa fille à se comporter normalement avec les hommes. Elle n'ose même pas faire appel à des garçons pour le baby-sitting, tant elle a peur de la façon dont sa fille pourrait se conduire. Je lui suggère de chercher une garderie où l'encadrement est assuré en partie par des hommes. Elles ne sont pas faciles à trouver, parce que la plupart des hommes répugnent à accepter les salaires pitoyables offerts à ceux qui s'occupent des petits enfants. Cependant, il est effectivement important, à présent, que Tina apprenne à connaître les hommes et à se sentir proche d'eux. Alice l'emmène-t-elle parfois voir son propre père et ses frères ? Ce serait une façon de montrer à la petite fille qu'elle aussi a des hommes dans sa famille sur lesquels elle peut compter. Il faut en tout cas veiller à ce qu'elle ait des petits garçons autour d'elle pour jouer avec. Nous sommes tous les deux d'accord pour penser qu'il est temps de la mettre dans une garderie où elle aura d'avantage de camarades, même si ce doit être pour toutes les deux un véritable déchirement que de quitter Mme Marlin, qui leur a toujours apporté un si chaleureux soutien. Alice a eu beaucoup de chance de la rencontrer.

LA GARDERIE

Tina traverse une très mauvaise passe durant les premiers jours à la garderie. Mme Marlin lui manque énormément. Alice l'emmène souvent la voir et cela la console, mais la mère et la fille n'en éprouvent pas moins l'impression d'un grand vide. Tina a du mal à s'accoutumer au grand nombre d'enfants. Au début, elle a tendance à se retirer dans sa coquille et Alice comprend très vite qu'elle doit absolument prendre quelques jours de congé pour pouvoir aider sa fille à faire la transition. Le résultat est encourageant, mais la petite fille a quand même tendance à rester assise sur les genoux de sa mère, dès que celle-ci est présente, ce qui agace les responsables et inquiète Alice. Tina est-elle donc si effrayée ? Si elle tente d'insister pour que la petite aille jouer avec les autres, elle se replie encore davantage sur elle-même. Les maîtresses jettent à Alice des regards désapprobateurs, comme si c'était de sa faute, et elle se sent complètement vulnérable à leurs critiques.

Ce sont des moments où il est très dur d'être seul. Alice aurait besoin d'avoir quelqu'un à ses côtés, pour l'aider à comprendre qu'il faut s'attendre à ce qu'il y ait un certain flottement. En effet, le mélange de culpabilité et de colère qui l'anime et son insistance auprès de Tina ne font qu'aggraver l'angoisse de cette dernière.

Durant la deuxième semaine, Tina semble s'habituer un peu, mais en fin de semaine, en venant la récupérer un soir, Alice la trouve à la porte, le nez collé contre la vitre, l'air abandonné et malheureux. Son cœur se serre. Elle a l'impression de s'être complètement fourvoyée en enlevant sa fille de chez Mme Marlin. Lorsqu'elle prend Tina dans ses bras, la petite éclate en sanglots. Alice sent la colère l'envahir. Elle a bien envie de dire aux responsables de la garderie sa façon de penser : pourquoi ne sont-ils pas capables de les aider, Tina et elle, à négocier ce changement ?

Cette espèce de rivalité qui dresse une mère contre l'école où la garderie est inévitable, car l'un des éléments de l'amour maternel, c'est le sentiment que personne ne saura s'occuper aussi bien que vous de « votre bébé ». Cet instinct de compétition s'exprimera quelquefois par une colère dirigée contre l'établissement en question. Alice, en outre, a le sentiment que les responsables ne la trouvent pas « bonne mère ». En tant que mère célibataire doublée d'une mère qui travaille, elle est deux fois plus vulnérable.

Elle s'assoit avec sa fille dans ses bras, pour la consoler, et une des maîtresses en profite pour venir lui expliquer que Tina a passé une très bonne journée, mais qu'elle vient juste de se faire mal et s'est précipitée à la porte pour guetter sa mère. Sur les genoux d'Alice, Tina hurle et trépigne pour ne pas entendre la voix de la maîtresse. Sa mère la serre encore plus fort et foudroie son interlocutrice du regard, prête à protéger son enfant qui souffre avec bec et ongles. L'affaire tourne à l'aigre et Alice part avec sa fille, en claquant la porte ; elles ont toutes deux le sentiment d'être des victimes et des parias. Le lendemain matin, mère et fille doivent vraiment se faire violence pour retourner à la garderie.

Alice aurait pu leur faciliter les choses, à Tina et à elle-même, en évitant de réagir de façon aussi excessive. Il était bien naturel que son instinct de protection soit éveillé, mais elle n'a fait qu'envenimer la colère piquée par sa fille (et la fin de journée est un moment propice aux colères de ce genre, avec ou sans raison). Ce faisant, elle a rompu sa ligne de communication avec les responsables de la garderie, qui auraient pu les rassurer, la petite et elle. Si Alice veut que les autres comprennent Tina et s'intéressent à elle, elle doit se montrer coopérative au lieu de se mettre les gens à dos. Lorsqu'un parent prend le parti de son enfant, sans peser le pour et le contre, ce dernier reçoit un subtil message : c'est que la maîtresse a tort et que lui-même a raison. La vulnérabilité d'Alice l'a empêchée de faire la part des choses et d'aider sa fille à s'adapter à sa nouvelle situation. J'espère que les responsables de la garderie comprendront sa réaction et l'aideront à surmonter ses difficultés.

Tina commence à se faire tirer l'oreille pour aller à la garderie. Alice, qui doit aller donner ses cours, se sent coincée. Doit-elle obliger sa fille à y aller quand même, quitte à la rendre malheureuse, ou bien annuler ses propres cours et risquer de perdre sa situation ?

Ni l'un ni l'autre. Elle doit tout simplement aller à la garderie avec Tina suffisamment tôt pour avoir le temps de s'entretenir avec les maîtresses, afin d'aider la petite à franchir cette période

difficile. Il est plus que probable que les responsables compren-
draient et veilleraient à entourer spécialement la fillette. Si Alice
choisit de rester chez elle avec Tina, elle admet la défaite de celle-
ci et elles se sentiront l'une et l'autre coupables et furieuses. Il
vaut nettement mieux pour toutes les deux qu'elle parvienne à
aider Tina à surmonter cette crise. Peut-être pourra-t-elle s'arran-
ger pour revenir voir sa fille vers midi. Il y aura certainement
dans leur vie des moments très difficiles où Tina et elle auront
besoin de rester seules pour faire le point, mais dans le cas
présent elles doivent au contraire tenir bon.

Pour finir, Alice trouve le moyen d'aider sa fille. Elle lui
promet d'abord de rester avec elle très brièvement chaque
matin, puis elle se met en devoir de « faire la cour » à un autre
enfant du même âge que Tina. Elle l'invite à dîner, l'emmène
jouer avec Tina au jardin public et fait tout ce qu'elle peut pour
en faire des amis intimes. La méthode porte ses fruits. Tina et
son nouvel ami s'intègrent ensemble au groupe d'enfants de la
garderie. À la fin de la semaine, Alice peut constater que sa
fille a repris le dessus.

Durant cette période d'adaptation, il est particulièrement
important qu'Alice consacre à sa fille une bonne partie de son
temps. Pendant le week-end, après une semaine aussi longue et
chargée en événements pour toutes les deux, elle sera bien avisée
de prendre le moins d'engagements possible. Elles pourront ainsi
rester seules ensemble. Alice se consacrera entièrement à sa fille
et elles se sentiront sans doute assez proches pour pouvoir parler
de leurs difficultés et de ce qui les attend durant la semaine à
venir. C'est une bonne façon de se préparer aux tensions et
d'atténuer d'avance les réactions de Tina. Lorsqu'elles seront
excessives — ce qui se répétera sans doute plusieurs matins de
suite — Alice pourra la calmer en lui rappelant leur discussion
du week-end.

Dieu sait qu'il n'est pas facile d'élever seul un enfant, tout en
travaillant à plein temps, mais c'est une tâche dont on peut
néanmoins venir à bout, dans la dignité et la fierté. Je suis
convaincu qu'il est excellent pour un enfant de voir son père ou
sa mère remplir ces deux rôles avec compétence et assurance.
Tina a bien de la chance de pouvoir ainsi s'identifier à une

maman aussi accomplie qu'Alice dans ces deux domaines. Peut-être lui manque-t-il un père, peut-être ne voit-elle pas sa mère autant qu'elle le voudrait, mais elle apprend en revanche à être forte et à se débrouiller seule.

11

Les McNamara

À mesure que Tim commence à emmagasiner de l'énergie et de l'entrain, il devient moins passif. Quand il veut quelque chose, il glapit. Il donne des ordres à son frère aîné en montrant du doigt et en grognant. On dirait qu'il devine l'inquiétude de ses parents à son égard et qu'il en profite pour se montrer de plus en plus exigeant. À l'âge de sept mois, il est le roi de la maison et il le sait parfaitement. Bref, il est à deux doigts de devenir un enfant gâté.

Il est très difficile, lorsqu'un enfant a traversé une mauvaise passe ou été victime de problèmes physiques, de l'inciter à devenir indépendant. Rien n'est plus naturel, lorsqu'on est accaparé par les soins à lui donner — pour l'aider à récupérer — que de ne pas s'apercevoir qu'il devient « gâté », c'est-à-dire qu'il dépend et exige trop de son entourage. L'antidote, c'est l'autonomie. Un enfant sûr de lui et indépendant n'éprouve pas le besoin d'imposer à ses proches un despotisme inquiet, ni de mobiliser leur attention.

LE BESOIN DE LIMITES

À mesure qu'il s'active davantage dans la journée, Tim dort moins bien la nuit. Il n'y a pas moyen de l'endormir. Il réussit à se maintenir éveillé longtemps après que Danny a sombré dans le sommeil et devient de plus en plus agité et grincheux au fil des heures. Ann et John ont l'impression d'être à sa merci, mais ils se sentent tenus de lui donner tout ce qu'ils peuvent, pour compenser sa mauvaise expérience à la crèche, quelques mois plus tôt... et leur propre sentiment de l'avoir négligé. Ils le gardent donc avec eux, au lieu de le coucher, mais très vite l'énervement les gagne tous les trois. En outre, accaparés par le bébé, ils n'ont plus beaucoup de temps à consacrer à Danny. Dès qu'ils essaient de lui lire une histoire, Tim se met à faire des caprices. Il leur paraît impossible qu'il ait déjà le réflexe, si petit, de rivaliser avec son frère aîné.

Tim sent bien qu'ils sont encore inquiets à son sujet et se montre donc plus exigeant qu'il ne le devrait. Les parents qui travaillent ont toujours le sentiment qu'avec aussi peu de temps à passer chez eux, ils ne doivent pas se montrer trop sévères envers leurs enfants. Pourtant, ceux-ci ont besoin de limites, cela les rassure. Sans compter, qu'un peu de fermeté de temps à autre protégerait Daniel des exigences de son petit frère et ferait savoir à ce dernier que ses parents contrôlent la situation. Certains de ses caprices peuvent fort bien être dus à l'angoisse.

Lorsque Tim se réveille à 3 heures du matin, c'est John qui le prend en charge, s'il est à la maison. Pour l'aider à se rendormir, il le berce, lui donne un biberon et lui parle longuement. Lorsque sa femme tente de l'en dissuader, il proteste : « C'est le meilleur moment de la journée, voyons. J'ai Tim pour moi tout seul. »

C'est pour cette raison que beaucoup de pères attachent un grand prix à ces épisodes nocturnes avec leur enfant. Ils risquent, certes, de donner au bébé l'habitude de se réveiller à heure fixe, mais cela peut en valoir la peine... pendant un certain temps.

Comme nous l'avons vu dans les chapitres précédents, le problème du sommeil est universel pour les parents qui travaillent. Ils ont besoin de ces quelques instants supplémentaires avec leur enfant, au milieu de la nuit, et peut-être l'enfant a-t-il lui aussi besoin de les voir. Les périodes de sommeil paradoxal, qui surviennent toutes les quatre heures, stimulent la dépendance. Ce problème n'est pas de ceux qui se résoudront spontanément (voir chapitre 10) et il risque de causer de graves difficultés. Une famille qui travaille a besoin de bien dormir pour fonctionner convenablement durant la journée.

Depuis qu'on lui a dit que Tim était au-dessous du poids normal pour son âge, Ann s'attache à lui faire rattraper ce retard. Elle lui donne à manger dès qu'elle en a l'occasion. Chaque fois qu'il geint, chaque fois qu'il a l'air de s'ennuyer, elle lui fourre un biberon dans la bouche. À huit mois, non seulement il est devenu un peu trop grassouillet, mais il en a par-dessus la tête de son biberon. Il parcourt l'appartement à quatre pattes, avec un biberon à moitié vide accroché au coin des lèvres.

Un bébé a de nombreuses raisons de pleurnicher : il est surexcité, frustré ou animé par d'autres émotions intenses. Toutes l'incitent à trouver un exutoire : apprendre, se joindre à l'activité du monde qui l'entoure. En se servant du biberon comme d'une « sucette », on le dévalue en tant que source alimentaire et en « muselant » ainsi les émotions de l'enfant, on diminue la dose d'intensité qu'il pourrait investir dans ses activités. Je préférerais de beaucoup qu'Ann laisse plutôt son bébé en proie à la frustration ou à la colère, afin qu'il apprenne à résoudre lui-même ses difficultés ; mais, encore une fois, il est bien difficile pour les mères (et les pères) qui travaillent de tolérer de tels sentiments chez leurs enfants. Ils sont trop fatigués pour le supporter et cela heurte en outre leur conviction que durant les trop brefs instants qu'ils ont à passer chez eux avec leurs enfants, ceux-ci doivent être heureux. L'enfance, cependant, n'est pas une période de parfaite béatitude. Elle comporte aussi ses frustrations, notamment lorsque l'enfant s'efforce d'apprendre tout ce qu'il devra savoir pour devenir un adulte bien dans sa peau

PARTAGER LES CORVÉES ET LES PLAISIRS

Ann et John conjuguent leurs efforts pour élever leur petite famille. Lorsque John est à la maison, ils se partagent les travaux ménagers. C'est souvent lui qui range et nettoie pendant qu'Ann fait la cuisine. Tout en vaquant à sa besogne, le jeune papa s'aperçoit que Daniel le suit à la trace, un balai à la main. Cela lui donne l'idée de montrer à son fils comment il faut s'y prendre. Le petit garçon est ravi.

Voici une excellente initiative pour les parents qui travaillent. Les enfants qui apprennent à se rendre utiles et à prendre conscience de leurs responsabilités en tant que membres de la famille seront plus tard des adultes prêts à partager et à aider. De nos jours, trop rares sont les parents qui se rendent compte que l'enfance est une excellente période pour communiquer un sentiment de responsabilité envers autrui. Les parents qui travaillent n'ont que trop tendance à mâcher la besogne à leur progéniture, d'une part parce que l'on va plus vite en faisant les choses soi-même qu'en montrant à un enfant comment il faut faire et de l'autre parce qu'ils préfèrent éviter de lui donner déjà l'impression qu'il doit travailler. Ce dernier point n'est pas du tout dans l'intérêt de l'enfant. Il n'est jamais trop tôt pour « apprendre à travailler », d'autant qu'à cet âge, le travail peut facilement devenir un jeu, si on le présente comme une bonne occasion de partager une activité avec les parents.

Ann s'aperçoit que ce qu'il y a de plus dur, quand on est la mère de deux enfants en bas âge et que l'on doit travailler au-dehors, c'est de trouver le moyen de se partager entre ses diverses obligations. Dans un certain sens, elle aime beaucoup son métier et s'efforce de le faire de son mieux ; mais, lorsqu'elle quitte la banque pour aller chercher ses deux fils, elle se sent souvent trop lasse pour s'occuper d'eux avec toute l'énergie dont ils auraient besoin. Elle a l'impression d'avoir constamment un métro de retard dans tout ce qu'elle fait. Elle dort mal, mange du bout des lèvres et, au moment où John vient passer quelques jours à terre, elle est bien près de craquer complètement. Dès que son mari se rend compte de l'état de fatigue et de nervosité extrêmes dans lequel elle se trouve, il demande quelques jours de congé pour pouvoir rester à la maison et donner un coup de main.

Par ce geste, John parvient non seulement à préserver l'équilibre mental de toute sa famille — femme et enfants — mais il prouve en outre qu'il est vraiment sensible aux difficultés de la situation. L'un des gros problèmes, pour quiconque s'efforce de bien remplir deux rôles à la fois, c'est le manque de temps. Et même si l'on n'a pas l'impression de livrer une interminable course contre la montre, on est persuadé que l'on n'aura jamais assez d'énergie émotionnelle pour tenir le coup.

John se charge du marché et des trajets entre la maison et la crèche matin et soir. Dan profite de toutes les occasions pour faire admirer « mon papa » à tout le monde. Ann parle à son mari de ses expériences auprès des enfants et des bébés et l'incite vivement à proposer son aide pour une demi-journée. John est extrêmement gêné. « Tu ne me vois pas là-dedans ! proteste-t-il. — Ah bon ? Tu estimes que ce serait déchoir pour un homme ? Figure-toi que ça t'apportera beaucoup plus qu'à eux. Et puis, il faut vraiment que tu apprennes à mieux connaître Timmy et voilà une excellente occasion de le faire ! » Ann parvient finalement à convaincre son mari qui va, à contrecœur, passer un après-midi à la crèche. Il y fait un véritable « malheur » ! Inutile de dire que tous les enfants accueillent avidement cette présence masculine. Et les responsables ne sont guère moins enthousiastes. Toute la crèche est manifestement sous le charme. Les enfants gloussent de joie en jouant avec John. Dans la pouponnière, tous les visages sont tournés vers lui. Et tous les petits de la « classe » de Daniel le suivent comme des toutous. Il est incontestablement la grosse attraction du jour, ce qui est loin de lui déplaire. Dorénavant, à chacun de ses passages chez lui, il retourne faire acte de présence à la crèche. Très vite, il commence à se sentir beaucoup plus proche de Tim. Quant à Danny, il est fou de joie de voir que son père « n'arrête pas de venir dans mon école ! »

Un homme dans une crèche, c'est le succès assuré ! Les enfants le suivent comme si c'était le joueur de flûte et les responsables (qui sont presque exclusivement des femmes) se sentent toutes ragaillardies, comme si elles venaient soudain de recevoir l'assurance qu'elles font du bon travail. Et, bien sûr, l'enfant de ce père vedette suscite l'envie de ses petits camarades. Les pères devraient bien plus souvent prendre le temps d'aller passer une demi-journée à la crèche que fréquentent leurs enfants.

Lorsque John se met en devoir de raconter par le menu à sa femme sa journée à la crèche, la première réaction d'Ann est de se hérisser et de dire : « Bon, écoute, tu ne vas pas en faire toute une affaire ! », mais elle se rend aussitôt compte qu'elle cède à un mouvement de jalousie et elle s'empresse au contraire de le questionner. En l'écoutant lui décrire les heures qu'il a passées auprès de ses deux fils et de leurs petits amis, elle comprend à quel point Daniel et Timothy lui manquent. L'après-midi qu'il vient de passer avec Dan leur a fait à tous les deux l'effet d'une réunion. Ann se rend compte de l'importance que revêt cet événement pour son mari et pour son fils et elle peut se réjouir avec John de le voir ainsi reprendre sa véritable place au sein de la famille.

Il est souvent pénible pour un parent qui travaille de voir son conjoint « inoccupé ». Cela avive aussitôt son désir d'être lui aussi plus libre, de pouvoir rester à la maison avec les enfants. Ann devrait bien prendre elle aussi un jour de congé pour aller en visite à la crèche. Elle aurait d'autant moins de mal à y laisser ses fils tous les jours. Dans toutes les familles où les deux parents travaillent, il est excellent d'intervertir les rôles de temps en temps, de façon que chacun puisse se mettre à la place de son conjoint. En outre, les enfants gagnent beaucoup à voir leurs parents dans des rôles différents.

UNE SYMPATHIQUE ÉQUIPÉE

La veille du jour où John doit reprendre la mer, Ann lui suggère de ne pas envoyer Daniel à la crèche et de profiter de l'occasion pour organiser une petite « sortie » avec lui. Le père et le fils se rendent d'abord à l'aquarium, puis ils vont manger un hamburger avant d'aller assister à une rencontre de catch. Pendant des mois, Danny reparlera de cette journée avec « son » papa. Le pli est pris, désormais. À chaque fois que John vient passer deux ou trois jours à terre, il part « en goguette » avec son fils aîné.

Je ne saurais trop recommander ce genre d'initiative à tous les parents qui travaillent. Faut-il redire que ce n'est pas la quantité de temps que vous réservez à chaque enfant qui compte, mais la valeur symbolique que vous accordez à ces instants passés ensemble. Réservez une ou deux heures par semaine à chaque enfant, durant lesquelles vous serez seul avec lui et à sa disposition. Il ne saura pas forcément comment employer ces deux heures, mais il saura qu'elles sont « à lui ». Et, même si vous ne pouvez lui consacrer qu'une heure, il en parlera pendant tout le restant de la semaine. Naturellement, il y aura d'autres moments où l'enfant aura envie de vous avoir avec lui. Si vous êtes trop occupé, vous pourrez lui dire : « Pour le moment, c'est impossible, mais n'oublie pas qu'à la fin de la semaine, nous avons rendez-vous tous les deux et que nous ferons ce que tu voudras. Je serai ravi de pouvoir passer un peu de temps en tête à tête avec toi. » Plutôt que de vous sentir coupable toute la semaine, vous pourrez être fort de la certitude que ces instants privilégiés compenseront en grande partie les trop nombreuses heures de séparation. Ce sont des moments précieux, à partager seul à seul, sur lesquels il ne faut pas empiéter.

Lorsque John repart au travail, Ann a repris le dessus. Elle sait que l'amour de son mari est encore plus fort qu'avant et elle voit bien à quel point il adore chacun de ses fils et combien ils ont besoin de lui. Elle se sent capable de surmonter toutes les difficultés et se promet que lors du prochain congé de John, elle engagera un baby-sitter pour pouvoir sortir avec lui en amoureux.

Il suffit parfois de peu de chose pour vous remettre sur pied. Toutes les mères qui travaillent devraient prévoir des « sorties » régulières pour se changer les idées. Curieusement, c'est la chose la plus difficile à organiser : manque de temps, manque d'argent, manque d'énergie, tous les prétextes nous sont bons pour ne pas nous payer un peu de bon temps. Et pourtant, cela peut changer beaucoup de choses.

Bien longtemps après le départ de John, Ann conserve intactes son énergie et sa bonne humeur. À la banque, elle sifflote dans son coin. L'après-midi, elle arrive à la crèche d'un pas guilleret pour y récupérer ses enfants et recevoir les félicitations du personnel pour la visite de son mari. Elle s'aperçoit que tant qu'elle est heureuse, ce n'est pas l'énergie qui lui manque.

MALADIES INFECTIEUSES

Un matin, Tim a le nez qui coule et Danny est fiévreux. Ann est aux cent coups. Comment faire avec deux petits enfants malades ? Elle téléphone à son bureau pour expliquer qu'elle est obligée de s'absenter quelques jours. Son patron ronchonne, mais semble plutôt compréhensif. Au bout de quatre jours, les deux garçons se rétablissent, mais ces grippes relativement bénignes vont se répéter à plusieurs reprises. Ce dont Ann souffre le plus, c'est de se sentir « obligée » de les renvoyer à la crèche avant qu'ils ne soient totalement rétablis, malgré toute l'envie qu'elle a de rester avec eux.

Les maladies infectieuses à répétition sont inévitables chez les enfants qui vivent en groupes (voir chapitre 9). Les pouponnières sont de véritables bouillons de culture. Les bébés y contractent des infections bénignes qu'ils rendent plus fortes avant de les passer à toute leur famille. J'ai constaté que lorsqu'il y a un nouveau bébé dans un foyer, les enfants plus âgés (et les adultes) doivent généralement lutter deux fois contre la même infection. Par conséquent, les employeurs de jeunes mamans doivent se montrer compréhensifs envers leurs absences répétées.

Beaucoup de parents souffrent d'être obligés de reprendre le travail avant que l'enfant ne soit tout à fait rétabli. S'ils peuvent se permettre de prendre un jour de congé supplémentaire, cela leur donnera une bonne occasion de passer de délicieux moments au lit avec leur enfant, à lire ou à jouer calmement ; ce sont des souvenirs inoubliables.

PROBLÈMES DU SOMMEIL

Avant le premier anniversaire de Tim surgissent encore d'autres problèmes auxquels Ann a plus de mal à faire face, parce qu'elle travaille au-dehors. À chaque fois que son second fils pleure la nuit, elle ne peut s'empêcher de courir aussitôt à son chevet. Après une de ses grippes qui l'a laissé très grincheux la nuit, elle le prend avec elle dans son lit. Dès qu'il pleurniche, elle se retourne pour le serrer dans ses bras et le caresser jusqu'à ce qu'il se rendorme. Elle se rend compte que c'est parce qu'elle se sent seule la nuit qu'elle s'est résolue si facilement à le prendre avec elle. Lorsque John rentre chez eux, à la fin de la semaine, il met aussitôt le holà et Tim retourne dormir dans son petit lit.

Cependant, une fois que John est reparti et qu'elle se retrouve seule, Ann a bien envie de reprendre son bébé. Danny a découvert le pot aux roses et veut aussi dormir avec sa mère. Lorsqu'elle consulte John, il refuse d'en entendre parler.

Tout au long de cette première année, il y a plusieurs autres périodes durant lesquelles Tim se réveille la nuit. À chaque fois, cela semble coïncider avec une poussée de son développement (voir chapitre 9). À sept mois, Tim apprend à s'asseoir et à marcher à quatre pattes ; à mesure qu'il explore son univers familier, les nuits interrompues recommencent. Ann est obligée de se faire carrément violence pour le laisser se rendormir tout seul. À chaque fois qu'il se réveille, elle doit se raisonner pour ne pas se précipiter immédiatement auprès de lui. Elle continue à se sentir spoliée de tous les moments qu'elle ne peut passer avec lui. Une nuit où le bébé se réveille, John est justement à la maison et l'idée lui vient que Tim aimerait peut-être dormir avec un ours en peluche. Dès le premier instant, l'enfant a le coup de foudre pour son joujou. D'abord, c'est un cadeau « spécial » de son papa ! Aussitôt Tim se met à câliner son ours et à lui roucouler des mots tendres. Désormais, Nounours fait partie du rite du coucher. Chaque fois que leur second fils a un gros chagrin, Ann et John lui mettent son ours dans les bras avant de le prendre dans les leurs pour le consoler. Nounours acquiert aux yeux du petit garçon une importance toute particulière.

L'idée de fournir à Tim un objet « de transition » pour l'aider à s'endormir est un trait de génie. Il avait besoin d'un symbole de la volonté maternelle de le laisser seul la nuit. Comme dans le cas d'Alice, tant qu'Ann est restée animée par des sentiments ambivalents ou indécis, cela n'a fait qu'accroître l'agitation de Tim. Pour sa mère comme pour lui, l'ours en peluche est venu symboliser la nécessité pour le petit garçon d'acquérir une certaine indépendance nocturne. Ann en a tout aussi besoin que son fils. Ce qui ne cesse de m'émerveiller, c'est la promptitude et la facilité avec lesquelles un petit enfant s'attachera à un objet préféré. Dans notre culture, celui-ci devient un régulateur incroyablement important pour un bébé. C'est parce que nous exigeons beaucoup de nos tout-petits. Tim va pouvoir se servir de cet objet symbolique pour parvenir à reprendre le contrôle de lui-même durant la journée — ce sera un moyen de lâcher du lest ou d'épancher sa colère — et il y puisera un réconfort réel durant la nuit.

Quand arrive la fin de la première année, Ann décide de demander aux responsables de la crèche de bien vouloir différer la sieste de Tim jusqu'à une heure un peu plus avancée de l'après-midi. Sinon, il est si fatigué en fin de journée qu'il s'endort avant qu'elle n'ait pu le faire manger ou passer un moment avec lui. Après quoi, juste au moment où elle a envie de se coucher, il se réveille et ne se rendort plus de la nuit. En revanche si la sieste de 14 heures est repoussée à 15 heures 30, il est parfaitement d'attaque à l'heure du dîner et ensuite elle a le temps de jouer avec ses deux fils avant de les mettre au lit, à 20 heures 30. Il est absolument critique pour tout le monde qu'elle ait le temps de sacrifier au rite du coucher avec chacun séparément. Elle garde Daniel auprès d'elle pendant qu'elle berce Tim dans ses bras et lui chante sa petite chanson ; ensuite elle emmène son fils aîné dans sa propre chambre pour lui lire « son » histoire et bavarder quelques instants avant de l'envoyer au lit.

En cherchant par tous les moyens à aider Tim à ne plus se réveiller au milieu de la nuit, elle constate que si c'est elle qui le réveille vers 23 heures, avant qu'il ne le fasse de lui-même, elle parvient à modifier son cycle de sommeil et à le faire dormir plus longtemps d'une seule traite. Cette méthode a un autre avantage : c'est qu'elle-même se sent moins coupable, si elle ne va pas le trouver dès qu'elle l'entend grogner. Le seul problème, c'est qu'elle n'a plus du tout de temps à elle. Elle passe toute la soirée à s'occuper de ses enfants. Elle se demande avec inquiétude comment elle fera la prochaine fois que John sera là. Elle aura besoin de se sentir libre d'être avec lui.

En fait, le problème va se régler de lui-même. Lorsqu'il arrive parmi eux, John reprend à son compte le rite du coucher : il fait le fou avec ses fils et s'amuse à batailler contre eux pendant une bonne heure. Ann a peur que les petits ne soient trop énervés pour s'endormir, mais, bien au contraire, ils paraissent si épuisés après cette séance qu'ils se couchent plus volontiers que d'habitude et dorment d'une seule traite jusqu'au lendemain. Une ou deux fois, ils font entendre quelques appels plaintifs, mais John empêche sa femme de se lever pour aller voir ce qui se passe et ils se rendorment étonnamment vite.

Il est certain que deux parents s'aideront mutuellement à faire face aux problèmes de leur enfant. Quand John est à la maison, Ann est animée par des sentiments nettement moins ambivalents et il est probable que les enfants, eux aussi, se sentent davantage en sécurité quand il est là.

Lorsque Tim commence à nouveau à se réveiller vers l'âge d'un an, Ann sait ce qu'il lui faut : un bon câlin avec Nounours et un petit réveil vers 23 heures juste avant qu'elle ne se mette au lit. Cette méthode a le mérite de leur donner à tous les deux quelques instants privilégiés ensemble et le petit garçon se rendort paisiblement après ce bref intermède. Il semble bien que la jeune maman soit parvenue à maîtriser les difficultés de son fils avant qu'elles ne débouchent sur un véritable problème.

L'ALIMENTATION

Durant cette première année, d'autres difficultés surgissent dans un domaine qui surprend Ann. Elle ne se rappelle pas avoir connu de gros problèmes alimentaires avec Dan et elle ne s'est jamais beaucoup tracassée au sujet de ce que mangeaient ses fils. Tous deux sont des petits garçons robustes, bien en chair et pleins de gaieté. Pour elle un enfant de bonne humeur est un enfant bien nourri. Lorsque le pédiatre lui annonce que son cadet est trop gros, elle commence à faire attention à ce qu'elle lui donne. Elle diminue sa ration de céréales et de fruits et met plutôt l'accent sur la viande et les légumes. Elle avait remplacé la formule lactée par du lait entier, mais maintenant elle préfère lui donner du lait demi-écrémé.

Pour diminuer le nombre de calories, Ann augmente la proportion de protéines dans l'alimentation de son fils aux dépens des hydrates de carbone et des graisses. C'est un moyen qui réussit généralement assez bien à stabiliser le poids de l'enfant jusqu'à ce qu'il commence à marcher. Après quoi, il ne connaît d'habitude plus de problèmes de poids.

Peut-être parce que cet épisode l'a sensibilisée au sujet de l'alimentation de Tim, Ann se rend compte qu'il devient, vers l'âge de neuf mois, de plus en plus difficile à nourrir. Il tend la main pour lui arracher la cuillère ; il met ses doigts dans son assiette et colle de la nourriture plein la table. Quand elle essaie de lui donner sa tasse pour qu'il boive seul, il l'attrape avec une violence maladroite et renverse du liquide partout. Il se laisse complètement distraire par Danny qui s'amuse à chantonner ou à sautiller un peu plus loin pour le taquiner. En fin de journée, c'est plus qu'Ann n'en peut supporter. Elle est obligée de se fâcher à chaque repas. Elle a l'impression que Tim est toujours pire quand elle est pressée. Elle s'efforce d'éloigner Danny dans une autre pièce pendant qu'elle fait manger le petit et de remplir les mains de ce dernier de cuillères et de tasses vides. Ça marche pendant quelques instants, mais Tim s'aperçoit très vite qu'il peut, en jetant ces ustensiles par terre, faire suffisamment de bruit pour attirer l'attention de son frère aîné et le ramener dans la pièce au triple galop pour de nouvelles pitreries. Ann s'énerve de plus en plus.

Ann tient tellement à faire manger son bébé le plus vite possible qu'elle ne saisit pas le fond du problème : Tim en a assez d'être nourri. Il veut manger tout seul à présent (voir chapitres 9 et 10).

Dès l'âge de huit mois, où il a acquis une certaine adresse manuelle — notamment le mouvement de tenailles, entre le pouce et l'index —, il est possible de dissiper l'agacement d'un bébé à l'heure des repas, en lui donnant sa nourriture en petits bouts et en le laissant se débrouiller seul. Si Ann préfère que Tim mange un peu plus, elle pourra aisément lui glisser quelques cuillerées supplémentaires pendant qu'il sera absorbé par le nouveau joujou fascinant que constituent ses propres doigts.

Un soir John rentre à la maison juste au moment du repas. Ann est dans un tel état de nerfs qu'elle sort en trombe de la cuisine, en pleurant, et laisse à son mari le soin de faire manger les deux petits. Tim est tellement étonné de voir son père présider à son dîner qu'il accepte volontiers tout ce qu'il lui donne.

Dans les familles où le père est souvent absent, les enfants sont toujours beaucoup plus dociles avec lui et réservent leurs caprices et leur désobéissance à leur mère, ce qui ne fait évidemment qu'exaspérer davantage la malheureuse. En fait, c'est simplement une réaction bien naturelle face à la nouveauté que représente pour eux la participation du père.

Au bout d'un petit moment, Danny, qui cherche à capter à tout prix l'attention de son père, se met à faire le pitre. John s'aperçoit que, s'il veut éviter que Tim soit trop distrait pour manger, il doit faire du repas un véritable jeu. Il se met à faire des grimaces au bébé, à faire semblant de manger son repas et s'amuse à lui présenter la cuillère, puis à la retirer au moment où Tim avance les lèvres ; le petit est enchanté et ne se fait pas prier pour tout avaler. Après cet épisode, Ann laisse à son mari le soin de nourrir Tim, mais elle sait bien qu'il ne sera pas longtemps à la maison. Elle lui explique qu'elle n'a vraiment pas le temps de passer des heures à faire manger les deux enfants : pas plus le matin, où il faut se dépêcher pour être à l'heure au bureau après les avoir posés à la crèche, que le soir, après une longue journée harassante. Les responsables de la crèche lui ont assuré qu'avec eux, Tim ne rechignait jamais pour manger, ce qui n'a fait que l'irriter davantage et la convaincre qu'elle était incapable de venir à bout de la mauvaise volonté de son fils.

Encore un exemple de l'indifférence du personnel des crèches envers le besoin qu'éprouve une mère qui travaille de s'occuper convenablement de ses enfants durant le peu de temps qu'elle a à leur consacrer. Elle fera toujours des comparaisons entre ses résultats et ceux de la crèche... et se sentira inférieure. Les responsables auraient mieux fait d'indiquer à Ann quelques « trucs » pour l'aider à résoudre ce problème de plus en plus exaspérant.

C'est finalement John qui va trouver la solution. Il se rappelle que Dan avait, lui aussi, traversé une période de défi, où il lançait sa nourriture un peu partout, et qu'ils avaient réussi à désamorcer la situation en le laissant manger tout seul. Dès qu'il lui suggère de laisser Tim en faire autant, Ann sait qu'il a parfaitement raison. Et en effet, le bébé, hilare, s'empresse de ramasser et d'avaler les petits morceaux qu'elle lui prépare. Les repas redeviennent un des moments agréables de la journée.

À la fin de cette première année, Ann a l'impression de revenir de loin. John est très fier d'elle et elle-même n'est pas mécontente de la façon dont les choses ont tourné. Tim, elle le sait, est reparti du bon pied. Danny n'est plus aussi jaloux qu'au début. Elle a réussi à faire face aux exigences de son métier et même à se distinguer. Elle commence à savoir garder en réserve assez d'énergie émotionnelle pour ses fils, de façon à pouvoir maintenir l'équilibre entre leurs besoins et son propre désir d'arriver au bout de tout ce qu'elle a à faire. C'est là un des aspects les plus pénibles, mais aussi les plus importants, du rôle de mère et du rôle de parent en général.

PIQUE-NIQUE EN FAMILLE

Chaque fois que John est là pour quelques jours, Ann et lui prévoient une sortie. Danny dit d'ailleurs souvent : « Quand papa sera là, on ira à tel ou tel endroit. » Lorsque John arrive, chacun a plusieurs idées à proposer. Le premier jour, John dort pratiquement toute la journée. Tim et Dan jouent devant sa chambre en attendant qu'il se lève. Quand il paraît enfin, hirsute, Daniel, qui a maintenant quatre ans, se jette dans ses bras, et Tim, qui vient de commencer à marcher, se précipite à sa suite, avide lui aussi de voir son papa. De son fauteuil, Ann observe leur réunion d'un œil attendri.

« Qu'est-ce qu'on va faire aujourd'hui ? » La question de John est comme une formule magique : aussitôt toute la maisonnée déborde d'énergie et d'entrain. Ann a préparé le pique-nique pendant que son mari dormait et John s'occupe de la citronnade et du biberon qui réconfortera Tim en fin de journée. Les voilà tous partis en direction du métro. Chaque phase de leur expédition leur paraît particulièrement réussie. Même le trajet en métro est grisant lorsque John est là. Il tient Timmy sur ses genoux et Dan entre ses jambes, et leur explique toutes les affiches des stations et ce qu'ils voient par la fenêtre quand la ligne débouche à l'air libre. Il leur offre une vision nouvelle de leur univers familier.

Dès qu'ils le peuvent, ils vont passer la journée au bord de la mer. Dan veut voir les chalutiers sur lesquels travaille son père. Déjà, Tim sait dire « Bateau ! » et « Veux aller en bateau ! » Un jour, John les fait monter à bord d'un chalutier pour leur faire voir « où travaille papa ». Ça sent le mazout et le poisson, mais le mélange d'odeurs ne dérange ni Ann ni les deux petits qui promènent autour d'eux de grands yeux étonnés, tandis que John leur fait tout visiter. Il leur montre la salle des machines, silencieuse et étouffante, où il est souvent de quart. Il leur fait voir sa couchette et le placard où il range ses vêtements. Il a punaisé leurs photos sur la porte. Il les emmène au mess, où mange l'équipage quand le bateau est en mer. Il les fait monter dans le poste de pilotage et les met l'un après l'autre à la barre. Plus tard, ils prennent un canot et John les emmène faire un tour dans le port. Les deux petits sont médusés et regardent, sans oser bouger, leur père louvoyer habilement entre les bateaux de pêche. John montre à Dan comment ramer ; le petit garçon tire trois fois sur son aviron et déclare forfait. Tim, blotti sur les genoux de sa mère, reste silencieux, mais ne perd pas une miette du spectacle.

De retour sur la terre ferme, les deux enfants se déchaînent brusquement. Toute l'énergie qui s'est accumulée pendant qu'ils restaient tranquillement assis à regarder ramer leur père jaillit en un véritable torrent. Ils courent comme des fous sur les docks, jusqu'à ce que John les rappelle à l'ordre. Puis ils se mettent à parler comme des moulins. Dan décrit l'expérience qu'il vient de vivre, avec une somme de détails absolument confondante, et Tim s'efforce de l'imiter en répétant quelques mots clefs. Ils bavardent à perdre haleine tout au long du pique-nique ; ils parlent même tellement qu'ils ne mangent pratiquement rien, ni l'un ni l'autre. Ann et John les écoutent, dans un silence admiratif. Ils se sentent très proches l'un de l'autre. Ils n'en reviennent pas de se dire que, malgré les vies si occupées qu'ils mènent, presque toujours séparés, il leur est si facile de se sentir parfaitement unis dans les moments comme celui-ci où leur univers redevient soudain complet et parfait.

Le manque de temps

L'un des grands problèmes pour les familles où les deux parents travaillent, qui vient en outre souligner la plupart des autres difficultés, c'est le temps. On n'en a jamais assez : pas le temps de faire face aux urgences, pas le temps de venir à bout des tensions, pas le temps de profiter de la simple joie et du plaisir d'être ensemble ou d'être seuls. Les tableaux que ces parents me brossent de leurs jours et de leurs nuits me laissent pantois. Chaque jour, tout doit être chronométré et comparti- menté à la minute près. Serions-nous trop occupés ?

Quand j'adresse mes jeunes clients, devenus adolescents, à un confrère « pour adultes », je leur demande toujours, avant de leur dire au revoir, quel souvenir ils gardent de leur enfance. Comme ils me connaissent bien, ils n'hésitent pas à me révéler des souvenirs très personnels. Les enfants nés durant les années cinquante se rappellent souvent que « personne ne souriait quand j'étais petit ». Cette révélation m'a horrifié et j'ai appris qu'ils considéraient leurs parents comme des gens trop sérieux, qui passaient leur temps à se demander s'ils faisaient bien tout ce qui était exigé d'eux en tant que parents. Je crains qu'une ambiance analogue ne hante les souvenirs des enfants nés dans les années quatre-vingt. À l'heure actuelle, j'entends bien souvent mes petits clients se plaindre que « personne ne sourit jamais chez nous ». Tout le monde est trop occupé. Il risque fort de ne pas y avoir de place pour l'humour, pour le simple plaisir de s'amuser.

Les parents modernes doivent apprendre à se détendre et à s'amuser, savoir faire les fous avec leurs enfants. Si ces derniers fréquentent une crèche ou une garderie, leur journée sera probablement strictement délimitée et organisée. Or l'enfant a besoin de se défouler au même titre que ses parents. Il y a de gros risques pour qu'une période d'intense agitation physique se termine dans les larmes, mais votre bébé a besoin de se libérer ainsi. Après la surexcitation, puis les pleurs, viendra un merveilleux câlin, véritable oasis de calme, au cours duquel une histoire racontée ou lue suffira à rétablir l'harmonie.

Ces temps-ci, on ne parle plus que des « instants de qualité ». Tous les parents qui travaillent me demandent de leur fournir la marche à suivre, comme s'il s'agissait d'une espèce de formule magique. Il n'en est rien. C'est une simple étiquette pour cette chaleureuse intimité qui n'a, hélas, guère sa place dans une journée rigoureusement programmée. Les mères au foyer ne songent même pas à insérer de telles périodes dans leur emploi du temps. Les petits enfants qui ont la chance d'être constamment avec l'un ou l'autre de leurs parents ne les distinguent pas du reste de leur journée. Étant donné qu'un parent qui travaille se sent très souvent déchiré, peut-être attachera-t-il trop d'importance à ces « instants privilégiés », dans l'espoir de compenser ses trop longues absences. Cependant, plus il s'efforcera de les créer, moins il aura de chances d'y parvenir.

Du temps où j'étais un jeune père très occupé, je m'efforçais toujours, en rentrant le soir à la maison, de réunir toute ma marmaille autour de moi. Les petits aussi étaient fourbus, cependant, et prêts à se chamailler pour un rien. Ils avaient autre chose à faire que de venir me trouver : leurs devoirs, par exemple, ou des coups de téléphone à passer à leurs amis. Certes, ils étaient très contents de me voir, mais pas dans les conditions que j'entendais leur imposer. L'idée que je me faisais de nos « instants privilégiés » était trop artificielle, trop « voulue ». Quand je tâchais de les attirer contre moi, de les « parquer » tous ensemble dans une pièce donnée, ils avaient l'impression qu'il s'agissait d'une corvée supplémentaire greffée sur un emploi du temps déjà chargé. Ils venaient donc à contrecœur passer ces quelques instants en ma compagnie. En revanche, si j'attendais et laissais chacun libre de venir me trouver à sa guise, au moment où cela l'arrangeait le mieux, nous passions de délicieux moments de grande intimité. Je finis par apprendre à faire la lecture à chacun et à garder un peu de temps

à l'heure du coucher, pour pouvoir tous nous détendre et
bavarder après l'histoire de rigueur. Or, à l'époque, ces rapports
me paraissaient bien trop mièvres. Ce n'est qu'avec le recul du
temps que je m'aperçois que ces brèves séances constituaient nos
« instants de qualité ». Ils ne surviennent que lorsque les parents
et les enfants sont prêts à les apprécier.

Si tous les membres d'une famille sont disposés à mettre la
main à la pâte, les moments passés ensemble seront à la fois plus
nombreux et plus intenses. À présent que les pères commencent
à envisager de partager les corvées ménagères avec leur épouse,
il faut aussi apprendre aux enfants à en faire autant. C'est
probablement le meilleur investissement qui soit pour les enfants
d'aujourd'hui. S'ils apprennent tout petits à faire leur part du
travail, si l'on veille à leur donner le sens des responsabilités et
l'envie de les assumer, ils seront déjà loin devant tous les enfants
américains des décennies précédentes. La génération du « MOI
d'abord » est une des hontes de notre société, surtout parce
qu'on n'a pas appris aux enfants des familles riches et aisées à
prendre conscience des responsabilités qu'ils ont envers leur
prochain. Au début, il faudra consacrer un certain temps à
mettre en route cet apprentissage. Les parents doivent être prêts
à commencer très tôt l'éducation de leurs enfants. Ainsi, on peut
très bien apprendre à des petits de deux ans à mettre le couvert :
ils adoreront ! Dès trois ans, ils pourront aider à faire la vaisselle
ou à plier le linge propre ; cela leur permettra de faire admirer
leurs prouesses. Certes, il faudra dépenser de précieux instants
et des trésors de patience pour leur enseigner tout cela à la fin
d'une longue journée bien remplie, mais si l'on parvient à leur
présenter la chose comme une aubaine plutôt que comme une
corvée, il sera très possible de passer avec eux quelques
moments « de qualité ». S'ils sont habitués à voir toute la famille
se répartir les soins du ménage, les enfants de l'actuelle
génération seront prêts à accepter des rôles moins stéréotypés
selon le sexe.

Le mythe de la « supermaman » et de la « surfemme » épuise
sans cesse l'énergie de la mère qui travaille. Quant aux hommes,
qui jouent à présent un rôle plus actif au sein de leur famille, ils
risquent de vouloir devenir aussi perfectionnistes chez eux qu'ils
le sont au travail. Or cette attitude n'est guère compatible avec
les exigences très différentes de ces deux grands domaines. Elle

ne peut qu'engendrer un sentiment de culpabilité à l'idée que l'on n'accomplit convenablement aucun de ses devoirs, ce qui risque de tendre encore davantage une situation déjà tendue à craquer. Je conseille aux parents qui travaillent de ne pas perdre de vue la nature essentiellement éphémère de cette période de la petite enfance, de ne pas oublier qu'elle est courte, mais importante. Peut-être votre métier devra-t-il attendre que vous puissiez lui consacrer toute votre énergie, peut-être devrez-vous trouver des moyens de différer ou de modérer vos ambitions jusqu'à ce que vos devoirs de parents deviennent moins exigeants. Vous aurez besoin de temps et d'énergie pour être le parent souple et attentif que vous rêvez d'être. Les parents qui gardent un peu d'eux-mêmes en réserve pour leur famille en fin de journée et en fin de semaine se sentent mieux récompensés de leurs efforts. Dans une vie, le temps que l'on passe auprès de ses parents est limité et c'est durant ces toutes premières années que se forme l'image que l'on aura de soi. Si vous n'avez ni le temps ni l'humour voulus pour écouter ce que votre enfant pense des événements de la journée, peut-être gardera-t-il de vous le souvenir de quelqu'un « qui ne sourit jamais ».

Toutes les tâches matérielles — manger, se coucher, s'habiller, se déshabiller — peuvent donner lieu à une interaction positive entre vous et votre enfant. Vous pouvez en profiter pour partager vos sentiments, pour bavarder, pour rire et même pour vous chamailler. Le grand but de l'enfant sera de s'émanciper ; celui du parent de le maintenir sous sa tutelle ou tout au moins de l'éduquer. Des heurts seront donc inévitables, durant lesquels on verra s'épancher des sentiments aussi puissants qu'à l'occasion d'une interaction plus positive. Cela dit, lorsqu'un parent et un enfant ont trop peu de temps à passer ensemble, il devient plus pénible de s'affronter. Après une dispute ou une punition, il est souvent excellent de prendre l'enfant sur ses genoux et de ramener l'harmonie en essayant d'analyser ensemble ce qui s'est passé.

Comme nous l'avons vu plus tôt, l'un des devoirs les plus pénibles pour les parents qui travaillent sera peut-être d'encourager leur enfant à devenir indépendant, car ils risquent de ne pas savoir reconnaître les problèmes à mesure qu'ils surgissent. Il faut veiller à discuter régulièrement du développement de votre enfant avec la personne qui s'en occupe, chez vous ou à la crèche, car cela vous aidera à guetter tous les signes avant-coureurs de cette indépendance en gestation.

Pour garder le contact avec la crèche, la maternelle ou la vie sociale de votre enfant, peut-être devrez-vous péniblement vous ménager quelques instants supplémentaires dans un emploi du temps déjà surchargé, mais c'est essentiel, pour vous comme pour lui. Cela vous permettra de voir où il en est dans ses rapports avec ses camarades, ses nouvelles occupations et les autres grandes personnes. Vous y puiserez l'assurance qu'il ne souffre pas trop de la vie de fous que vous menez. Les parents qui travaillent ont besoin de savoir que leurs absences répétées ne créent pas de problèmes à leur progéniture.

Pour votre enfant, l'intérêt manifesté envers ses activités de la journée et sa vie sociale est un véritable soutien. Les enfants conscients de l'intérêt de leurs parents ont davantage confiance en eux. Ils trouvent en eux un important public à éblouir et à satisfaire. Ils peuvent venir vous trouver avec leurs émotions et leurs frustrations, parce qu'ils sont sûrs que vous y prendrez une part active. En grandissant, il est fort possible qu'ils en viennent à s'irriter de vos interventions dans leurs affaires, mais il est bien préférable de pouvoir se rebeller et s'énerver contre un parent que d'être accablé du poids de son indifférence.

Les maladies infantiles bénignes laissent bien souvent aux parents le souvenir d'instants bénis, durant lesquels leur enfant régresse et a besoin de leurs soins. Les parents qui travaillent devraient mettre de côté les congés maladie auxquels ils ont droit afin de pouvoir rester chez eux, le cas échéant, avec leur enfant malade. Qui de nous n'a pas gardé le souvenir de merveilleuses journées passées pelotonné bien au chaud sous ses couvertures, pendant que sa mère lui faisait la lecture ou le dorlotait : « Tu veux un peu plus de thé ? Ou bien préfères-tu du bouillon ou du jus de fruits ? Tu veux que je te lise quelque chose ? Et si on jouait plutôt ? » Dès que l'on se sent mal ou vulnérable, ces souvenirs vous reviennent en mémoire et l'on rêve de pouvoir se retrouver souffrant dans son lit d'enfant, avec une grande personne attentionnée penchée sur vous. Tous les parents très occupés devraient se faire une règle de fabriquer à leurs enfants des souvenirs de ce genre. Une fois que vous aurez repris le travail, téléphonez à votre enfant de temps à autre pour savoir comment il se sent.

Prévoyez, dans la mesure du possible, des vacances en famille. Ces semaines que vous pourrez passer tous ensemble sont très spéciales, surtout pour des familles où les parents travaillent. Mais attention, ne les surchargez pas. Certains y accumulent une telle débauche d'activités qu'elles finissent par ne plus se distinguer des existences accaparentes qu'ils mènent le reste de l'année. Des journées passées ensemble à se détendre seront souvent plus agréables qu'une succession de distractions organisées.

Pour les familles qui travaillent, il est important de partager des occupations durant le week-end : aller à l'église, chez grand-maman, au cinéma, faire des courses, tout cela vous constituera plus tard d'agréables souvenirs. Si toute la famille se réunit pour organiser la semaine à venir, chacun se sentira solidaire des autres membres et tenu d'apporter son concours pour régler les problèmes matériels. Un enfant qui partage aussi bien les plaisirs que les corvées se sentira forcément plus apprécié et plus adulte.

Épilogue

Partager les joies

Les familles qui travaillent auront-elles seulement assez de temps et d'énergie pour connaître des joies ? Certes, il y aura les satisfactions de la vie quotidienne, le plaisir de se dire que l'on parvient à surmonter une double ration de difficultés, mais cela suffira-t-il à donner à toute la famille l'impression que le jeu en vaut la chandelle ? On peut parier que ce ne sera pas l'avis des enfants, si toute la maisonnée est perpétuellement pressée, harcelée, inquiète.

Comment créer durant ces années une ambiance joyeuse ? Pour commencer, levez un peu le pied et regardez autour de vous. Si votre profession vous procure des satisfactions, partagez-les avec vos enfants. Parlez-leur de votre travail et du bonheur qu'il vous apporte. Présentez-leur vos collègues et amenez-les un jour à votre lieu de travail pour qu'ils puissent vous voir dans l'exercice de vos fonctions. S'ils peuvent aussi s'identifier à vous dans votre rôle professionnel, cela sera doublement gratifiant. Dès que j'ai commencé à laisser mes enfants fréquenter mon cabinet pour venir y voir leurs petits amis et beaucoup d'autres enfants qui étaient mes clients, ils ont manifesté l'envie d'« aider papa ». Quand ils allaient jouer avec les enfants dans la salle d'attente, ils expliquaient : « Ça compense tout ce que tu leur fais, papa. » En même temps, cependant, ils se sont mis à observer les enfants qu'ils voyaient dans la rue. Ils m'ont posé des questions sur le développement, ont voulu savoir pourquoi les mères et les pères faisaient telle ou telle chose. En classe, ils sont devenus les « experts du développement infantile ». Leurs camarades qui faisaient du baby-sitting les appelaient à la maison pour les

« consulter ». *Parfois, ils me demandaient conseil, mais bien souvent ils réglaient le problème sans mon aide. Et, moi, je voyais bien à quel point il était important pour eux de partager ainsi mes activités professionnelles.*

Une fois que sa fille sait marcher, Carla l'emmène un jour au bureau. Tout le personnel se bouscule pour admirer la ravissante petite fille. Les dactylos la laissent marteler leur clavier. Le coursier l'emmène faire un tour avec lui. Les autres avocats du cabinet lui apprennent à dessiner et tournent pour elle les pages de leurs gros livres. Jamais Amy n'oubliera ce que c'est que le « travail ». Tous les matins, elle prépare sa « serviette » — un vieux porte-documents de sa mère — qu'elle bourre de papiers. À son arrivée à la crèche, elle gagne d'un pas conquérant la salle où sont réunis les enfants de son âge et annonce à ses camarades : « Regardez ! J'ai apporté mon travail dans ma serviette ! » Elle est toute fière quand sa mère vient la rechercher en fin de journée, fière d'avoir elle aussi sa serviette à rapporter à la maison, comme maman.

Si vous pouvez vous résoudre à abandonner de temps en temps votre rôle de « supermaman » ou « superpapa », la joie de tout partager, la joie de voir votre enfant s'identifier à vous adouciront les tensions auxquelles vous soumet votre double rôle profession- nel et familial. Voir son enfant se développer dans tous les domaines est un spectacle à ne pas manquer. Chaque nouvelle étape est un tel plaisir : pour eux comme pour vous. Et pourquoi ne pas demander à vos enfants de vous aider à préparer le petit déjeuner du dimanche ? L'un peut vous seconder à la cuisine, l'autre mettra la table et tout le monde aura quelque chose à faire. Essayez aussi d'en faire un jeu : « Bon, à présent on va se dépêcher, comme on le fait tous les jours : vite, vite, vite, allez, mange ta tartine ! Et toi, où as-tu fourré tes gants ? Ouf ! Vous ne trouvez pas que c'est chouette d'avoir le temps de s'attarder autour d'un bon petit déjeuner ? Vous m'avez si bien aidée. » Regardez- les se rengorger.

C'est Jim qui sait le mieux dérider Amy. Lorsque la mère et la fille rentrent à la maison, un peu lasses, en fin de journée, il les attend derrière la porte d'entrée pour leur bondir dessus

Surprises, les deux arrivantes sursautent et Amy est sur le point de se mettre à pleurer. Déjà, cependant, Jim les a prises dans ses bras et les serre contre lui. Pendant qu'elles se ressaisissent, il se met à les chatouiller. Le fou rire les gagne et le retour à la maison se termine par une folle poursuite à travers tout l'appartement. Lorsqu'ils s'écroulent enfin sur le canapé, tous les trois ensemble, la bonne humeur règne. Pour Amy, son papa est avant tout un « rigolo ». Il maintient le moral de la famille au beau fixe.

Les pères qui s'occupent de leur enfant dès la naissance tireront forcément beaucoup plus de plaisir de tout ce qui arrive chez eux. Ils ont l'impression que chaque nouvel obstacle franchi par leur famille ou leur enfant est en partie le résultat de leurs propres efforts. Le partage raisonné des rôles dans les familles d'aujourd'hui portera ses fruits pour les enfants de demain. Les garçons de la prochaine génération « sauront » de quelle façon ils doivent coopérer et ne songeront pas à contester cette réalité ; les filles « sauront » que les hommes peuvent et doivent les aider et les soutenir dans leur rôle nourricier. Les enfants des parents qui travaillent tous les deux et savent répartir les tâches entre tous les membres de la famille font une expérience infiniment plus riche.

Les parents qui parviennent à trouver un juste équilibre entre leur rôle familial et leur rôle professionnel connaissent bien d'autres joies et compensations. Quel plaisir que de se retrouver chez soi, en sécurité, blottis les uns contre les autres, après une affreuse journée. Christopher Lasch a baptisé la famille un « havre de tendresse dans un monde sans cœur ». Elle peut l'être en effet, tant pour les parents que pour les enfants. La joie que l'on éprouve à observer les progrès accomplis par un petit enfant, à partager le plaisir qu'il prend à franchir de nouvelles étapes, est un excellent contrepoids au sentiment de triomphe que peut procurer, par exemple sur le plan professionnel, un succès acquis de justesse.

Comme nous l'avons vu dans le cas d'Alice et Tina, du fait qu'un parent qui travaille est souvent fatigué ou distrait, il risquera moins de chercher à couver son enfant à un moment où celui-ci a besoin d'indépendance. Si les parents veulent bien se cantonner dans un rôle d'observateurs, pendant que leurs enfants prennent eux-mêmes leurs décisions, ils pourront savourer la joie de les voir affronter avec compétence les résultats de ces décisions.

Ann McNamara se donne beaucoup de mal pour pouvoir être à la maison quand ses deux fils rentrent de la crèche. Elle finit par s'aménager un emploi du temps qui lui permet d'arriver chez elle juste avant eux. Lorsque John est là, c'est lui qui va les chercher. Ann a bien envie de vaquer aux soins du ménage dès son arrivée : elle a tant de choses à faire et si peu de temps à sa disposition ! Heureusement, elle se raisonne aussitôt : elle a justement choisi ce nouvel horaire pour pouvoir accueillir ses fils à la porte d'entrée. Un jour où elle écoute leurs pas approcher, elle entend une petite voix annoncer à John : « Maman doit être impatiente, tu sais. Tous les jours, elle rentre à la maison avant nous, juste pour savoir tout ce qu'on a fait. » Les yeux embués, elle prend ses fils dans ses bras, l'un après l'autre, pour les embrasser. Les deux garçons débordent d'énergie : ils s'assoient près d'elle sur le canapé pour lui décrire leur journée. John, installé de l'autre côté de la pièce, admire sa petite famille. Les deux frères annoncent leurs « nouvelles » à tue-tête. C'est à qui parlera le premier et criera le plus fort. Chaque fois qu'un des deux commence à parler, l'autre l'interrompt pour expliquer ce qu'il a fait, *lui*. Quand c'est au tour de Tim, il est tellement excité qu'il en bégaie et n'arrive plus à sortir un seul mot. Danny l'aide à se rappeler. Finalement, ils ont tout dit. Daniel se tourne alors vers sa mère et lance : « C'est à toi, maintenant. Qu'est-ce qui s'est passé à ton bureau aujourd'hui ? » Ann et John échangent un long regard ; ils se rendent compte que leurs fils, en grandissant, ont appris à s'intéresser aux autres. En définitive, ce n'est pas si ingrat que ça de travailler et d'élever des enfants. C'est à la portée de tout le monde, si l'on veut s'en donner la peine.

Votre plus grande récompense, ce sera bien sûr de voir vos enfants devenir des adultes équilibrés et bien dans leur peau, capables de s'identifier aux deux grands pôles de votre existence : le travail et la famille.

Table des matières

Deuxième Partie

PARTAGER LES SOINS

Troisième Partie

LES OBSTACLES À FRANCHIR

Psychologie

Psychologie / Psychanalyse

Psychologie et personnalité

Tests

Enfants

IMPRESSION : BUSSIÈRE S.A., SAINT-AMAND (CHER). — Nº 7076.
D.L. JANVIER 1989/0099/27

ISBN 2-501-00992-4

Imprimé en France